Über dieses Buch   Die Vorgeschichte der beiden deutschen Staaten reicht bis weit in die Zeit des Zweiten Weltkrieges zurück, als sich die Alliierten Mächte Gedanken über den einzuschlagenden Weg in Mitteleuropa nach der Niederringung des nationalsozialistischen Deutschen Reiches machten.

Der Autor erzählt packend die Wandlungen der internationalen Konstellationen, die das Geschick des sowohl militärisch wie politisch und moralisch geschlagenen Deutschen Reiches bestimmten. Damit werden gleichzeitig die politischen Voraussetzungen für die innere Entwicklung des Nachkriegsdeutschland deutlich, die im Folgeband (Bd. 4311) von Wolfgang Benz beschrieben werden.

Der vorliegende Band schlägt Schneisen durch die komplizierten Zusammenhänge der Kriegskonferenzen. Er beschreibt klar gegliedert die verschiedenen Phasen der internationalen Auseinandersetzungen: von der anglo-amerikanisch-sowjetischen Koalition, die in den mittleren Kriegsjahren Pläne zur Aufteilung des Reiches erdachte, über die Krise dieser Koalition, die zwar die Abkehr von der Zerstückelungskonzeption brachte, aber gleichzeitig Unfähigkeit zur Verständigung über Deutschland bewirkte. Am Ende zerfiel die Allianz im Kalten Krieg, der zur Konfrontation zwischen Westmächten und Sowjetunion auch in der deutschen Frage und damit schließlich doch zur Teilung des deutschen Territoriums führte.

Der Band ist für jedermann lesbar geschrieben und repräsentiert gleichzeitig modernste Forschung zur Zeitgeschichte.

Der Autor   Hermann Graml, 1928 in Miltenberg/Main geboren, Historiker, wissenschaftlicher Mitarbeiter des Instituts für Zeitgeschichte in München. Er ist dort geschäftsführender Redakteur der Vierteljahrshefte für Zeitgeschichte.

Zahlreiche Veröffentlichungen zu den Themen Außenpolitik der Zwischenkriegszeit, Widerstand, nationalsozialistische Judenverfolgung, u.a. Der 9. November 1938. »Reichskristallnacht« (1953, [8]1962); Europa zwischen den Kriegen (1969, [5]1982); Europa (1972); Widerstand im Dritten Reich. Probleme, Ereignisse, Gestalten (1984, Fischer Taschenbuch Bd. 4319); als Herausgeber zusammen mit Wolfgang Benz: Die revolutionäre Illusion. Zur Geschichte des linken Flügels der USPD. Erinnerungen von Curt Geyer (1976); Aspekte deutscher Außenpolitik im 20. Jahrhundert (1976); Sommer 1939. Die Großmächte und der europäische Krieg (1979)

Hermann Graml ist ebenfalls zusammen mit Wolfgang Benz Herausgeber des Bandes 35 der Fischer Weltgeschichte Europa nach dem Zweiten Weltkrieg (= Das Zwanzigste Jahrhundert II; 1983) sowie des Bandes 36 Weltprobleme zwischen den Machtblöcken (= Das Zwanzigste Jahrhundert III; 1981).

Hermann Graml

Die Alliierten und die Teilung Deutschlands

Konflikte und Entscheidungen
1941–1948

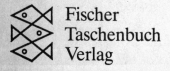

Fischer
Taschenbuch
Verlag

Lektorat: Walter H. Pehle

Originalausgabe

Veröffentlicht im Fischer Taschenbuch Verlag GmbH,
Frankfurt am Main, Mai 1985

© Fischer Taschenbuch Verlag GmbH, Frankfurt am Main 1985
Umschlaggestaltung: Jan Buchholz / Reni Hinsch
Foto: Bildarchiv Preußischer Kulturbesitz, Berlin
Gesamtherstellung: Clausen & Bosse, Leck
Printed in Germany
1280-ISBN-3-596-24310-6

Inhalt

Vorwort 9

Einleitung 11

I. Die Zeit der Aufteilungspläne 15
1. Die Zäsur von 1941
   und das Ende restaurativer Kriegszielpolitik 15
2. Sowjetisch-britische Tendenzen zur Veränderung
   des mitteleuropäischen Status quo 17
3. Die deutsche Frage in Präsident Roosevelts
   Globalkonzeption 21
4. Temporäre Harmonisierung der alliierten Kriegszielpläne
   in Teheran 27

II. Die Wende von Jalta: Abkehr vom Aufteilungskonzept 31
1. Militärische Peripetie und Wandel der politischen Lage . . . 31
2. Übergang der Sowjetunion zu imperialer Expansion 32
3. Rückkehr Großbritanniens zu »balance of power«-Politik . . 36
4. Annäherung der USA an den britischen Kurs 39
5. Die Deutschlandfrage im Lichte
   der inter-alliierten Interessenkonflikte 42
6. Der Scheinerfolg anglo-amerikanischer
   Europapolitik in Jalta 45
7. Verständigung der Großmächte
   über die Bewahrung der deutschen Einheit 49
8. Deutschlandpolitische Entscheidung in den USA:
   Föderalisierung statt Aufteilung 55

**III. Die Konferenz von Potsdam und das Ende
der deutschen Einheit** 61
1. Sowjetische Wendung gegen die Jalta-Vereinbarung
   über Ost- und Südosteuropa 61
2. Verschärfung des west-östlichen Interessenkonflikts zur
   Krise der Kriegskoalition 63

3. Die amerikanische Politik
   im Widerstreit zwischen »Roll back«-Strategie
   und Verständigungsbereitschaft   72
4. Erosion der inter-alliierten Einigung über Deutschland:
   Das Reparationsproblem   82
5. Scheitern der Potsdamer Verhandlungen
   über die Nachkriegsordnung Europas   86
6. Rettung der inter-alliierten Kooperationsfähigkeit:
   Der Beschluß zur Teilung Deutschlands
   als Reparationsgebiet   92

IV. **Der Rat der Außenminister und die Teilung Deutschlands** . . .   105
1. Obstruktionistische Deutschlandpolitik Frankreichs
   und Lähmung des Alliierten Kontrollrats in Berlin   105
2. Scheitern des antifranzösischen Trizonen-Konzepts
   der amerikanischen Militärregierung   110
3. Die Spaltung des Okkupationsgebiets
   in SBZ und Westzonen   120
4. Zielkonflikte in der amerikanischen Deutschlandpolitik:
   Erste Ansätze der Weststaatskonzeption   128
5. Krisen im Rat der Außenminister als Stufen
   der Anerkennung des europäischen Status quo
   durch die Weltmächte   133
6. Die Neutralisierung Deutschlands als Instrument
   zur Rettung einer offensiven amerikanischen Europa-
   und Deutschlandpolitik   141
7. Sowjetische Wendung zu Status-quo-Politik und
   das Scheitern des amerikanischen Neutralisierungsprojekts
   auf der Pariser Außenministerkonferenz von 1946   150

V. **Entscheidung für die Teilung**   165
1. Washington im Übergang zur Weststaats-Konzeption   165
2. Scheitern des letzten Einigungsversuchs   168
3. Beschluß zur Gründung der Bizone   174
4. Die Anerkennung der Teilung Deutschlands als Element
   westlicher und östlicher Containment-Politik:
   Die Außenministerkonferenzen von Moskau und London .   178
5. Das Begräbnis der deutschen Einheit:
   Londoner Sechs-Mächte-Konferenz, Währungsreform
   und Berliner Blockade   195

Anmerkungen 216

Quellen und Literatur 242

Personenregister 250

Vorwort

Dieses Buch ist, als Darstellung der historischen Voraussetzungen, mit den von Wolfgang Benz herausgegebenen drei Bänden zur Geschichte der Bundesrepublik verbunden (Band 1: Politik, Band 2: Gesellschaft, Band 3: Kultur), die im November 1983 als Fischer Taschenbücher erschienen sind. In diesem Sinne ist es auch das Pendant zu der von Wolfgang Benz verfaßten Studie »Von der Besatzungsherrschaft zur Bundesrepublik«, die im September 1984, ebenfalls im Fischer Taschenbuch Verlag, veröffentlicht wurde. Ging es dort darum, die Stationen der inneren Entwicklung Westdeutschlands von 1946 bis zur Staatsgründung herauszuarbeiten, so wird hier der Versuch unternommen, die Geschichte jener internationalen Konstellationen zu erzählen, die das Geschick des sowohl militärisch wie politisch und moralisch geschlagenen Deutschen Reiches determinierten und dem besetzten Deutschland den von Wolfgang Benz nachgezeichneten Prozeß aufzwangen: Von der anglo-amerikanisch-sowjetischen Koalition gegen das nationalsozialistische Deutschland, die in den mittleren Kriegsjahren Pläne zur Aufteilung des Reiches produzierte, über die Krise der Koalition, die zwar die Abkehr von der Zerstückelungskonzeption, fast gleichzeitig aber die Unfähigkeit zur Verständigung über Deutschland bewirkte, bis zum Zerfall der Allianz im Kalten Krieg, der zur Konfrontation zwischen Westmächten und Sowjetunion auch in der deutschen Frage und damit doch noch zur Teilung des deutschen Territoriums führte.

Es gibt allerdings noch einen anderen Zusammenhang mit der von Wolfgang Benz verfaßten Studie. Auch »Die Alliierten und die deutsche Teilung« basiert auf einem Manuskript, das für Theodor Eschenburgs »Jahre der Besatzung 1945–1949« geschrieben wurde, den ersten der fünf Bände einer Geschichte der Bundesrepublik, die in der Deutschen Verlags-Anstalt Stuttgart und bei F. A. Brockhaus erscheint. Zur Vermeidung konzeptioneller Schwierigkeiten und vor allem aus Platzgründen mußten dort freilich qualitativ erhebliche Abschnitte des Manuskripts einer drastischen Kürzung zum Opfer fallen, die zugleich einen harten Eingriff in die Substanz von Analyse und Erzählung darstellte. Doch konnte sich der Verfasser mit dieser Amputation abfinden, da die DVA die Erlaubnis gab, den vollständigen Text separat zu verwenden. Für dieses Taschenbuch sind außerdem neuere Forschungen berücksichtigt worden, und das Schlußkapitel, das im ursprünglichen Manuskript angesichts der bereits dräuenden Platznot ungebührlich knapp zu halten war, konnte beträchtlich erweitert werden; ferner wurde der Anmerkungsapparat ergänzt und bereichert.

Der Verfasser ist namentlich Irene Stekker und Reinhilde Staude zu Dank verpflichtet, die mit großer Geduld für die Entstehung eines druckfertigen Manuskripts sorgten. Dr. Walter Pehle hat als Lektor wie immer Umsicht, Nachsicht und nicht zuletzt Geduld bewiesen.

München, im Januar 1985   Hermann Graml

Einleitung

Als die Armeen der gegen das nationalsozialistische Deutschland fechtenden Koalition während der ersten Monate des Jahres 1945 im Osten wie im Westen schon die Grenzen des Deutschen Reiches überschritten, der Zweite Weltkrieg also zumindest auf dem europäischen Schauplatz seinem Ende zuging, trafen die Führer der wichtigsten Koalitionspartner, der britische Premier Winston Churchill, der amerikanische Präsident Franklin D. Roosevelt und der sowjetische Diktator Josef Stalin, vom 4. bis zum 11. Februar auf der Krim zusammen, um die Grundlinien der Nachkriegsordnung Europas zu erörtern. Am Vorabend jener Konferenz von Jalta schrieb George Kennan, zweiter Mann der amerikanischen Botschaft in Moskau, seinem Freund Charles Bohlen, der sich als Dolmetscher und Protokollant in der Umgebung Roosevelts befand, einen Brief, in dem er, obwohl den äußeren Höhepunkt der Allianz zwischen Sowjetunion und Westmächten vor Augen, über die Möglichkeit der Bewahrung dieser west-östlichen Zusammenarbeit in der Zeit nach Kriegsende zutiefst pessimistisch urteilte. Zwischen einem naturgegebenen sowjetischen Expansionsdrang nach Westen und dem Interesse der westlichen Alliierten an sowohl stabilen wie unabhängigen Staaten in Europa sei der Konflikt, so argumentierte er, unvermeidlich. Wenn aber die Westmächte nicht den Willen hätten – und nach Kennans Meinung hatten sie den Willen offensichtlich nicht –, bereits die sowjetische Herrschaft über Ost- und Südosteuropa – unter welchem Begriff er offenbar sämtliche Territorien faßte, die von sowjetischen Truppen besetzt wurden – mit allen physischen und diplomatischen Mitteln zu verhindern, so bleibe nichts anderes übrig, als »einen anständigen definitiven Kompromiß« zu schließen, nämlich der Sowjetunion wenigstens eine klare und von beiden Seiten nur unter Kriegsgefahr zu verletzende Demarkationslinie in der Mitte Europas zu bezeichnen, »Europa offen in Einflußsphären zu teilen«. Da der Osten Deutschlands bei Kriegsende ebenfalls sowjetisches Okkupationsgebiet sein würde, folgte aus dem Konzept zur Teilung Europas, wie Kennan glaubte, daß die Vereinigten Staaten zugleich »die vollständige Teilung Deutschlands als vollendete Tatsache zu akzeptieren« hätten. Die USA sollten mit Großbritannien und Frankreich sofort Verhandlungen über die Schaffung einer westeuropäischen Föderation einleiten, die auch westdeutsche Staaten einschließen müsse [1].

An Kennans Sätzen über das deutsche Nachkriegsschicksal ist zunächst

einmal bemerkenswert, daß sie die damals auf alliierter Seite allgemein
gewordene Überzeugung widerspiegelten, Deutschland habe bei Kriegsende, anders als nach dem Ersten Weltkrieg, dem politischen Willen der
Siegermächte ausgeliefert zu sein. In dieser Überzeugung fand das während und erst recht in der Endphase des Krieges notwendigerweise beherrschende Motiv alliierter Deutschlandpolitik seinen Ausdruck, nämlich ein Sicherheitsbedürfnis, das durch den erneuten deutschen »Griff
nach der Weltmacht« aufs äußerste gereizt worden war und nun nach totaler Befriedigung verlangte. Erbittert durch die außerhalb der deutschen
Grenzen nirgends ernsthaft bezweifelte Verantwortung Deutschlands sowohl für den Ersten wie für den Zweiten Weltkrieg und tief erschreckt
durch die Kraftentfaltung, zu der sich das Deutsche Reich in beiden
Weltkriegen fähig gezeigt hatte, stimmten in allen Staaten der Anti-
Hitler-Koalition, ob sie die Hauptlast des Kampfes oder vorwiegend die
Last deutscher Besatzungsherrschaft trugen, Bevölkerung und Politiker
mehrheitlich darin überein, daß Aggressivität und Eroberungsdrang
Wesensmerkmale deutscher Politik seien und daß gegen einen Hang zur
Expansion, dem ein so bedeutendes Potential zu Gebote stehe, außergewöhnliche Vorkehrungen getroffen werden müßten. Die Verbrechen,
die von den Organen des nationalsozialistischen Deutschland in den besetzten Ländern verübt wurden, und der Haß, den Unterdrückung und
Verbrechen naturgemäß weckten, wirkten als zusätzliche Stimulation des
Sicherheitsbedürfnisses und lieferten nahezu jedem Mittel zu seiner Befriedigung das erforderliche gute Gewissen. Die Anwendung außerordentlicher Mittel setzte aber erst einmal die totale Verfügungsgewalt über
Deutschland voraus.
Wann immer alliierte Staatsmänner, nachdem Hitler im Juni 1941 durch
den Angriff auf die Sowjetunion einen bis dahin noch relativ begrenzten
europäischen Krieg erheblich ausgeweitet und damit endlich die Aussicht
auf die militärische Niederlage des Dritten Reiches eröffnet hatte, über
die künftige Behandlung Deutschlands sprachen, lag denn auch ihren
Diskussionen der Anspruch auf völlige Freiheit bei der Bewältigung des
Problems Deutschland als bare Selbstverständlichkeit zugrunde. Zwar
hatten Churchill und Roosevelt schon am 14. April 1941 in einer gemeinsamen Erklärung, der »Atlantik-Charta«, versichert, Großbritannien
und die USA erstrebten nach der Niederwerfung der Achsenmächte
Deutschland und Italien »keine territoriale oder sonstige Vergrößerung«
und beabsichtigten keine territoriale Veränderung, »die nicht mit den frei
geäußerten Wünschen der betroffenen Völker« übereinstimme[2]. Nachdem Japan am 7. Dezember 1941, den deutsch-sowjetischen Konflikt ausnutzend, die USA angegriffen, den Krieg in eine globale Auseinandersetzung verwandelt und das Eingreifen der USA auch in Europa ermöglicht

hatte, unterschrieben überdies die Vertreter der jetzt gegen die Achse Berlin – Rom – Tokio kriegführenden vier Großmächte USA, Großbritannien, Sowjetunion und China am 1. Januar 1942 in Washington die »Deklaration der Vereinten Nationen«, in der sie sich erneut zu den Grundsätzen der Atlantik-Charta bekannten, die sie zugleich zu den Leitideen der später zu schaffenden Organisation der Vereinten Nationen erhoben; bis Kriegsende schlossen sich weitere 43 Staaten der Deklaration an, die damit in der Tat zur Keimzelle der UNO wurde. Jedoch ließen die Staatsmänner der Alliierten nie einen Zweifel daran, daß die Prinzipien der Atlantik-Charta Bevölkerung und Territorium der Achsenmächte – vielleicht mit Ausnahme Italiens – nach deren Niederlage eben nicht schützen würden, und als Roosevelt am 24. Januar 1943 in Casablanca erklärte, die Alliierten bestünden auf der »bedingungslosen Kapitulation« der Achsenmächte, war im Hinblick auf Deutschland die Negierung der Atlantik-Charta, da erst Churchill und dann auch Stalin die Formel Roosevelts billigten, zur offiziellen Politik der Anti-Hitler-Koalition geworden[3]. Gewiß betonten die Führer der Alliierten sogleich, daß »unconditional surrender« nicht die Vernichtung der Völker der Achsenmächte bedeuten werde. Solche Einschränkungen nahmen aber den Anspruch auf die totale Verfügungsgewalt über die Achsenmächte, speziell über Deutschland, nicht zurück und sollten ihn nicht zurücknehmen.

Es war daher nicht ohne Logik, daß die Arbeit der im Oktober 1943 auf einer Moskauer Konferenz der Außenminister Großbritanniens, der Sowjetunion und der Vereinigten Staaten ins Leben gerufenen »European Advisory Commission«, die sich seit ihrer konstituierenden Sitzung am 14. Januar 1944 fast ein Jahr lang in London vornehmlich mit der Fixierung alliierter Deutschlandpolitik zu beschäftigen hatte, nahezu ausschließlich den Regeln und dem organisatorischen Rahmen der absoluten alliierten Verfügungsgewalt über Deutschland galt. Die in London tagenden Vertreter der drei Großmächte legten lediglich fest, daß Deutschland vollständig besetzt werden und auf unbestimmte Zeit besetzt bleiben müsse, und sie verständigten sich über die Modalitäten der alliierten Herrschaft auf deutschem Boden: Sie steckten die Besatzungszonen ab, die den drei Siegermächten zugewiesen werden sollten, sie entwarfen die Organisationsmuster für die alliierte Administration innerhalb der Zonen und sie konstruierten die Spitze der alliierten Herrschaft, das Kollektiv der drei Oberbefehlshaber der alliierten Streitkräfte in Deutschland, als ein Organ, das zwar die Bezeichnung »Kontrollrat« erhielt, dem aber keineswegs nur eine kontrollierende Funktion zugedacht war, sondern die temporäre Ausübung der Regierungsgewalt in Deutschland[4]. Als Roosevelt, Churchill und Stalin diese von der European Advisory Commission am 14. November 1944 verabschiedete Vereinbarung in Jalta akzeptierten, machten sie abermals klar, daß sie Deutschland gegenüber und in Deutschland völlig freie Hand zu haben wünschten: Die staatliche Existenz Deutschlands hatte zunächst einmal zu erlöschen, Institutionen, die deutsche Staatlichkeit repräsentieren konnten, mußten zunächst einmal verschwinden, eine deutsche Mitgliedschaft in den Vereinten Nationen durfte zunächst nicht einmal zur Debatte stehen. Am 5. Juni 1945, nachdem die deutsche Wehrmacht am 8. Mai bedingungslos kapituliert hatte, stellten die Siegermächte ihre absolute Zuständigkeit für das geschlagene und besetzte Deutschland tatsächlich offiziell fest, indem die Oberbefehlshaber der Streitkräfte der nunmehr vier Besatzungsmächte – in Jalta war Frankreich in den Klub aufgenommen worden – die Übernahme der Regierungsgewalt erklärten, weil es »in Deutschland keine zentrale Regierung oder Behörde« mehr gebe, »die fähig wäre, die Verantwortung für die Aufrechterhaltung der Ordnung, für die Verwaltung des Landes und für die Ausführung der Forderungen der siegreichen Mächte zu übernehmen«[5]. Der Anspruch auf absolute Verfügungsgewalt über Deutschland war Realität geworden.

Als Folge dieses fundamentalen Sachverhalts hingen vorerst alle Entscheidungen über die wichtigsten Aspekte der deutschen Frage, also die Festlegung der äußeren Gestalt, die Bestimmung der internationalen Orientierung und die Formulierung der grundlegenden wirtschafts-, gesellschafts- und verfassungspolitischen Ordnungsprinzipien eines deutschen Staates oder mehrerer deutscher Staaten, in erster Linie vom Willen und von den Interessen der Siegermächte ab; der politische Wille der Deutschen und gar deutsche politische Interessen konnten zunächst allenfalls eine sekundäre Rolle spielen, bestätigend oder passiv ablehnend und damit beschleunigend oder bremsend wirken. Da aber die Verfügungsgewalt über Deutschland nicht einer einzigen Sieger- und Besatzungsmacht, sondern vier Mächten zugefallen war, ergab sich als weitere Konsequenz, daß Art und Qualität alliierter Entscheidungen über Aspekte der deutschen Frage in engstem Zusammenhang mit der Entwicklung der interalliierten Beziehungen stehen mußten, ja daß das Nachkriegsschicksal Deutschlands in strikte Abhängigkeit vom Verhältnis zwischen den Siegermächten geriet. George Kennan hat dieses Gesetz – ein zweites bemerkenswertes Element der Sätze, die er damals niederschrieb – bereits zur Zeit von Jalta mit Selbstverständlichkeit als bestimmenden Faktor des künftigen Geschicks Deutschlands behandelt. Dem politischen Bewußtsein der meisten seiner Zeitgenossen, ob auf alliierter oder auf deutscher Seite, ist er damit sicherlich vorausgeeilt. Doch hat das Gesetz, auch wenn es seinen Exekutoren noch nicht deutlich vor Augen stand, schon lange vor Jalta jedem Versuch alliierter Politiker zur Verständigung über Deutschland die steuernden Impulse gegeben.

I. Die Zeit der Aufteilungspläne

1. Die Zäsur von 1941
und das Ende restaurativer Kriegszielpolitik

In der ersten Phase des Krieges freilich, als es Deutschland nach dem Blitzfeldzug in Polen nur mit europäischen Westmächten und schließlich, nachdem auch das kontinentale Westeuropa von der Wehrmacht überrannt worden war, praktisch nur noch mit Großbritannien zu tun hatte, ist das Gesetz noch nicht in Kraft gewesen. Abgesehen davon, daß in jener Phase die militärische Behauptung gegen das Dritte Reich alle Aufmerksamkeit beanspruchte und ohnehin noch kein Weg zum Sieg über das nationalsozialistische Deutschland zu erkennen war, mochte sich noch kaum jemand drastischere Eingriffe in das europäische Staatensystem vorstellen: allgemein galt es als ausreichend und sogar – weil die eigenen politischen Interessen dafür zu sprechen schienen – als wünschenswert, wenn Deutschland bei einem Friedensschluß einfach die seit Anfang 1938 gemachte Beute herausgab und wenn so das vor dem Beginn der nationalsozialistischen Expansion gegebene relative europäische Gleichgewicht der Zwischenkriegsjahre restauriert wurde. Auch hinsichtlich der inneren Ordnung Deutschlands dachte man nur selten und sicherlich nicht in den politischen Führungsschichten über den – allerdings für unerläßlich gehaltenen – Sturz Hitlers hinaus[1]. Alliierte Deutschlandpolitik war also noch von konservativer Abneigung gegen größere Veränderungen charakterisiert, weshalb niemand die Notwendigkeit spürte, einen Friedensschluß auf die absolute Verfügungsgewalt über Deutschland zu gründen. Weder der Krieg noch die deutsche Besatzungsherrschaft in West- und Nordeuropa hatten sich schon so weit von der europäischen Normalität entfernt, daß ein potenziertes Sicherheitsbedürfnis die politische Vorstellungswelt der Zwischenkriegszeit, die gerade in Westeuropa von der Orientierung am Status quo beherrscht gewesen war, stark genug verwandelt oder gar ausgelöscht hätte, und noch war das nationalsozialistische Deutschland allein mit den Staaten bzw. mit der Macht – Großbritannien – konfrontiert, deren Kriegszielpolitik von dem noch für zulässig und für geboten gehaltenen Wunsch nach der Rückkehr zum Status quo ante geleitet wurde.

Das Jahr 1941 brachte jedoch eine scharfe Zäsur. Im Frühjahr griff Deutschland auf den Balkan aus, im Sommer fiel die deutsche Wehrmacht in Rußland ein und im Dezember kam der Kriegseintritt der Vereinigten Staaten. Vor der nun offenkundig gewordenen Uferlosigkeit des deutschen Herrschaftsanspruchs und vor der bald ebenfalls unübersehbaren Brutalisierung der deutschen Herrschaftspraxis in besetzten Gebieten schmolz auf alliierter Seite die während der ersten Kriegsphase in der Kriegszielpolitik dominierende konservative Zurückhaltung rasch dahin. Das Verlangen nach Schutz vor dem deutschen Anspruch und vor der deutschen Praxis steigerte sich jetzt – verstärkt durch das Verlangen nach Ahndung der brutalen Herrschaftsausübung – zu jenem Sicherheits- und Strafbedürfnis, das die totale Verfügungsgewalt über Deutschland fordern mußte, weil eine drastische Behandlung Deutschlands, auch wenn sie mit einer kräftigen Umzeichnung des europäischen oder doch des mitteleuropäischen Staatenbildes verbunden sein sollte, nicht länger erschreckend wirkte, sondern notwendig schien[2]. Daß sich derartige Tendenzen schnell Bahn brechen und zur Grundlage einer jeden Kriegszieldiskussion der Gegner Deutschlands entwickeln konnten, lag aber vor allem daran, daß auf Grund der nationalsozialistischen Politik und Kriegführung zum Kreis der Gegner Deutschlands nunmehr mit der Sowjetunion und den Vereinigten Staaten zwei Weltmächte gehörten, die sehr bewußt politische Ideologien mit universalem Geltungsanspruch repräsentierten und angesichts ihrer globalen wirtschaftlichen, politischen und ideologischen Interessenlage – natürlich auch angesichts ihrer gewaltigen Ausdehnung und ihrer geographischen Relation zu Mitteleuropa – das europäische Gleichgewicht, wie es in der Zwischenkriegszeit existiert hatte, keineswegs als unbedingt bewahrenswertes Element der eigenen politischen Sicherheit ansehen mußten. Solange die neu in den Krieg gezwungenen Weltmächte noch unbesiegte Feinde zwischen sich und daher noch keine gemeinsamen politischen Grenzen hatten und als Aufgabe die Koordinierung der militärischen Anstrengungen zur Niederwerfung jener Feinde dominierte, standen ihre Führer im übrigen auch noch nicht unter dem Zwang, gründlicher über die Frage nachzudenken, wie sich ihre Beziehungen gestalten würden, wenn sie beide in Mitteleuropa militärisch und politisch präsent sein und sich dann zu einer veränderungsfreudigen Politik in dieser Region entschließen sollten. In solcher Konstellation kam, was Deutschland angeht, alsbald die Zeit der Aufgliederungspläne.

2. Sowjetisch-britische Tendenzen zur Veränderung des mitteleuropäischen Status quo

Der erste Vorschlag zur Aufteilung Deutschlands, den ein verantwortlicher Politiker eines alliierten Staates machte, stammte bezeichnenderweise von Stalin. Als nach Beginn des deutsch-sowjetischen Krieges erstmals eine britische Delegation nach Moskau reiste, um mit dem sowjetischen Diktator über die politischen Grundlagen der nun von Deutschland erzwungenen britisch-sowjetischen Allianz zu sprechen, suchte Stalin Außenminister Anthony Eden schon in ihrer ersten Unterredung, am 16. Dezember 1941, auseinanderzusetzen, daß zu den Grundlagen des Bündnisses und damit zu den Themen des Gesprächs natürlich auch eine Verständigung über die künftige Friedensregelung gehören müsse. Er teilte seinem Gast auch gleich mit, welche Forderungen die Sowjetunion stelle, nämlich daß es bei der im August 1939 mit Deutschland vereinbarten Teilung Polens, jedenfalls was das sowjetisch gewordene Ostpolen betreffe, zu bleiben habe und daß die UdSSR ferner die sonst noch auf Grund der deutsch-sowjetischen Abmachungen eingeheimste Beute (die baltischen Staaten, Teile Finnlands, Bessarabien) behalten wolle; außerdem deutete er, indem er militärische Stützpunkte in Rumänien verlangte, den sowjetischen Anspruch auf die Vorherrschaft in Südosteuropa an. Als Gegenleistung offerierte er Großbritannien die beherrschende Stellung in West- und Nordeuropa, gesichert durch britische Stützpunkte in Frankreich, Belgien, Holland, Norwegen und Dänemark. Über die politische Orientierung Mitteleuropas sagte Stalin nichts. Immerhin ließ er, ob nun allein durch das gerade damals evidente Bedürfnis nach Sicherheit vor Deutschland oder auch schon durch das Bedürfnis nach Sicherung der ost- und südosteuropäischen Beute motiviert, die sowjetische Absicht erkennen, diese Zwischenzone politisch zu schwächen, und zwar durch die Auflösung Deutschlands: das Rheinland sollte, wie er erklärte, von Preußen getrennt und als selbständiger Staat etabliert, Bayern ebenfalls selbständig gemacht und Ostpreußen Polen zugeschlagen werden; die Rückkehr Österreichs in die Selbständigkeit und die Rückkehr der Sudetengebiete zur Tschechoslowakei, die er auch noch erwähnte, verstanden sich von selbst[3]. Stalins Angebot lief darauf hinaus, Europa in eine östliche und westliche Machtsphäre zu teilen und dazwischen lediglich eine Zone schwacher Pufferstaaten mit ungewisser und folglich für den stärkeren Teilungspartner interessanter politischer Zukunft zu dulden. Mit freundlicher Unverschämtheit lud Stalin seinen britischen Bundesgenossen also ein, den mit dem deutsch-sowjetischen Pakt von 1939 eröffneten – d. h. den ausschließlich von der Macht und den imperialen Tendenzen der Großmächte bestimmten – Umgang mit Grenzen, Staaten und Völkern fortzusetzen. Für Stalin hatte seit 1939 offensichtlich nur der Partner gewechselt; mit ihm gedachte er das kurz zuvor getätigte Geschäft zu wiederholen, allerdings auf breiterer Basis, mit entsprechend besseren Ergebnissen und mit der Aussicht auf noch größere Gewinne in der ferneren Zukunft. Dies bewies, daß die Sowjetunion in der Reaktion auf Hitlers Kriegspolitik eine außenpolitische Dynamik gewonnen hatte, die nicht so rasch zu bremsen war; Stalin sah offenbar vorerst auch nicht den geringsten Anlaß zu bremsenden Korrekturen.

Es ist wiederum bezeichnend, daß Stalins Offerte bei den Briten anfänglich nur eine kühle Aufnahme fand. Außenminister Eden machte Stalin sofort darauf aufmerksam, daß Großbritannien an die Atlantik-Charta gebunden sei, und er fügte hinzu, wenn die Sowjetunion statt der Grenzen von 1941 nur die von 1939 forderte, würde es zwischen Moskau und London keine Schwierigkeiten geben[4]. Übersetzt man die diplomatische Sprache Edens in klareren Text, so hatte er Stalin mitgeteilt, daß Großbritannien auf dem europäischen Kontinent am Gleichgewicht der Kräfte interessiert sei und dort nicht die imperiale Vorherrschaft einer Macht wünsche, weder die Deutschlands noch die des kommunistischen Rußlands; an eigene imperiale Abenteuer auf dem Kontinent hatte in London schon seit der Mitte des 15. Jahrhunderts, als in den Tagen der Johanna von Orleans die Festsetzung in Frankreich endgültig scheiterte, niemand mehr ernstlich gedacht. Im übrigen war Großbritannien mit Polen verbündet, und der in London sitzenden polnischen Exilregierung lag nichts ferner, als den sowjetischen Anspruch auf Ostpolen anzuerkennen. Stalin reagierte mit der gekränkten und drohenden Bemerkung, er habe geglaubt, die Atlantik-Charta richte sich gegen jene, die nach der Weltherrschaft strebten, jetzt müsse er jedoch den Eindruck gewinnen, sie sei gegen die UdSSR gerichtet, und der sowjetische Außenminister Molotow erklärte seinem britischen Kollegen brüsk, ohne eine Regelung der Grenzfrage könne das Verhältnis zwischen Großbritannien und der Sowjetunion nicht auf eine sichere Grundlage gestellt werden[5].

Obwohl auch Churchill über »die russische imperialistische Expansion« wetterte und die strategische Sicherung der sowjetischen Westgrenze erst auf einer – noch sehr ferne scheinenden – Friedenskonferenz erörtert wissen wollte, auf der er für die Westmächte eine bessere Verhandlungsposition erhoffte[6], wurde den Briten aber rasch klar, daß Großbritannien auf den sowjetischen Bundesgenossen nicht verzichten konnte, solange Deutschland und Japan nicht besiegt waren, und daß der sowjetische Bundesgenosse, wenn Deutschland und Japan besiegt waren, an der Realisierung seiner Absichten in Ost- und Südosteuropa vermutlich ohnehin nicht gehindert werden konnte, daß also ein Eingehen auf die sowjetischen Wünsche, wie das britische Foreign Office dem amerikanischen

State Department am 14. Februar 1942 darlegte, jetzt unvermeidlich und für den späteren Gang der Dinge wahrscheinlich bedeutungslos sei[7]. Selbst die Annahme des von Stalin präsentierten deutschlandpolitischen Auflösungskonzepts faßten die Briten nun ins Auge. Untergraben durch die mittlerweile überdimensionale Furcht vor der deutschen Kraft und befreit von allen Skrupeln durch den Abscheu vor Geist und Praxis des Nationalsozialismus, begann die konservative Interessenpolitik Londons dem Moskauer Dynamismus auch in dieser Frage nachzugeben. Eine taktische Überlegung und eine situationsbedingte Stimmung haben den Briten die Annäherung an die sowjetische Linie allerdings erleichtert: Da eine deutsch-sowjetische Verständigung und damit die Rückkehr zu der für die Westmächte höchst unangenehmen Lage von 1939/40 nicht völlig ausgeschlossen werden durfte, solange der Krieg in Rußland nicht eindeutig entschieden war und solange die Westmächte auf dem westlichen Kontinent und in Mitteleuropa nicht militärisch präsent waren, schien es gar nicht dumm zu sein, mit der Sowjetunion eine Deutschlandpolitik zu vereinbaren, die zwischen die Partner vom Sommer 1939 einen nur mehr schwer zu entfernenden Keil treiben mußte; vor allem aber wurden die Londoner deutschlandpolitischen Pläne zunächst offensichtlich in dem unklaren Gefühl geschmiedet und diskutiert, daß derartigen Plänen, solange die Niederlage der Sowjetunion ja durchaus noch eine reale Möglichkeit darstellte und solange jedenfalls nicht feststand, wie bei Kriegsende die Stärkeverhältnisse in der Anti-Hitler-Koalition beschaffen sein würden, notwendigerweise ein Element des Unverbindlichen, ja des Spielerischen anhaftete. So fing auch Churchill an, über Rezepte der Zerstückelung Deutschlands nachzusinnen, und als ein Mann, dessen außenpolitische Vorstellungswelt in der viktorianisch-edwardianischen bzw. – auf Deutschland bezogen – in der wilhelminischen Zeit wurzelte und der daher alle üblen Züge der deutschen Politik noch immer einem übermächtigen Einfluß Preußens zuschrieb, fand er sogar Geschmack an dem Gedanken, Süddeutschland von Preußen zu trennen und aus Bayern, weiteren süddeutschen Territorien und Österreich einen lebensfähigen Donaustaat zu bilden[8].

In Washington war die Reaktion auf die sowjetischen Ansprüche etwas anders. Als der britische Botschafter in den USA, Lord Halifax, den Staatssekretär im State Department, Sumner Welles, über Stalins Kriegsziele informierte, brach aus dem Amerikaner helle Empörung heraus. Ein Eingehen auf das sowjetische Ansinnen, so sagte er, würde »die völlige Verwerfung der von unserer Regierung vertretenen Prinzipien« bedeuten. Zwar müsse der sowjetischen Regierung zugebilligt werden, daß sie künftig die Sicherheit der UdSSR »gegenüber unvorhergesehenen Ereignissen« besser gewährleistet sehen wolle, doch dürfe die sowjetische

Sicherheit nicht damit erkauft werden, daß »Millionen von Menschen sowjetischer Herrschaft unterworfen werden, obwohl jene Menschen ihre
Unabhängigkeit erhalten wollen und sich entschieden einer sowjetischen
Herrschaft widersetzen«. Wenn die Weltordnung der Zukunft auf der
Mißachtung aller in der Atlantik-Charta formulierten Grundsätze basie-
ren sollte, könne er nicht glauben, »daß das Volk der Vereinigten Staaten
daran teilhaben wolle«[9]. Andere Angehörige des State Department, der
Führung der Streitkräfte, des rechten Flügels der Demokratischen Partei
und des republikanischen Establishments in den Oststaaten fanden eine
Westbewegung der Sowjetunion auch auf Grund antikommunistischer
Gesinnung und des von ihnen gesehenen amerikanischen Interesses an
einem stabilen und politisch wie wirtschaftlich mit den USA partner-
schaftlich verbundenen Europa erschreckend. Es blieb der sowjetischen
Führung nicht lange verborgen, daß diese Sicht und die von Sumner Wel-
les umschriebene Position, in denen der Gedanke, auch ein von der NS-
Herrschaft gelöstes Deutschland aufzuteilen und damit den sowjetischen
Ambitionen in Europa Vorschub zu leisten, naturgemäß ebenfalls keinen
rechten Platz hatte, in der Tat breit genug verankert waren, um zumindest
für die Generallinie amerikanischer Außenpolitik stets wesentliche
Orientierungspunkte zu sein[10].

Als Molotow am 20. Mai 1942 in London eintraf, um mit dem britischen
Außenminister endlich den britisch-sowjetischen Bündnisvertrag auszuhandeln, konnte er feststellen, daß das Londoner Kabinett jetzt bereit
war, wenigstens die baltischen Staaten als Teil der UdSSR anzuerkennen.
Kaum war das in Washington ruchbar geworden, intervenierte jedoch der
amerikanische Außenminister Cordell Hull mit einem Telegramm, in
dem er seinem britischen wie seinem sowjetischen Kollegen bedeutete,
die Vereinigten Staaten müßten sich von einem Vertrag, der solche territoriale Abmachungen enthalte, durch eine ausdrückliche Erklärung di-
stanzieren, weil er gegen die Atlantik-Charta verstoße. Molotow war zum
Nachgeben genötigt und stimmte – nach Rückfrage bei dem damals in
erster Linie an westlichen Materiallieferungen interessierten Stalin –
einem Vertragstext zu, der überhaupt keine Vereinbarungen über Grenzen enthielt und in Artikel V die Sowjetunion sogar darauf verpflichtete,
»weder nach territorialen Erweiterungen für sich selbst zu streben noch
sich in die inneren Angelegenheiten anderer Staaten einzumischen«[11].

3. Die deutsche Frage in Präsident Roosevelts Globalkonzeption

Präsident Roosevelt hat sich in seinem Denken wie in seinem Verhalten von diesem Kurs allerdings zeitweilig entfernt und damit natürlich auch der deutschlandpolitischen Konzeption Washingtons eine Richtung gegeben, die von den Orientierungspunkten des State Department – das Amt nur als Repräsentant vielfältiger Kräfte genannt – vorübergehend wegführte. Roosevelt war zweifellos ein bedeutender Stratege jenes politischen Progressismus, der schon die Politik Präsident Wilsons geprägt hatte. Harry Hopkins, einer der wichtigsten und vertrautesten Ratgeber des Präsidenten, hat einmal zu einem Freund gesagt, wenn Roosevelt die großen und zugkräftigen Parolen progressiver Politik – Frieden, Freiheit, Wohlfahrt, Demokratie – in der Öffentlichkeit groß und zugkräftig beschwöre, so meine er sie eben nicht als »Fangphrasen«, er glaube daran[12]. Mit der Innenpolitik des »New Deal« hat der Präsident das Urteil von Harry Hopkins ohnehin eindrucksvoll bestätigt. Aber auch auf dem Felde der Außenpolitik vertrat Roosevelt aufrichtig einen progressiven Internationalismus[13]. Ein Ausdruck war seine prononcierte Abneigung gegen Kolonialismus, die ihn für die Zeit nach dem Kriege eine von den USA mitbewirkte Liquidierung des französischen Kolonialreichs ins Auge fassen ließ und die auch seine Beziehungen zu britischen Politikern – einschließlich Churchills – wieder und wieder störte. In der Nachfolge und als bewußter Fortsetzer Wilsons, unter dem er als Unterstaatssekretär im Marineministerium gearbeitet hatte, holte er sich gerade in internationalen Fragen seine Prioritäten aus Wilsonschem Internationalismus. So galt ihm die globale Organisierung der Staatengesellschaft nicht nur als ein erhabenes, sondern auch als konkretes und zur Sicherung des Friedens gegen alle Schwierigkeiten möglichst bald zu erreichendes Ziel. Den Sinn des Krieges und der amerikanischen Teilnahme sah er, von der Abwehr des Imperialismus der Achsenmächte abgesehen, im Grunde darin, der Welt nach dem Sieg über die Friedensstörer einen organisatorischen Rahmen für das friedliche Zusammenleben der Staaten zu geben, d. h. eine Organisation, die das Erbe des Wilsonschen Völkerbunds antreten und ihre Mission – weil reformiert und nicht zuletzt durch die 1919 noch ausgebliebene Beteiligung der USA und der Sowjetunion funktionsfähig gemacht – besser erfüllen konnte als der gescheiterte Vorläufer. Von der Atlantik-Charta bis zur Gründungsversammlung in San Francisco, die am 25. April 1945 eröffnet wurde, zwölf Tage nach seinem Tod, hat Roosevelts Außenpolitik konsequent der Schaffung der Vereinten Nationen gedient, dem zweiten Ansatz zur Revolutionierung des internationalen Staatensystems[14].
Aber dieser Wilsonianer diente seinen großen Entwürfen aus Instinkt

und Einsicht als Pragmatiker. Einerseits mit Sinn für Macht und mit Lust am Machtgebrauch begabt, andererseits mit Respekt vor fremder Macht und mit Verständnis für Machtverhältnisse ausgestattet, war Roosevelt, sowenig er seine Ziele aus den Augen verlor, doch stets zum Kompromiß mit den Realitäten bereit[15]. Er hielt Annäherungen an das Ziel, selbst wenn Umwege gegangen werden mußten und deshalb das Ziel manchmal ferner zu rücken schien, für besser als die unnachgiebige und daher entweder an den Ausgangspunkt gefesselte oder zum völligen Scheitern verdammte Verfechtung einer perfekten Konzeption. Taktische Rezepte und situationsgebundenes taktisches Verhalten – für das er außerdem eine ungewöhnliche und in langen Jahren politischer Tätigkeit zur Vollendung gereifte Begabung besaß – gewannen für ihn also eine ebenso hohe Bedeutung wie die Strategie. Freilich entwickelte er seine taktische Kunstfertigkeit immer wieder zu einer Geschmeidigkeit, die gelegentlich, ob er nun Situationen und Machtkonstellationen manipulieren wollte oder ob er einfach auf gegebene Lagen Rücksicht nahm, als schierer Opportunismus und sogar als zynische Verleugnung der eigenen Prinzipien wirken konnte. Niemand in den USA war ernsthafter von der Notwendigkeit der Vereinten Nationen überzeugt als Roosevelt; darin stimmte er mit einem in der Wolle gefärbten Internationalisten wie Cordell Hull durchaus überein. Andererseits hatte er aus der unglücklichen Geschichte des Völkerbunds die Lehre gezogen, daß die Grundsätze und Regeln parlamentarischer Demokratie nicht ohne weiteres und jedenfalls jetzt noch nicht auf die Organisation der Staatengesellschaft übertragbar seien. Der Wirrwarr und die Konflikte der Interessen und Souveränitäten der kleinen und mittleren Staaten bedurften der Regulierung durch die ordnungsstiftende und die Einhaltung der Regeln erzwingende Kraft der starken Staaten. Umgekehrt mußten die starken Staaten, die ja – einschließlich der USA – keineswegs schon bereit waren, ihre Interessen den Mehrheiten in einem Parlament des Staatenkollektivs zu unterwerfen, irgendwie in die Organisation eingefügt werden. Beide Probleme schienen Roosevelt dadurch lösbar zu sein, daß den Großmächten im Rahmen der Vereinten Nationen Führungsfunktionen und die Rolle von »Polizisten«, wie er es nannte, zugewiesen wurden. Namens der Vereinten Nationen sollte jede Großmacht in ihrem weiteren Interessen- und Einflußbereich für Ordnung sorgen. Ein solches Konzept hatte aber nach seiner Meinung nur dann Aussicht auf erfolgreiche Anwendung, wenn die Großmächte untereinander sowohl kooperationsfähig wie kooperationswillig waren, und um beiden Bedingungen gerecht zu werden, hielt Roosevelt eine genaue Abgrenzung der jeweiligen Einflußsphären und auch ein Gleichgewicht der Kräfte zwischen den Großmächten für erforderlich[16].

Auf der Suche nach einem realisierbaren Organisationsmuster für die Vereinten Nationen war der amerikanische Präsident mithin auf einen Plan gekommen, der schon in der Reißbrettskizze gerade das zu verewigen versprach, was die Vereinten Nationen eigentlich überwinden sollten: Machtpolitik, die Politik der Interessensphären und die Politik der »balance of power«. Roosevelts Rezept lief im Grunde auf eine Wiederbelebung der Vorstellung vom »Konzert der Mächte« hinaus, welcher Begriff namentlich im 19. Jahrhundert die Konsultationspraxis der europäischen Großmächte bei der Regelung internationaler Streitfragen bezeichnet hatte. Allerdings dachte ein amerikanischer Präsident naturgemäß nicht in europäischen Maßstäben. Interessensphären waren für ihn ganze Kontinente, wenn er vom Gleichgewicht sprach, meinte er ein globales Gleichgewicht, und unter dem Konzert der Mächte verstand er den Kreis der Weltmächte. In den Kriegsjahren war es naheliegend, als Weltmächte und damit »Polizisten« der Vereinten Nationen Großbritannien, die Sowjetunion, die Vereinigten Staaten und China zu sehen. Von London aus, so glaubte Roosevelt, könne Westeuropa und Afrika kontrolliert werden, von Moskau aus Ost-, Südost- und Mitteleuropa; China schrieb er Ordnungsaufgaben im Fernen Osten zu, den Vereinigten Staaten in der westlichen Hemisphäre und im Pazifik.

Unter den Bedingungen der mittleren Kriegsphase haben diese Pläne, die gewiß künstlich und widerspruchsvoll, schon in geographischer Hinsicht lückenhaft und mit allen möglichen sonstigen Mängeln behaftet waren, Roosevelt dazu gebracht, der Zusammenarbeit mit der Sowjetunion nicht allein für den Sieg über die Achsenmächte sehr hohe Bedeutung beizumessen. Gerade nach Kriegsende mußte die Funktionsfähigkeit des globalen Gleichgewichtssystems und mußte damit das Schicksal der Vereinten Nationen davon abhängen, daß die Sowjetunion im Konzert der Weltmächte festgehalten werden konnte und darin einen Dauerpart übernahm. 1942 und 1943 zeigte sich der Präsident durchaus bereit, die sowjetische Kooperation mit einem hohen Preis zu erkaufen, nämlich mit der Anerkennung der Dominanz sowjetischer Interessen in einem beträchtlichen Teil Europas westlich der sowjetischen Grenzen von 1941. Es war ihm sogar klar, daß er jene Region damit einem Dynamismus überließ, der sich nicht mit der Veränderung von Grenzen begnügen würde. So sagte er im September 1943 in einer Unterhaltung mit Kardinal Spellman, die europäischen Länder müßten gewaltige Veränderungen durchmachen, um sich Rußland anzupassen, und es sei wohl wahrscheinlich, daß kommunistische Regime expandierten [17]. Allerdings wurzelte die Bereitschaft des Präsidenten zur Hinnahme einer solchen Expansion nicht allein in seiner Vorstellung von der künftigen Weltordnung. Ebenso wichtig war das Gefühl der Ohnmacht. Solange noch keine amerikanischen Armeen in der Mitte Europas standen, lebte Roosevelt, wie die meisten Amerikaner, in der Überzeugung, daß eine längere militärische und politische Präsenz der USA auf dem europäischen Kontinent unmöglich sei. Die Präsenz selbst durfte nach menschlicher Voraussicht als bald bevorstehend gelten, aber noch besaß kaum jemand die politische Phantasie, um sich auszumalen, daß und wie dadurch das politische Denken der Amerikaner und die Politik der USA beeinflußt werden könnten, daß dann für ein unmittelbares und ständiges Engagement in Europa nicht allein die Notwendigkeit entstehen mochte, sondern auch die Neigung vorhanden sein würde. Auf der Konferenz von Jalta sagte Roosevelt, von Churchill gefragt, die amerikanischen Truppen dürften allenfalls zwei Jahre in Europa bleiben[18]; er hielt das, im Hinblick auf die öffentliche Meinung in den USA wie auf Grund seiner eigenen Tendenz, einfach für selbstverständlich. Roosevelt war gewiß kein Isolationist, und er schätzte die Macht der Vereinigten Staaten ebenso hoch ein wie ihre internationale Rolle. Aber auch er war von der isolationistischen Selbstgenügsamkeit, die in den zwanziger und dreißiger Jahren das außenpolitische Verhalten der USA bestimmt hatte, nicht völlig unberührt geblieben und näherte sich den realen Umständen der entstehenden Weltmachtstellung nur zögernd. Militärische Überlegungen haben den zunächst also gegebenen Hang zur fatalistischen Akzeptierung sowjetischer Expansion vollends als unvermeidlich erscheinen lassen. Admiral Leahy, Vorsitzender der »Joint Chiefs of Staff« und damit gewissermaßen der Stabschef des Präsidenten in seiner Eigenschaft als Oberbefehlshaber der Streitkräfte, übermittelte Außenminister Hull noch am 16. Mai 1944 eine Denkschrift, in der er darlegte, daß Großbritannien und die USA, falls sie einmal in einen militärischen Konflikt mit der Sowjetunion geraten sollten, zwar sicherlich nicht in Gefahr wären, besiegt zu werden, daß sie jedoch ihrerseits nicht die Kraft hätten, die Sowjetunion zu schlagen; auf dem Kontinent sei die äußerste Möglichkeit die Behauptung der Atlantikküste[19]. Hatten die meisten Experten vor 1941 die militärische Leistungsfähigkeit der UdSSR erheblich unterschätzt, so kamen sie jetzt, unter dem Eindruck der sowjetischen Siege von Stalingrad, Kursk und in den folgenden Schlachten, zu einer ebenso seltsamen Überschätzung der Roten Armee. Bereits in seinem Gespräch mit Kardinal Spellman hatte Roosevelt, als er die Aussicht auf eine sowjetische Expansion durchaus mit Unbehagen erwog, die Einschätzung Leahys vorweggenommen: »Wie dem auch sein mag, die Vereinigten Staaten und Großbritannien können nicht gegen die Russen kämpfen.«[20]

Daß die Tolerierung einer sowjetischen Expansion amerikanische Sicherheitsinteressen berühren konnte, wenn die UdSSR, wie das nationalsozialistische Deutschland, bis zum Atlantik vordrang, war dem Präsidenten bewußt. Schließlich hatte er nicht zuletzt deshalb auf die deutsche Expansion so empfindlich reagiert, und mittlerweile war es, nicht zuletzt auf Grund des geraume Zeit überaus erfolgreichen deutschen U-Boot-Kriegs vor der amerikanischen Ostküste, allgemeine Ansicht in den USA, daß die europäische Atlantikküste in befreundeter Hand sein müsse. Aber in dieser Frage tröstete ihn vorerst die Erwartung, daß Großbritannien – mit amerikanischer Unterstützung – schon stark genug sein werde, Westeuropa politisch und notfalls militärisch zu halten. Daß eine Ausbreitung sowjetischer Herrschaft keineswegs dem Willen der Mehrheit der betroffenen Bevölkerung entsprechen würde, war ihm ebenfalls bewußt und hat ihn sehr belastet. Zwar bewunderte er die Leistungen der UdSSR, namentlich die rasche Industrialisierung. Doch war er alles andere als ein Bewunderer oder gar ein Freund des Sowjetsystems. So hat er einmal ein Buch, das sowjetische Errungenschaften rühmte, mit der Bemerkung kommentiert, es übergehe »den Preis an Hunger, Tod und Bitterkeit der entwurzelten Menschen, die für die außergewöhnlichen Leistungen des Sowjetregimes in den letzten fünfzehn Jahren haben zahlen müssen«[21], und noch 1940, inzwischen auch über den sowjetischen Pakt mit Hitler und den sowjetischen Angriff auf Finnland empört, hielt er im Weißen Haus linken Studenten entgegen, wer den Mut habe, die Tatsachen zu sehen, der wisse, daß die Sowjetunion von »einer Diktatur beherrscht wird, die ebenso absolut ist wie alle anderen auf der Welt«[22]. Nachdem diese Diktatur nun zum Bundesgenossen geworden war und im Hinblick auf ihre spätere Rolle im Konzert der Weltmächte gewisse Freiheiten in Europa erhalten sollte, half hier nur noch die Annahme, daß das Sowjetsystem, anders als das NS-Regime, entwicklungsfähig und zivilisierbar sei. Zu Kardinal Spellman sagte der Präsident, er habe immerhin die Hoffnung, daß die Russen, nachdem sie zehn oder zwanzig Jahre lang unter europäischen Einflüssen gestanden hätten, weniger barbarisch sein würden und daß dann die Europäer gut mit ihnen zusammenleben könnten[23].

Es liegt auf der Hand, daß in Roosevelts Konzept der deutschen Frage, so wichtig Deutschland während des Krieges als Gegner genommen werden mußte, überhaupt kein Eigengewicht, sondern lediglich funktionale Bedeutung zukam, nämlich als Kitt der Allianz der Weltmächte und damit gleichsam als Katalysator des künftigen globalen Gleichgewichtssystems wie der entstehenden Vereinten Nationen. Aus der Verständigung über Deutschland – und Verständigung hieß unweigerlich weitestgehende Berücksichtigung des sowjetischen Sicherheitsbedürfnisses und sonstiger sowjetischer Wünsche – konnte die Kooperation der Westmächte mit der Sowjetunion auch nach dem Wegfall der Notwendigkeit für eine Militärallianz ihre vielleicht sogar entscheidenden Startimpulse gewinnen. Das

Schicksal der Deutschen nahm sich angesichts derartiger übergeordneter Gesichtspunkte wenig belangvoll aus, und diese Einschätzung fiel dem Präsidenten, anders als etwa bei Finnen und Polen oder Tschechen und Slowaken, auch nicht sonderlich schwer. Roosevelt war mitnichten ein Feind der Deutschen oder gar einer jener emotionalen Deutschenhasser, die während der NS-Zeit ihre Gefühle in zum Teil höchst sonderbaren Artikeln, Broschüren und Büchern entluden. Aber als Christ, Demokrat und New Yorker Patrizier haßte er die nationalsozialistischen Theoreme und das NS-Regime mit der ganzen Leidenschaft, deren er fähig war. Eine Nation, die sich einer so widerwärtigen Diktatur unterworfen hatte und sich für sie noch immer schlug wie die Teufel, mußte zwar nicht für alle Zeit verlorengegeben werden, hatte in seinen Augen jedoch einen harten Frieden verdient. Als er im Sommer 1944 von relativ maßvollen Deutschlandplänen des State Department und des Kriegsministeriums unterrichtet wurde, hat ihm das sehr mißfallen. Wenig später, Anfang September, legte ihm sein Finanzminister Henry Morgenthau, durch jene Pläne äußerst gereizt, eine Denkschrift vor, die unter dem Titel »Programm zur Verhinderung der Auslösung des Dritten Weltkriegs durch Deutschland« einen stattlichen Katalog drakonischer Maßnahmen zur Niederhaltung Deutschlands und zur Bestrafung der Deutschen empfahl: Von der recht summarisch gedachten Aburteilung der Kriegsverbrecher, der Enteignung des Großgrundbesitzes und der zeitweiligen Stillegung des Bildungssystems abgesehen, bestand der Kern des Morgenthau-Plans in dem Vorschlag, die deutsche Industrie nahezu total zu demontieren und als Reparationen an die Kriegsgegner zu verteilen, ferner in der Forderung nach der Aufteilung Deutschlands; Ostpreußen, Oberschlesien, die Saar mit angrenzenden Gebieten bis Mosel und Rhein seien abzutreten, Ruhrgebiet, Rheinland, Westfalen und Nordseeküste zu internationalisieren und aus dem Rest zwei autonome Staaten zu bilden[24]. Eine revidierte Fassung des Plans, die aber noch den Satz enthielt, Deutschland habe »ein Land von im wesentlichen landwirtschaftlichem und Weidecharakter« zu werden, hat der Präsident am 15. September 1944 in Quebec, wo er mit Churchill zusammentraf, unterschrieben; den britischen Premier veranlaßte er auch gleich zur Paraphierung. Nachdem Außenminister Hull, Kriegsminister Stimson und ein beträchtlicher Teil der Öffentlichkeit mit scharfer Kritik reagiert hatten, zog Roosevelt seine Unterschrift schon Ende September wieder zurück, und Churchill erklärte, von seinem Kabinett nicht weniger hart attackiert, mit seiner Paraphe habe er lediglich die Bereitschaft zum Studium des Plans ausdrücken wollen[25]. Indes kann kein Zweifel bestehen, daß dem Präsidenten nicht nur einer der Hauptzwecke des Plans einleuchtete, nämlich Deutschland so zu schwächen, daß die Nachbarstaaten die Kontrolle übernehmen und die amerikanischen Besatzungstruppen so bald wie möglich wieder abgezogen werden konnten. Nicht in jedem Detail, doch in der Grundtendenz hat der Plan sicherlich Roosevelts Neigung zu einem harten Frieden entsprochen. Jedenfalls stimmte er der Aufteilung Deutschlands, ob sie nun von Stalin, von Morgenthau oder lautstark von Publizisten in den alliierten Staaten propagiert wurde, gleichmütig zu. Angesichts der Rußland- und Europapolitik, die er 1942, 1943 und noch 1944 für richtig oder doch für unvermeidlich hielt, schien es ja auch gleichgültig zu sein, ob die Sowjetunion einen einzigen – verkleinerten – deutschen Staat oder mehrere deutsche Staaten in ihre Interessensphäre nahm.

4. Temporäre Harmonisierung der alliierten Kriegszielpolitik in Teheran

Als sich Roosevelt, Churchill und Stalin vom 28. November bis zum 1. Dezember 1943 zur ersten Kriegskonferenz der »Großen Drei« in Teheran trafen, hat Roosevelts Abweichung von der Linie, die Außenminister Hull im Frühjahr 1942 vertreten hatte, auch diesen frühesten Versuch, die außenpolitischen Konzeptionen Moskaus, Londons und Washingtons auf oberster Ebene zu harmonisieren, nachhaltig beeinflußt[26]. Als Churchill jetzt – die Furcht vor einem deutsch-sowjetischen Sonderfrieden hatte gerade einen Höhepunkt erreicht – Stalin mitteilte, Großbritannien stimme dem Erwerb Ostpolens durch die Sowjetunion zu, als die beiden darüber sogar eine formelle – wenngleich nur mündliche – britisch-sowjetische Abmachung trafen, meldete der Präsident, der im Frühjahr 1942 Cordell Hulls erfolgreichen Protest gegen derartige Territorialgeschäfte noch gebilligt hatte[27], keinen amerikanischen Einspruch mehr an. Roosevelt verhielt sich, wie es den Grundlinien seiner damaligen Europapolitik entsprach, einfach passiv. Unter vier Augen bat er Stalin lediglich um Verständnis für seine Passivität; er könne sich der britisch-sowjetischen Vereinbarung nicht offen anschließen, weil er im Herbst 1944 möglicherweise wieder für das Amt des Präsidenten kandidieren und deshalb auf etliche Millionen Wähler polnischer Herkunft Rücksicht nehmen müsse. Zu den baltischen Staaten bemerkte er, ihre Unabhängigkeit sei in den USA, wo es auch Leute baltischer Herkunft gebe, eine moralische Frage, und die öffentliche Meinung werde daher vor einer definitiven Regelung – was nur heißen konnte: vor der amerikanischen Anerkennung der Annexion durch die Sowjetunion – irgendeine Äußerung des Willens der betroffenen Völker fordern. Aber, so fügte er scherzhaft hinzu, er habe nicht die Absicht, einen Krieg mit der UdSSR anzufangen, wenn die baltischen Staaten wieder von sowjetischen Truppen besetzt würden[28]. Stalin durfte fürs erste zufrieden sein. Zwar mußte er auf Drängen Churchills, das Roosevelt unterstützte, eine milde Behandlung Finnlands versprechen, doch wußte er nun, daß sowohl Großbritannien wie die Vereinigten Staaten keine weiteren Versuche machen würden, die Sowjetunion zur Herausgabe der zwischen 1939 und 1941 erbeuteten Territorien zu nötigen. Das war gewiß nicht mit der Sanktionierung einer sowjetischen Interessensphäre identisch, die ganz Ost- und Südosteuropa umfaßt hätte, schon gar nicht mit der stillschweigenden Tolerierung einer Sowjetisierung jener Region und ihres Einbaus in den Bereich unmittelbarer oder nahezu unmittelbarer sowjetischer Herrschaft. Im August 1943, als die Moskauer Oktoberkonferenz der drei Außenminister und das Treffen von Teheran vorbereitet wurden, hatte Ivan Majskij, der sowjetische Botschafter in London, den Plan zur Teilung Europas in Interessensphären, mit dem die Briten im Dezember 1941 von Stalin in Verlegenheit gesetzt worden waren, in einer Unterhaltung mit Außenminister Eden erneut als mögliche Basis einer Friedensregelung bezeichnet, und Eden hatte die Teilungsidee abermals abgelehnt; jede Großmacht habe Interessen in allen Teilen des europäischen Kontinents und das Recht zur Wahrung solcher Interessen[29]. Jedoch brachte die nachträgliche Bestätigung des deutsch-sowjetischen Handels, auch wenn sie bloß als Befriedigung relativ bescheidener und etwa in der polnischen Frage nicht völlig unbegründeter territorialer Wünsche der UdSSR gemeint war, die Westmächte dem sowjetischen Vorschlag erstmals näher, zumal Roosevelts Haltung Stalin den Eindruck vermittelt haben muß, daß es die Sowjetunion in europäischen Fragen künftig vor allem mit Großbritannien zu tun haben werde. Unter so erfreulichen Auspizien zeigte sich Stalin gerne bereit, Roosevelt die sowjetische Mitarbeit in den Vereinten Nationen grundsätzlich zuzusagen und zugleich die vom Präsidenten – wieder mit dem Bild von den vier »Polizisten«[30] – erläuterte Organisationsstruktur grundsätzlich zu akzeptieren.

Die Westmächte kamen dem sowjetischen Konzept um so näher, als sie der ebenfalls bereits 1941 deutlich gewordenen sowjetischen Absicht, Deutschland aufzuteilen und so ein politisch schwaches Mitteleuropa zu schaffen, nun offiziell ihren Segen gaben und diese Absicht überdies zum wichtigsten Element ihrer eigenen Deutschlandpolitik erklärten. Während der Moskauer Außenministerkonferenz, auf der sich die drei Alliierten immerhin prinzipiell auf die vollständige Besetzung, eine lange Kontrolle und eine generell harte Behandlung Deutschlands geeinigt hatten, war Cordell Hull in der Aufteilungsfrage noch recht zurückhaltend gewesen. Gegen Molotow, doch auch gegen Eden gewandt, hatte er gesagt, die amerikanischen Deutschlandexperten seien skeptisch, ob eine Aufteilung durchführbar und langfristig nützlich wäre; als amerikanisches Rezept schien er eine weitgehende politische Dezentralisierung anbieten zu wollen. Allerdings hatte er zugegeben, daß »hohe Kreise in den Vereinigten Staaten« – womit er wohl den Präsidenten und Ratgeber wie Morgenthau gemeint haben dürfte – die Aufteilung vorzögen[31]. In Teheran sollte sich das bestätigen. Am Abend des ersten Verhandlungstages bemerkte Roosevelt während eines Festbanketts, der Begriff »Reich« müsse aus dem Bewußtsein der Deutschen und sogar aus der deutschen Sprache verschwinden. Stalin erwiderte sofort, damit sei es nicht getan; unter anderem hätten die Alliierten die Pflicht, zur Verhinderung künftiger deutscher Abenteuer an strategisch wichtigen Stellen in Deutschland Stützpunkte besetzt zu halten[32]. Auf die Politik der Stützpunkte ließ sich der Präsident nicht ein. Nachdem aber im weiteren Verlauf der Gespräche die sowjetische Tendenz, das Reich zumindest aufzuteilen, klar hervorgetreten war, machte Roosevelt seinerseits den Vorschlag, Deutschland in fünf selbständige Staaten aufzugliedern[33]. Stalin hat das prompt akzeptiert[34], wenn auch manche seiner Formulierungen den Eindruck erweckten, daß er eigentlich noch weiter zu gehen wünschte; z. B. behauptete er, es sei notwendig, »die deutschen Stämme zu zersplittern«. Churchill verriet dagegen zunächst die Neigung, deutsche Teilstaaten wenigstens als einigermaßen lebensfähige Gebilde zu schaffen; außerdem brachte er wieder seine Idee eines »Donaubunds« vor, als dessen Teile er neben Süddeutschland und Österreich jetzt auch Ungarn nannte[35]. Solche Gedankenspiele provozierten nicht nur grobe Sticheleien Stalins, der dem Premier – bei wohlwollender Neutralität Roosevelts – etwa vorwarf, heimliche Sympathien für Deutschland zu hegen[36]. Als politisch gewichtig mußte registriert werden, daß sich Stalin dem Donaubund in einer Form und mit einer Härte widersetzte, die unmißverständlich ankündigte, daß die Sowjetunion in Ost-, Mittel- und Südosteuropa überhaupt keine stärkeren Staaten oder Föderationen schwacher Staaten zu dulden gedenke – völlig unabhängig von der deutschen Frage und vom sowjetischen Interesse an Sicherheit vor Deutschland. Roosevelt hat auf derartige Signale, die von der amerikanischen Delegation sehr wohl gesehen wurden, nicht reagiert, und angesichts der amerikanisch-sowjetischen Übereinstimmung hatten Churchills Pläne keine Chance. Churchill trieb die Dinge in der deutschen Frage freilich selbst ein gutes Stück weiter, indem er, um der Rolle Großbritanniens als Protektor Polens doch irgendwie gerecht zu werden, mit Stalin vereinbarte, den polnischen Staat für den Verlust Ostpolens mit Ostdeutschland bis zu Oder und Neiße zu entschädigen. Die wiederum mündliche Abrede wurde – abermals unter stillschweigender Zustimmung Roosevelts – ebenfalls als bindende britisch-sowjetische Abmachung betrachtet; daß die Sowjetunion dabei Anspruch auf das Memelgebiet und einen Teil Ostpreußens mit Königsberg erhob, fand auf westlicher Seite jedenfalls keinen Widerspruch. Über Österreich hatten zuvor schon die Außenminister in Moskau entschieden, als sie in einer Deklaration konstatierten, der »Anschluß« von 1938 sei »null und nichtig«, Österreich solle wieder frei und unabhängig werden.

Nun sind in Teheran am Ende doch keine Beschlüsse in der Aufteilungsfrage gefaßt worden; die »Großen Drei« verständigten sich lediglich auf eine »eindeutige Tendenz«. Aber auch ohne Beschlüsse hatte die Konferenz, die im übrigen vornehmlich militärischen Problemen gewidmet war, namentlich der anglo-amerikanischen Invasion in Frankreich, ein politisches Ergebnis gebracht, das die Aussicht auf erhebliche Umwälzungen in Europa – nicht zuletzt in Deutschland – eröffnete, und zwar ganz im Sinne der sowjetischen Dynamik. Nach dem Ende der Konferenz schrieb Charles Bohlen, Roosevelts Dolmetscher, in einem für den amerikanischen Botschafter in Moskau, Averell Harriman, bestimmten Memorandum: »Deutschland soll zerstückelt werden und zerstückelt gehalten werden. Die Staaten Ost-, Südost- und Mitteleuropas werden sich nicht in Föderationen oder einer Assoziierung zusammenschließen dürfen. Frankreich soll seine Kolonien und seine strategischen Stützpunkte jenseits seiner Grenzen verlieren und wird keinen irgendwie nennenswerten Militärapparat unterhalten dürfen. Polen und Italien werden zwar ihre gegenwärtige territoriale Größe annähernd beibehalten, doch ist zweifelhaft, ob ihnen der Unterhalt nennenswerter Streitkräfte erlaubt werden wird. Das Resultat müßte darin bestehen, daß die Sowjetunion die einzige bedeutende militärische und politische Kraft auf dem europäischen Kontinent darstellt. Das übrige Europa wäre auf militärische und politische Impotenz reduziert.«[37] Bei der Abreise von Teheran faßte Admiral Leahy, in einer Bemerkung zu Harry Hopkins, seinen Eindruck von den offenkundig gewordenen sowjetischen Ambitionen in dem Satz zusammen: »Well, Harry, all I can say is, nice friends we have now.«[38]

II. Die Wende von Jalta:
Abkehr vom Aufteilungskonzept

1. Militärische Peripetie und Wandlung der politischen Lage

Vierzehn Monate später, als Roosevelt, Churchill und Stalin zu ihrem zweiten Treffen nach Jalta kamen, debattierten sie in einer völlig veränderten Situation. Die totale militärische Niederlage Deutschlands – Italien hatte schon 1943 kapituliert und sich dann den Alliierten angeschlossen – war im Februar 1945 offensichtlich nur noch eine Frage von Wochen, höchstens von Monaten. Seit den Tagen von Teheran hatte die Rote Armee die deutsche Wehrmacht zunächst aus der Sowjetunion und danach aus Polen verdrängt; jetzt stand sie bereits auf deutschem Boden und hatte Berlin im Blick. Die Rote Armee hatte inzwischen aber auch fast ganz Südosteuropa und Ungarn besetzt. Selbst Bulgarien, das am deutschen Angriff auf die Sowjetunion nicht teilgenommen hatte, war am 5. September 1944 mit einer sowjetischen Kriegserklärung bedacht und bis Ende Oktober von sowjetischen Truppen okkupiert worden; daß die Rote Armee die Tschechoslowakei in Besitz nahm, war ebenfalls nur mehr eine Zeitfrage. Als Ausnahmen blieben lediglich Griechenland, das die deutschen Truppen unter dem Zwang der Ereignisse weiter im Norden und unter dem Druck der von Großbritannien unterstützten griechischen Partisanen so rechtzeitig geräumt hatten, daß britische Verbände erscheinen konnten, und Jugoslawien, wo eindeutig die einheimischen Partisanen Titos dominierten. Die anglo-amerikanischen Truppen – dazu ein französisches Kontingent und polnische Einheiten – hatten auf der anderen Seite, nach den erfolgreichen Landungsoperationen in der Normandie und in Südfrankreich, die deutsche Westarmee geschlagen, Frankreich, Belgien und Holland besetzt und in den Ardennen Hitlers letzte Offensive abgefangen; abgesehen davon, daß sich alliierte Truppen in Norditalien anschickten, nach Österreich und Süddeutschland vorzudringen, stand jetzt eine gewaltige Armada der Westmächte am Rhein, bereit zum Stoß ins Herz Deutschlands. Auch im Pazifik war der Krieg entschieden, wenngleich die amerikanischen Militärs noch eine lange und verlustreiche Endphase des Konflikts mit Japan vor sich zu haben glaubten.

In engstem Zusammenhang mit der militärischen Entwicklung wandelte sich die politische Lage. Daß die Weltmächte in Ländern, in denen sie vor Beginn des Krieges und der verschiedenen Teilkriege nur diplomatische

Vertretungen unterhalten hatten, meist ohne daran zu denken, die dadurch ausgedrückte Normalität des wechselseitigen Verhältnisses ändern zu wollen oder ändern zu können, jetzt militärisch präsent waren, stellte die Beziehungen zwischen ihnen und den besetzten Ländern auf eine völlig neue Grundlage; ob die Länder von der NS-Herrschaft befreit oder als Satellitenstaaten Deutschlands okkupiert worden waren, machte dabei keinen Unterschied. In Moskau wie in London und Washington rückten bislang nur vage gesehene Möglichkeiten deutlicher ins Blickfeld, gewannen bisher nicht gegebene oder lediglich schwach vernehmbare Verpflichtungen nun Gestalt und Gewicht, führte die Kombination aus neuen Möglichkeiten und Verpflichtungen zur Definition neuer Interessen. In den Jahren zuvor fast ausschließlich von der Existenz gemeinsamer Feinde bestimmt, geriet das interalliierte Beziehungsgeflecht unweigerlich mehr und mehr unter den Einfluß jener von den Allianzpartnern frisch entdeckten Interessen. Dieser Prozeß mußte auch sofort sichtbar werden und im politischen Handeln der Führer der drei Weltmächte zum Ausdruck kommen. Angesichts des bevorstehenden Zusammenbruchs der beiden Achsenmächte war es nicht länger möglich, politische Fragen, ob es um die Achsenmächte ging, um die Nachkriegsordnung überhaupt oder um die interalliierten Beziehungen, aus Angst vor belastenden Konflikten mit spielerischer Unverbindlichkeit zu behandeln und vor ihnen in die Erörterung dringlicherer militärischer Probleme zu flüchten. Außerdem begann die militärische Entwicklung die räumliche und politische Trennung zwischen Westmächten und Sowjetunion aufzuheben. Im Fernen Osten wie vor allem in Europa war zur Zeit von Jalta die Entstehung einer gemeinsamen politischen Grenze und damit die unmittelbare Nachbarschaft westlicher und sowjetischer Interessen so nahe gekommen, daß die Politiker damit schon wie mit einer Tatsache umgingen. So zeigten die Verhandlungen von Jalta notwendigerweise eine erheblich modifizierte Zielsetzung der drei Weltmächte, und die Resultate der Konferenz sahen anders aus als das Ergebnis von Teheran.

2. Übergang der Sowjetunion zu imperialer Expansion

Am deutlichsten trat die Veränderung der sowjetischen Ziele hervor[1]. Mit dem Vormarsch der Roten Armee war jene Zeit zu Ende, in der die Sowjetunion mit den Westmächten um die Belassung der zwischen 1939 und 1941 eingestrichenen territorialen Gewinne brav verhandelt oder um Stützpunkte westlich der 1941 erreichten Linie und um die Absteckung von Interessensphären zu feilschen versucht hatte. Solche Dinge hatten sich in den Augen Stalins vom Honorar für die sowjetische Kriegsanstrengung offensichtlich in einen bloßen Vorschuß verwandelt. Warum sollte sich die Sowjetunion, so hat Stalin sich offenbar gefragt, angesichts der gewandelten Machtlage damit begnügen, Ost- und Südosteuropa als Interessensphäre im bisher üblichen Verständnis dieses Begriffs zu behandeln; vielmehr konnte und mußte daher die eroberte Region jetzt zu einem von Moskau total abhängigen Vorfeld der UdSSR, praktisch zur Randzone eines sowjetischen Imperiums gemacht werden. Das brauchte keineswegs, wie im Falle der baltischen Staaten oder Ostpolens, durch Annexion zu geschehen. Es war ausreichend, in den betroffenen Ländern gehorsame Regierungen in den Sattel zu setzen und dort festzuhalten. Im Hinblick auf die entstehenden Vereinten Nationen erschien Annexion geradezu als schädlich, weil sie die Zahl der von Moskau kontrollierten Stimmen unnötig verringert hätte. Daß der Gehorsam der Regierungen auf die Dauer nur zu garantieren war, wenn sich die Kommunisten der ost- und südosteuropäischen Staaten den entscheidenden Anteil an der Macht und am Ende die Alleinherrschaft sicherten, war für Stalin wohl ein selbstverständliches Gesetz seiner politischen Arithmetik. Zur Zeit von Jalta dürfte er noch angenommen haben, daß zumindest in einigen Ländern das Verlangen der Bevölkerung nach sozialer und politischer Umwälzung stark genug sei, um den kommunistischen Parteien wenn schon nicht eine Mehrheit, so doch eine genügend breite Basis zur Gewinnung der Macht aus eigener Kraft zu verschaffen, etwa auf dem Umweg über antifaschistische »Volksfront«- oder Blockpolitik. Zur Zeit von Jalta wußte Stalin aber auch, daß eine solche Taktik sicherlich nicht in allen Ländern anwendbar sein würde, und er hatte bereits bewiesen, daß er nach dem Versagen milderer Mittel nicht davor zurückscheute, die Entwicklung durch den rücksichtslosen Gebrauch der sowjetischen Macht in die von ihm gewünschte Bahn zu zwingen.

Die frühesten und aufschlußreichsten Indizien hatte die sowjetische Polenpolitik geliefert. Unter dem Schock des deutschen Angriffs und angesichts der zunächst lebenswichtigen Bedeutung westlicher Hilfe war Stalin im Sommer 1941 zu einer großen Geste sowjetischen Wohlverhaltens bereit gewesen. Mit einem Vertrag hatte er am 30. Juli diplomatische Beziehungen zur polnischen Exilregierung in London aufgenommen und in Artikel 1 versichert, daß die deutsch-sowjetischen Verträge von 1939 »hinsichtlich territorialer Veränderungen in Polen ihre Gültigkeit verloren haben«[2]; außerdem hatte er der Aufstellung einer polnischen Armee auf sowjetischem Boden – rekrutiert aus Polen in sowjetischer Kriegsgefangenschaft – zugestimmt. Daß der Vertrag tatsächlich nur als Geste gemeint gewesen war, hatten dann ja schon im Dezember 1941 seine Gespräche mit Außenminister Eden und die darin aufgetauchte Forderung nach britischer Anerkennung der Annexion Ostpolens dargetan. Nach-

dem die in der Tat aufgestellten polnischen Verbände unter General Anders 1942 aus der Sowjetunion zu den Westmächten abgeschoben worden
waren und die Rote Armee bei Stalingrad einen offenbar vorentscheiden-
den Sieg über die deutsche Wehrmacht erfochten hatte, sah Stalin keinen
Anlaß mehr zu größerer Vorsicht. Im Januar 1943 machte er den sowjetischen Anspruch auf Ostpolen offiziell geltend, und im März 1943 wurde
in der Sowjetunion die »Union polnischer Patrioten« aus der Taufe gehoben, die sich, von Kommunisten beherrscht und vollständig von Moskau
abhängig, zunächst einen Stempel zu einer Art polnischer Bestätigung
der sowjetischen Besitzurkunde für Ostpolen in die Hand drücken ließ
und die für den weiteren Gang der Dinge – wie in Washington sofort registriert wurde – offensichtlich als Keimzelle einer rein oder überwiegend
kommunistischen Regierung verfügbar sein sollte[3].

Am 13. April 1943 gab der deutsche Rundfunk bekannt, daß im Walde
von Katyn bei Smolensk, damals noch hinter der deutschen Front, die
Massengräber von Tausenden ermordeter polnischer Offiziere gefunden
worden seien; sowohl nach dem damals bei den Leichen gesicherten Be-
weismaterial und den Zeugnissen aus der Bevölkerung, beides von einer
internationalen Kommission geprüft, wie nach späteren Ermittlungen,
die der amerikanische Kongreß und die historische Forschung anstellten,
hatte Stalin, wie die NS-Propaganda sofort mit hämischer Lust behauptete[4], die polnischen Offiziere liquidieren lassen, und zwar offenkundig bereits im Frühjahr 1940, nachdem sie im September 1939 in sowjetische Kriegsgefangenschaft geraten waren. Als nun die polnische
Exilregierung in London – die seit der Bildung der Anders-Armee mehr-
fach in Moskau um Auskunft über den Verbleib von mehr als zehntausend
verschollener polnischer Offiziere ersucht hatte, ohne eine befriedigende
Antwort zu erhalten – die deutsche Meldung ernst nahm und das Internationale Rote Kreuz in Genf um eine unabhängige Untersuchung bat,
packte Stalin die willkommene Gelegenheit flugs beim Schopf. Gekränkt
durch den Verdacht, den die Londoner Polen mit ihrem Appell an das
IRK allerdings recht deutlich gemacht hatten, und empört über eine so
dreiste Bekundung antisowjetischer Gesinnung, brach er die lästig gewordenen Beziehungen zur Exilregierung, die in der Grenzfrage bislang
jedes Eingehen auf die sowjetischen Wünsche verweigert hatte, am
26. April 1943 ab, nicht ohne die Suche nach einer polnischen Regierung
anzukündigen, die sich nicht als »Werkzeug feindlicher Regierungen«
mißbrauchen lasse; kurz danach, im Mai, wurde in der Sowjetunion die
erste sowjetpolnische Division unter General Berling aufgestellt.

In Teheran lehnte dann Stalin den Wunsch Churchills und Roosevelts, die
Beziehungen zur Exilregierung, also zu einem Verbündeten der beiden
Westmächte, wieder aufzunehmen, rundweg ab. Vielmehr verlangte er

im Januar 1944, das polnische Kabinett in London müsse sich zur Aufnahme »demokratischer Elemente« verstehen. Diese Forderung konnten wiederum die Westmächte nicht unterstützen, die aber nun die Londoner Polen in der Grenzfrage unter massiven Druck setzten, wenn auch vorerst ohne Erfolg. Schon am 21. Juli 1944 veranlaßte Stalin »seine« Polen zur Gründung eines »Polnischen Komitees für die nationale Befreiung«, des sog. »Lubliner Komitees«, das er sogleich als polnische Regierung behandelte, indem er es durch ein Abkommen mit der Verwaltung besetzter polnischer Gebiete beauftragte; als Grundlage der politischen Autorität des Komitees in Polen diente die Rote Armee. Als sich am 1. August die nichtkommunistische polnische Untergrundarmee in Warschau gegen die deutsche Besatzungsmacht erhob, stand die Rote Armee bereits unmittelbar vor der polnischen Hauptstadt. Stalin dachte jedoch gar nicht daran, einer von ihm politisch unabhängigen polnischen Kraft einen Erfolg zu ermöglichen, den die Sowjetunion, wie sich das die Aufständischen in der Tat erhofften, vielleicht durch zumindest vorübergehende Zusammenarbeit hätte honorieren müssen. Er ließ nicht nur die Rote Armee sieben Wochen lang, bis es zu spät war, passiv vor Warschau stehen, ebenso lange untersagte er, trotz flehentlicher westlicher Bitten, britischen und amerikanischen Flugzeugen eine Zwischenlandung auf sowjetischen Flugplätzen und verhinderte so die rechtzeitige Errichtung einer solideren westlichen Luftbrücke zu den Aufständischen; am 2. Oktober 1944 mußte General Bor-Komorowski nach schwersten Verlusten – auch die nicht am Aufstand beteiligte Bevölkerung wurde während der Kämpfe und der folgenden Racheaktionen Hitlers furchtbar getroffen – vor den deutschen Verbänden kapitulieren. Wo es sonst in Polen zeitweilig zu gemeinsamen Operationen von Gruppen der Untergrundarmee und sowjetischen Truppen kam, sahen sich die polnischen Soldaten meist bald entwaffnet und ihrer Führer durch Deportation in die Sowjetunion beraubt. Solche Demonstrationen Stalinscher Härte machten schließlich auch den Chef der polnischen Exilregierung mürbe. Als Mikolajczyk im Oktober 1944 nach Moskau kam – der dort verhandelnde Churchill hatte die Einladung erwirkt –, bot er nach einigem Sträuben an, sein Kabinett für die Abtretung Ostpolens zu gewinnen, falls Lemberg und die Ölfelder von Drogobyč bei Polen verblieben; außerdem wollte er dem Lubliner Komitee ein Fünftel der Kabinettssitze einräumen, was angesichts der relativ schwachen Anhängerschaft der polnischen Kommunisten im eigenen Land eine erhebliche Konzession darstellte. Aber Stalin und das Lubliner Komitee waren zu einem Kompromiß nicht bereit. Sie bestanden auf Akzeptierung des kompletten sowjetischen Territorialanspruchs, und das Lubliner Komitee offerierte seinerseits der Exilregierung ein Viertel der Ministerien in einem polnischen Kabinett. Mikolajczyk, der auch bei den Londoner Polen, seine Bauernpartei ausgenommen, wenig Verständnis für seinen als Verrat polnischer Interessen erscheinenden Moskauer Kompromißvorschlag gefunden hatte, trat am 24. November 1944 zurück, und der Sozialdemokrat Arciszewski bildete eine Regierung ohne Bauernpartei. Jetzt wies Stalin das Lubliner Komitee an, sich zur provisorischen Regierung Polens zu erklären, und nachdem das am 31. Dezember geschehen war, folgte am 5. Januar 1945, wenige Wochen vor Beginn der Konferenz von Jalta, die offizielle Anerkennung dieser Marionettenregierung durch die Sowjetunion[5]. Gestützt auf die Rote Armee und begünstigt durch die realitätsblinde Starrheit der Exilpolen in der Grenzfrage, hatte Stalin sein Spiel in Polen praktisch gewonnen, noch ehe die letzten Karten ausgespielt waren.

Bereits damals war evident, daß ein auf nichtsowjetischem Gebiet derart brutal und ungeniert durchgesetzter sowjetischer Herrschaftsanspruch, der sich weder um den Willen des betroffenen Volkes noch um den oft und nachdrücklich bekundeten Einspruch der Verbündeten scherte, sowohl die Grenzen einer im Hinblick auf Deutschland verständlichen und vertretbaren Sicherheitspolitik weit überschritt wie auch den Rahmen einer Politik der Interessensphären sprengte. Hier lag kein Imperialismus der politischen und wirtschaftlichen Einflußerweiterung vor, sondern ein Imperialismus der kaum verbrämten Eroberung, den das Sicherheitsbedürfnis geweckt haben mochte, jedoch, obwohl es beharrlich als Begründung benutzt wurde, nicht mehr bestimmte. Indes schienen Sicherheitsbedürfnis und der Drang nach Interessensphären nicht allein von schlichter Machtpolitik abgelöst worden zu sein; offenbar gehorchte die sowjetische Expansion jetzt auch wieder jenen Impulsen eines grundsätzlich universalen ideologischen Imperialismus, der die sowjetische Außenpolitik schon einmal, in den ersten Jahren nach der Oktoberrevolution von 1917, beeinflußt hatte.

3. Rückkehr Großbritanniens zu »balance of power«-Politik

Am einfachsten war die Veränderung der britischen Interessenlage. Je schwächer die Achsenmächte wurden und je klarer sich die künftige Bedeutung der in kurzer Zeit so augenfällig erstarkten Sowjetunion abzeichnete, um so mehr festigte sich bei den britischen Politikern die Überzeugung, daß es höchste Zeit sei, zumindest in Europa zur guten alten Gleichgewichtspolitik zurückzukehren. Zwar fanden die Briten ihren Realismus von 1942 bestätigt; die Westmächte hatten Stalin in der Tat die Beute der Jahre 1939–1941 konzedieren müssen, und angesichts der militärischen Entwicklung konnte es auch nicht länger darum gehen, die Exi-

stenz einer sowjetischen Interessensphäre in Ost- und Südosteuropa an-
zufechten. Wurde aber selbst noch die Umwandlung der Interessensphäre
in einen sowjetischen Herrschaftsraum hingenommen, dann mußten die
Führer der Sowjetunion unweigerlich dazu kommen, nun die westlich ihres neuen Machtbereichs gelegene Zone, also vor allem Mitteleuropa und
den Mittelmeerraum, womöglich sogar den Westen des Kontinents, als
ihre Interessensphäre zu behandeln. Schon eine solche Störung des europäischen Gleichgewichts widersprach den politischen und wirtschaftlichen Interessen Großbritanniens auf dem Kontinent so eindeutig, daß
die britischen Politiker sich auf die jahrhundertelang eingeübten Regeln
der »balance of power« besannen und wieder nach ihnen zu handeln begannen. Indes breitete sich selbst die Furcht vor einer völligen Zerstörung
des europäischen Gleichgewichts aus. Viele glaubten vermuten zu dürfen, daß Stalin, wenn ihm Ost- und Südosteuropa widerstandslos überlassen wurde, in Versuchung geraten mochte, das als Konsequenz weiter
westlich entstehende Interessenfeld zum Objekt der gleichen Herr-
schaftspolitik zu machen, die er gerade in Osteuropa praktizierte. Es ist in
Großbritannien genau registriert worden, daß der sowjetischen Machtpolitik in Osteuropa, wie sie dort die Sicherheitspolitik abgelöst hatte, die
ideologischen Impulse offenbar nicht fehlten, und diese Beobachtung
wirkte um so erschreckender, als ihr meist der Gedanke folgte, daß Stalin
ja auch in den kommunistischen Parteien Mitteleuropas oder Italiens und
Frankreichs über gehorsame Werkzeuge verfügte. Jedenfalls tauchte die
Frage auf, ob Stalin, im Besitz weit größerer Machtmittel, als Trotzki und
Lenin sich je zu erträumen gewagt hatten, mit Ost- und Südosteuropa
überhaupt zufrieden sein werde.

Die Vorgänge in Polen sind daher, als erneute Unterdrückung einer eben
noch von der NS-Herrschaft terrorisierten Nation und als schändliche
Vergewaltigung eines von Großbritannien protegierten Landes ohnehin
scharf verurteilt, zugleich als Anfänge eines Prozesses verstanden worden[6], an dessen Ende unter Umständen eine unmittelbare Bedrohung der
britischen Sicherheit und – wie 1940 – des politischen Systems Großbritanniens stand –, und das antisowjetische Mißtrauen erfaßte keineswegs
nur Kabinettsmitglieder und Beamte des Foreign Office. Bereits im Sommer und Herbst 1944, als Stalin den Warschauer Aufstand verbluten ließ,
entstand in Großbritannien für eine gegen die jetzt angenommenen Moskauer Ambitionen gerichtete Gleichgewichtspolitik eine breite Basis.
Ende August wurde in London erstmals öffentliche Kritik am Verhalten
Stalins laut, und der für die National Labour Party im Unterhaus sitzende
Harold Nicolson, früher Diplomat und jetzt einflußreicher Schriftsteller,
notierte am 30. August in seinem Tagebuch: »Es sieht so aus, als wollten
sie [die Russen] die Deutschen die polnische Widerstandsbewegung aus-

löschen lassen, damit keine anständigen Polen mehr übrig sind, wenn sie dort erscheinen. Es ist eine Tragödie, daß solch immense Macht in den Händen solch rücksichtsloser und unzuverlässiger Menschen liegt.«[7] Am 4. Oktober, nach der Kapitulation Bor-Komorowskis, schrieb Nicolson: »Im Unterhaus sind die Leute, wie ich feststelle, wirklich entsetzt über den Zusammenbruch des Widerstands in Warschau und glauben, daß Rußland sich abscheulich verhalten hat ... Mißtrauen gegen die Russen ist jetzt allgemein und keineswegs auf Angehörige der Rechten oder der Mitte beschränkt.«[8] Als zur gleichen Zeit in einer Versammlung auf dem Lande angekündigt wurde, demnächst werde Clementine Churchill, die Frau des Premierministers, erscheinen, um für ihren russischen Hilfsfonds zu sammeln, erntete die Mitteilung »just one hoot of derision from the whole audience«[9].

Die Folgerung drängte sich förmlich auf: Großbritannien mußte zumindest einen Versuch machen, in Polen eine kommunistische und damit sowjetische Alleinherrschaft zu verhindern, indem die konservativen, liberalen und sozialdemokratischen Kräfte ebenso wieder ins Spiel gebracht und im Spiel gehalten wurden wie britisches Mitspracherecht und britischer Einfluß im Lande selbst; die Türkei und Griechenland hatten zur Sicherung des Mittelmeerraums gänzlich außerhalb des sowjetischen Zugriffs zu bleiben; in Jugoslawien und Ungarn war aus dem nämlichen Grund die Gleichberechtigung sowohl der nichtkommunistischen Gruppierungen wie des britischen Interesses zu wahren, und in Rumänien und Bulgarien durfte der Sowjetunion bzw. ihren einheimischen Gehilfen das Feld jedenfalls nicht völlig überlassen werden. Schon 1944 hat Churchill seine Außenpolitik fast ausschließlich in den Dienst des Zieles gestellt, Ost- und Südosteuropa eine politische Struktur und Orientierung zu geben, die gegen die schlichte Ausübung Moskauer Kommandogewalt einen gewissen Schutz bieten sollten; so wollte er dieser Region, ohne ihren Einschluß in eine sowjetische Interessensphäre in Frage zu stellen, doch einen Rest jener Funktion retten, die sie als »Cordon sanitaire« zwischen der Sowjetunion und dem übrigen Europa in der Zwischenkriegszeit erfüllt hatte. Wenn er die polnische Exilregierung in London hart bedrängte, endlich den sowjetischen Anspruch auf Ostpolen zu akzeptieren, verfolgte er vor allem den Zweck, Stalin einen zumindest in sowjetischen Augen plausiblen Grund für die totale politische Ausschaltung der nichtkommunistischen Polen zu nehmen. Im übrigen focht er für die nichtkommunistischen Polen mit großer Zähigkeit. Er ließ Stalin über das britische Interesse an einem wenigstens innenpolitisch eigenständigen Polen nicht im Zweifel, und oft genug suchte er dem sowjetischen Diktator auseinanderzusetzen, welch schwere Belastung die gewalttätige Moskauer Polenpolitik für die Beziehungen zwischen Westmächten und

Sowjetunion heraufbeschwor. Stalin reagierte freilich in der Sache unnachgiebig und in der Form ungnädig. Auf mehrere Telegramme, mit
denen er von Churchill bereits im März 1944 bombardiert worden war[10],
antwortete er am 25. März: »Ich fasse das so auf, daß Sie die Sowjetunion
als eine Polen feindliche Macht hinstellen und praktisch den Befreiungs-
charakter des Krieges der Sowjetunion gegen die deutsche Aggression
verleugnen ... ich fürchte, daß die Methode der Drohungen und Diskre-
ditierung unsere Zusammenarbeit nicht günstig beeinflussen wird, wenn
sie auch in Zukunft angewandt wird.«[11] Als Churchill sich im Oktober
1944 nach Moskau aufmachte, um mit Stalin zunächst ohne Roosevelt
über die europäischen Probleme zu reden, erreichte er zwar von Stalin
das für London wichtige Versprechen, auf eine sowjetische Einmischung
in Griechenland zu verzichten. Auch versah Stalin einen Zettel mit einer
Art Paraphe, auf dem Churchill, bezeichnenderweise ohne die Sonder-
frage Polen zu nennen, die Aufteilung britischen und sowjetischen Einflusses in Südosteuropa folgendermaßen skizziert hatte: Griechenland 90
Prozent britisch, Rumänien 90 Prozent sowjetisch; Bulgarien 75 Prozent
sowjetisch, Jugoslawien und Ungarn je 50 Prozent[12]. Das polnische Problem, dem eigene Besprechungen gewidmet waren, blieb jedoch dank
Stalins Kompromißlosigkeit ungelöst, und da den Briten nicht entging,
daß sich also Stalins Konzessionsbereitschaft offensichtlich auf Länder
beschränkte, in denen er – wie eben in Griechenland – mit der Anwesenheit britischer Truppen zu rechnen hatte, konnten sie den schönen Pro-
zentzahlen auf Churchills Zettel auch im Hinblick auf Bulgarien, Rumänien, Ungarn und selbst Jugoslawien nicht viel Gewicht beimessen.
Daraus folgte, daß die Aussichten der von Churchill und Eden versuchten
Gleichgewichtspolitik düster einzuschätzen waren. Mit um so größerer
Energie schickten sich die Briten an, Italien als kräftigen nichtkommunistischen Staat ins Nachkriegseuropa einzubringen und die Großmacht-
stellung Frankreichs zu restaurieren.

4. Annäherung der USA an den britischen Kurs

Am radikalsten wandelte sich aber die Zielsetzung der amerikanischen Europapolitik. In den Vereinigten Staaten hatte es ja schon immer einflußreiche Kräfte gegeben, die der Meinung waren, daß die USA aus politischen
und wirtschaftlichen Gründen ein vitales Interesse an einem wirtschaftlich prosperierenden, politisch stabilen und mit Amerika freundschaftlich verbundenen Europa hätten; es ist nicht weiter verwunderlich, daß
sie sich ein solches Europa seit eh und je nur vorzustellen vermochten,
wenn die Wirtschaft des Kontinents so weit wie möglich kapitali-

stisch, das politische System pluralistisch, die Regierungsform parlamentarisch und vor allem jeder Staat von der schroffe Gegenprinzipien verkörpernden Sowjetunion unabhängig war. Nun, da amerikanische Truppen auf europäischem Boden kämpften, wurde in jenen Gruppierungen auch gerne die Ansicht geglaubt, daß die Vereinigten Staaten ihr vitales Interesse an einem im amerikanischen Sinne gesunden Europa wohl allein dann dauerhaft sichern könnten, wenn sie sich dort nicht bloß finanziell und wirtschaftlich, sondern auch politisch unmittelbar und längerfristig engagierten. Zur aufkeimenden Lust am Engagement gesellte sich sogleich die Erkenntnis seiner Notwendigkeit. Amerikaner, die ein so hohes Interesse der USA an Europa konstatierten, reagierten auf das sowjetische Vordrängen bis Mitteleuropa und auf Stalins politische Praxis in den von der Roten Armee besetzten Ländern nicht anders als die britischen Politiker. Auch das Gegenmittel, das ihnen dazu einfiel, deckte sich weitgehend mit der britischen Gleichgewichtspolitik. Allerdings hielten sie es für ausgeschlossen, daß das westliche Europa – einschließlich Großbritanniens – in der Lage sei, zumal nach den Aderlässen und Zerstörungen des Krieges, dem sowjetischen Druck ohne amerikanische Hilfe standzuhalten. Der Schluß war zwingend: Wer das Machtgleichgewicht auf dem europäischen Kontinent behaupten wollte, mußte auch das amerikanische Engagement in Europa wollen[13].

Seit General Eisenhowers Armeen in Westeuropa und dann am Rande Mitteleuropas standen, gewannen in den Vereinigten Staaten die Anhänger eines derartigen amerikanischen Engagements unverkennbar an Terrain – und jetzt begann sich auch der Präsident sowohl ihrer Definition amerikanischer Interessen wie ihrem Urteil über die Lage in Europa zu nähern. Als ein Staatsmann, der bei der Einschätzung von Möglichkeiten und Grenzen seines politischen Handelns ganz instinktiv der jeweils gefühlten Situation folgte, hat Roosevelt die neuen amerikanischen Interessen und Verpflichtungen, die mit der militärischen Entwicklung entstanden waren, sogar besonders deutlich gespürt. Im Laufe des Jahres 1944 war ihm außerdem die finanzielle, wirtschaftliche, militärische und politische Schwäche Großbritanniens klargeworden. Roosevelt mußte erkennen, daß einer der vier »Weltpolizisten«, von denen er 1942 und 1943 so gerne gesprochen hatte, nicht mehr fähig war, die ihm zugedachte Rolle zu spielen, so zäh er im Augenblick in seiner alten Uniform noch erscheinen mochte. Nun hätte dieser Polizist nach Roosevelts Vorstellung überdies eine Zone kontrollieren und gegen antiamerikanische Einflüsse abschirmen sollen, die für die amerikanischen Sicherheitsinteressen als sehr wichtig galt, nämlich Westeuropa. Daß der Schutz Westeuropas vor der eindrucksvollen sowjetischen Macht bei Großbritannien also offensichtlich in schlechten Händen sein würde, konnte einen Präsidenten nicht gleichgültig lassen, der in Fragen der amerikanischen Sicherheit so empfindlich war wie Roosevelt. Im übrigen betrachtete der Präsident die Freiheit und die politischen Freiheiten als nahezu religiöse Werte. Daher war es für ihn eine Sache, die Sowjetisierung Ost- und Mitteleuropas als Möglichkeit der Zukunft akademisch zu erörtern, und eine ganz andere Sache, mit der Praxis der Sowjetisierung konfrontiert zu werden. Wenn er, wie etwa am 10. Januar 1945 von seinem Moskauer Botschafter Averell Harriman[14], Berichte bekam, in denen geschildert wurde, wie in den ost- und südosteuropäischen Staaten kommunistische Parteien und politische Polizei, gedeckt und unterstützt von der Roten Armee, nicht allein antisowjetische, sondern gleichermaßen nichtkommunistische Kräfte zu fesseln und zu knebeln suchten, so blieb er davon nicht unberührt. All das führte zu der Frage, ob das 1943 so hübsch aufs Reißbrett gezeichnete globale Gleichgewichtssystem nicht doch der stützenden Ergänzung durch ein Gleichgewicht der Kräfte in Europa bedurfte, und zwar unvermeidlich durch ein von den Vereinigten Staaten mitgeschaffenes und -garantiertes europäisches Gleichgewicht. Als Churchill im Oktober 1944 nach Moskau reiste, reagierte Roosevelt, obwohl er sehr gut wußte, daß der britische Premier dort vornehmlich über europäische Probleme verhandeln wollte, mit einem Telegramm an Stalin, in dem er feststellte, daß Zweiergespräche die Lösung noch offener Fragen lediglich vorbereiten und den Präsidenten der USA nicht binden könnten; Entscheidungen müßten dem kommenden Dreiertreffen vorbehalten bleiben. Der Kernsatz des Telegramms lautete: »Sie verstehen natürlich, daß es in diesem globalen Krieg buchstäblich keine Frage gibt, ob militärischer oder politischer Natur, an der die Vereinigten Staaten nicht interessiert sind.«[15] Das war nicht mehr der Roosevelt von Teheran, der bei der Besprechung europäischer Dinge passiv geblieben war und Churchill die Vorhand zugebilligt hatte, und das war nicht mehr jener Roosevelt, der in seiner Unterhaltung mit Kardinal Spellman der bevorstehenden Zerstörung des europäischen Gleichgewichts und der Sowjetisierung großer Teile Europas mit einigem Gleichmut entgegengesehen hatte. Den Fatalismus jedenfalls, den er in europäischen Angelegenheiten jahrelang an den Tag gelegt hatte, streifte er ab. Nach wie vor besaß die Zusammenarbeit mit der Sowjetunion für ihn hohe Bedeutung. Aber bald sollte sich zeigen, daß Roosevelt nicht länger bereit war, der amerikanisch-sowjetischen Verständigung auch das europäische Gleichgewicht zu opfern.

5. Die Deutschlandfrage im Lichte
der inter-alliierten Interessenkonflikte

Am Vorabend der Konferenz von Jalta hatten also die drei Hauptmächte
der Anti-Hitler-Koalition neue politische Ziele entdeckt, die nicht mehr,
wie die Abwehr der Expansion der Achsenmächte, geeignet waren, Inter-
essenidentität zu begründen. Die neuen Ziele der Sowjetunion und die
neuen Ziele der anglo-amerikanischen Gruppe, die ja partiell einfach in
der Blockierung sowjetischer Ambitionen bestanden, konnten vielmehr
nur Quellen eines Interessenkonflikts sein; nahezu alle Politiker spürten
bereits eine gewisse Spannung. Sowohl die jetzt dominierenden Interessen aber, bei denen es schließlich um die künftige Gestalt und politische
Orientierung Europas ging, wie die schon fühlbaren Spannungen, die
eine weit härtere Auseinandersetzung in der Zukunft ahnen ließen, mußten auch die Deutschlandpolitik der drei Mächte verändern. Angesichts
der gewandelten Lage wurde Deutschland, bislang bloßes Objekt der alliierten Kriegführung und einer alliierten Politik, die lediglich die Verewi-
gung des durch den Sieg geschaffenen Zustands konzipiert hatte, allmählich als ein Objekt wahrgenommen, das in irgendeiner Form jenen Zielen
und Interessen des einen oder des anderen der entstehenden zwei Lager
dienstbar zu machen war. Noch herrschte die Atmosphäre des Krieges.
Daher dachte in Ost und West niemand daran, auf die Entwaffnung
Deutschlands, die Zerstörung der deutschen Rüstungsindustrie und die
Bestrafung der Deutschen zu verzichten, von der Auslöschung des Nationalsozialismus ganz zu schweigen. Die Aufteilung Deutschlands erschien
jedoch nun in einem etwas anderen Licht.

Im Gefühl, Ost- und fast ganz Südosteuropa seinem Imperium praktisch
bereits einverleibt zu haben, in der Gewißheit, daß der Erwerb der deutschen Ostgebiete durch Polen – wie durch die Sowjetunion – Deutschland
genügend schwächen und zudem Polen fest an die sowjetische Schutzmacht binden werde, hat Stalin offenbar schon Ende 1944 das Interesse
an der Zerstückelung Rumpfdeutschlands verloren, die er zwischen 1941
und 1944 ja vor allem deshalb gewünscht hatte, weil er damals noch mit
der politischen Schwächung Mitteleuropas die Errichtung und Behauptung seiner ost- und südosteuropäischen Interessensphäre erleichtern
wollte. In der neuen Situation wirkten die früheren Ideen wohl als über-
holte Bescheidenheit, rückte jetzt doch Deutschland selbst als Feld
sowjetischer Interessenpolitik in den Blick, und zwar das ganze Deutschland[16]. Die gemeinsame Vier-Mächte-Verwaltung des besetzten Deutschland, wie sie gerade von der European Advisory Commission in London konstruiert wurde, bescherte der Sowjetunion dem Anschein
nach glänzende Aussichten auf unmittelbare Förderung der deutschen

Kommunisten – nicht nur in der eigenen Zone – und auf bequeme Ausweitung des sowjetischen Einflusses bis zum Rhein. Stalin hätte es wahrscheinlich für eine Dummheit gehalten, sich an der Zerstörung derartiger
Möglichkeiten zu beteiligen, indem er sich als Geburtshelfer süd- und
westdeutscher Staaten betätigte, die sich – angesichts der Roten Armee
im Osten und bald in der Mitte Deutschlands – unweigerlich an die Westmächte anlehnen und als britisch-französische Protektorate gegen sowjetischen Einfluß abkapseln würden. Auf solche Weise die Hand zu einer –
längerfristig betrachtet – Stärkung des wirtschaftlichen und politischen
Potentials Westeuropas zu bieten, dürfte er auch in Anbetracht der ersten
Symptome sowjetisch-westlicher Differenzen als nicht sehr klug angesehen haben. Allerdings lag die Abkapselung Süd- und Westdeutschlands
noch aus einem anderen und mindestens ebenso gewichtigen Grunde
nicht länger im sowjetischen Interesse. Je näher das Kriegsende kam,
desto bewußter wurde den sowjetischen Führern die wahrhaft ungeheuerliche Aufbauarbeit, die nach dem Sieg in der Sowjetunion zu leisten
war. Das europäische Rußland hatte in den langen Jahren eines von beiden Seiten mit äußerster Brutalität geführten Krieges furchtbar gelitten:
die Bevölkerung war dezimiert, Städte und Dörfer lagen in Schutt und
Asche, die Industrie war zerstört. Was die produktive Kraft der verwüsteten Regionen betraf, stand Stalin gleichsam vor der Aufgabe, die Industrialisierungsphasen der zwanziger und dreißiger Jahre zu wiederholen,
und das in einer Lage, in der nach den exorbitant hohen Verlusten der
Roten Armee und der Zivilbevölkerung das Reservoir an Arbeitskräften
in Stadt und Land geschrumpft war. Die unbestreitbare Tatsache, daß
dieser Zustand die Folge eines deutschen Angriffskrieges war, brachte die
sowjetischen Führer dazu, mit gutem Gewissen ihren Verbündeten zu sagen, daß jedenfalls einen beträchtlichen Teil der notwendigen Aufbauarbeit Deutschland bestreiten müsse. Sie rechneten also mit deutschen Reparationen, und zwar in jeder Form: Transfer ganzer Produktionsanlagen
und von Verkehrsmitteln, Lieferung von Industrieprodukten und Rohstoffen aus laufender Produktion, Verwendung von Arbeitskraft. Die
Höhe der Reparationen aber, die man in Moskau im Auge hatte, vertrug
sich nicht mit einer politischen Parzellierung Deutschlands, die erstens
auch die deutsche Wirtschaftskraft zersplittern und zweitens womöglich
gerade die für Reparationszwecke besonders interessanten westdeutschen Gebiete dem sowjetischen Zugriff entziehen konnte. Bereits im
Dezember 1944 lieferte Stalin ein Indiz dafür, daß er in der Zerstückelungsfrage umzudenken begann. Als in jenem Monat General de Gaulle,
das Haupt der kurz zuvor, am 23. Oktober, von den drei Weltmächten
formell anerkannten provisorischen französischen Regierung, zu einem
Staatsbesuch in Moskau eintraf, wurde er zwar von Stalin mit allen Ehren

empfangen, die einem Staatsoberhaupt zukommen; auch unterzeichneten de Gaulle und Stalin am 10. Dezember einen gegen Deutschland gerichteten französisch-sowjetischen Freundschafts- und Beistandspakt. Jedoch stieß der General, obwohl er die Zustimmung Frankreichs zur Abtretung Ostpreußens, Pommerns und Schlesiens an Polen mitbrachte, bei seinem Gastgeber auf höfliche Ablehnung, als er den französischen Anspruch auf das Saargebiet und die Forderung nach autonomen Staaten im rheinischen und westfälischen Deutschland bestätigt haben wollte. Letzteres hatte Stalin im Dezember 1941 noch selbst vorgeschlagen.

Auch in London war man mittlerweile von Aufteilungsplänen abgekommen. Churchill und Eden hatten im Laufe des Jahres 1944 eingesehen, daß die Abwehr der totalen Sowjetisierung Ost- und Südosteuropas, falls sie gelang, nur dann längerfristig gesichert werden konnte, wenn Mitteleuropa – und zwar ein nichtkommunistisches Mitteleuropa – politisch nicht allzu schwach und zur Mitwirkung an der Stabilisierung eines relativen Gleichgewichts im ost- und südosteuropäischen Raum tauglich war. Sollte aber der Versuch, nichtkommunistische und nichtsowjetische Einflüsse in der Interessensphäre Moskaus präsent zu halten, scheitern, was ja als sehr wahrscheinlich angesehen wurde, kam es erst recht darauf an, eine zu drastische Schwächung Mitteleuropas zu verhindern. Daß Italien und Frankreich nicht in der Lage sein würden, die Macht eines bis Mitteleuropa reichenden sowjetischen Imperiums allein auszubalancieren, war evident. Außerdem machten sich die britischen Politiker, obwohl noch immer selbstbewußt, kaum mehr Illusionen über die Kraft Großbritanniens, und die Frage, ob sich die Vereinigten Staaten nach Kriegsende in Europa engagieren würden, schien ihnen, so dringend sie das wünschten, keineswegs schon positiv beantwortbar zu sein. Alles sprach jetzt dafür, zwar den Umfang und die expansiven Kräfte Deutschlands zu reduzieren, jedoch ein wirtschaftlich lebensfähiges und politisch stabiles Rumpfdeutschland als intakte Größe und damit als Faktor des europäischen Gleichgewichts zu bewahren, zumal ein zerstückeltes, wirtschaftlich zu sehr geschwächtes und politisch labiles Deutschland selbst ein Opfer der kommunistischen und sowjetischen Dynamik werden mochte. Die nach wie vor als notwendig empfundene Ausschaltung Preußens war wohl auch durch seine Auflösung innerhalb eines deutschen Staates zu erreichen. Im übrigen hatten die Briten weder Lust noch die Fähigkeit, eine größere finanzielle Belastung auf sich zu nehmen, um die Bevölkerung ihrer Besatzungszone zu ernähren. Eine solche Belastung mußte indes entstehen, wenn mit der politischen Zerstückelung Deutschlands zugleich die deutsche Wirtschaft gelähmt wurde und danach die deutsche Exportleistung zur Bezahlung der notwendigen Einfuhren nicht ausreichte; auch erinnerten sich die Briten wieder daran, welche Bedeutung Deutschland als Lie-

ferant wie als Käufer für Großbritannien und alle anderen europäischen
Länder stets gehabt hatte. So hat Außenminister Eden schon im November 1944 eine Denkschrift verfaßt, in der er sich eindeutig gegen eine
Aufteilung Deutschlands aussprach und statt ihrer eine Dezentralisierung
des deutschen Staates empfahl[17].

Ganz ähnlich dachten jene Amerikaner, die in ihrem Urteil über die sowjetische Expansion und die Notwendigkeit einer Gleichgewichtspolitik
in Europa mit den britischen Auffassungen übereinstimmten, und wiederum sollte sich bald erweisen, daß Präsident Roosevelt, obwohl er gerade im September 1944 seinen Namen unter den Morgenthau-Plan setzte
und damit erneut seine Neigung zu einem Aufteilungspläne einschließen-
den harten Frieden offenbarte, bereits im Begriff war, die Entdeckung zu
machen, daß er auch seine Haltung in der deutschen Frage zu revidieren
hatte, wenn er seine Politik des globalen Gleichgewichts nun durch ein
europäisches Gleichgewichtssystem ergänzen wollte. In der Endphase
des Krieges spielten als Imponderabilien am Rande auch Emotionen eine
gewisse Rolle. Etwa bei Churchill. Der Premier teilte naturgemäß die
Meinung Edens. Außerdem aber war er ein Politiker, der Phantasie besaß, und ein Mann, dessen politisches Verhalten schon mehrmals von
einer nicht gewöhnlichen Bereitschaft, Mitgefühl zu empfinden, beeinflußt worden war. Stalins Stichelei von Teheran, der Premier sympathi-
siere mit dem Feind, wäre jetzt, da der Feind geschlagen war, nicht mehr
ganz unberechtigt gewesen; schon gegen Ende des Burenkrieges und des
Ersten Weltkrieges hatte Churchill, unterstützt von realpolitischen Überlegungen, ebenso gefühlt. Am 1. Februar 1945 schrieb er an seine Frau:
»Dir darf ich bekennen, daß die Berichte über die Massen deutscher
Frauen und Kinder, die auf den Straßen in vierzig Meilen langen Kolon-
nen vor den vordringenden Armeen nach Westen hinfliehen, mein Herz
mit Trauer erfüllen.«[18] Die Überzeugung, daß die Flüchtlinge ihr Schicksal verdient hätten, könne die Bilder nicht vertreiben.

6. Der Scheinerfolg anglo-amerikanischer Europapolitik
   in Jalta

Die Entwicklung der Gespräche, die in Jalta von den »Großen Drei« in
reichlich chaotischer Manier geführt wurden, spiegelte die veränderten
Interessen und Ziele der drei Mächte getreulich wider. Stalin machte aus
seinem Herrschaftsanspruch in Osteuropa kein Hehl mehr. Das Haupt-
ziel, das er auf der Konferenz verfolgte, bestand offensichtlich darin, von
den Westmächten eine Bestätigung seines Anspruchs zu bekommen. Er
verfocht nämlich nur eine Forderung mit seinem ganzen Verhandlungs-

geschick und mit einer Härte, die zunächst nichts erweichen zu können schien, und das war die Forderung, daß die Westmächte die polnische Exilregierung in London fallenzulassen und als rechtmäßige provisorische Regierung Polens das Lubliner Komitee anzuerkennen hätten. Churchill hingegen bot alle seine Künste als Debatter für die politische Rettung der nichtkommunistischen polnischen Gruppen auf und gab damit ebenso deutlich zu verstehen, daß Großbritannien nicht gesonnen war, die imperialistische Politik Moskaus in Osteuropa kampflos hinzunehmen. Er war sich dabei der Schwäche seiner Verhandlungsposition nur zu bewußt. Nach seiner Rückkehr von Jalta sagte er zu einigen Freunden: »Die Russen sind nicht allein sehr mächtig, sondern sie sind auch an Ort und Stelle; selbst die ganze Majestät des Britischen Empire würde nicht dazu helfen, sie von dort zu verdrängen.«[19] Daher setzte er sich mit nicht geringerer Hartnäckigkeit – und schließlich mit amerikanischer Hilfe erfolgreich – dafür ein, Frankreich eine Besatzungszone und einen Vertreter im Kontrollrat für das deutsche Okkupationsgebiet zu geben; so hoffte er einen Beitrag zur Rückkehr Frankreichs in den Kreis der für europäische Fragen maßgeblichen Großmächte zu leisten. Stalin hatte sich dem Verlangen Churchills anfänglich widersetzt, vermutlich deshalb, weil er eine Aufwertung Frankreichs im Hinblick auf die französischen Pläne für Westdeutschland und natürlich auch eine Verbreiterung der westlichen Front im Kontrollrat vermeiden wollte.

Ohne die Intervention Roosevelts hätte Stalins und Churchills Konflikt in der Polenfrage mit einem vollständigen Sieg Stalins enden müssen. Aber der Roosevelt, der seine Europapolitik revidiert hatte, warf seine ganze persönliche Autorität und das Gewicht der Vereinigten Staaten gegen Stalin in die Waagschale. Der amerikanische Präsident war gewiß nach Jalta gekommen, um den Eintritt der Sowjetunion in den Krieg gegen Japan zu sichern, weil das seine Militärs zur Abkürzung des Krieges und zur Verringerung der amerikanischen Verluste für notwendig erklärt hatten. Auch wollte er sicherlich den Beitritt der Sowjetunion zu den Vereinten Nationen endgültig machen, um die Weltorganisation rechtzeitig aus der Taufe heben zu können, wobei die UN für ihn freilich nicht mehr, wie bisher, ein Ziel fast ausschließlich eigenen Rechts darstellten, sondern bereits auch ein Mittel, Rückfällen der Amerikaner in ein isolationistisches Verhalten vorzubeugen, das der Präsident mittlerweile gerade auch im Hinblick auf politische Engagements der USA außerhalb der westlichen Hemisphäre, etwa in Europa, als verhängnisvoll ansah. Roosevelt war also sehr daran interessiert, seine in Teheran angeknüpfte freundschaftliche Beziehung mit Stalin zu bewahren, und außerdem nach wie vor gewillt, die amerikanisch-sowjetische Zusammenarbeit in der Nachkriegszeit fortzusetzen. Jedoch war er noch mit einem dritten Ziel nach

Jalta gekommen, nämlich mit der festen Absicht, Stalin nach Möglichkeit an der totalen Sowjetisierung Ost- und Südosteuropas zu hindern. Naturgemäß zu weitgehender Rücksicht auf die beiden ersten Ziele und daher bei der Verfolgung des dritten zu Kompromissen bereit, machte er Stalin gleichwohl klar, daß er die Verteidigung des politischen Pluralismus in der sowjetischen Interessensphäre keineswegs der störungsfreien Fortsetzung der amerikanisch-sowjetischen Kooperation zu sehr unterordnen oder gar opfern werde. Zwar gab er seine Bemühungen, Lemberg und die dort gelegenen Ölgebiete für Polen zu retten, rasch auf, als Stalin sich unnachgiebig zeigte; nachdem er im November 1944 zum vierten Male erfolgreich für das Amt des Präsidenten kandidiert hatte, plagte ihn der Gedanke an seine Wähler polnischer Herkunft doch etwas weniger als in Teheran. Stalins Starrheit in der Regierungsfrage beantwortete er aber mit einem Schreiben, in dem er – es entstand am Abend des 6. Februar – seinem »lieben Marschall Stalin« klipp und klar sagte, daß der Präsident der Vereinigten Staaten das Lubliner Komitee, »wie es jetzt zusammengesetzt ist«, nicht anerkennen werde. Da Roosevelt mit Recht der Meinung war, daß es in Anbetracht der Lage in Polen unrealistisch wäre, das Lubliner Komitee einfach ignorieren zu wollen, stellte er seine und der britischen Regierung Bereitschaft in Aussicht, das polnische Exilkabinett in London preiszugeben, doch nur unter der Bedingung, daß eine völlig neue Regierung gebildet werde, aus Vertretern des Lubliner Komitees einerseits und andererseits der Londoner Polen wie der nichtkommunistischen Polen im Lande selbst paritätisch zusammengesetzt. Er fügte hinzu, daß sich eine solche provisorische Regierung selbstverständlich verpflichten müsse, zum frühestmöglichen Termin freie Wahlen abzuhalten. Für den Fall, daß Stalin diesen Kompromiß ablehnen sollte, drohte Roosevelt in seinem Brief – als Hinweis auf die öffentliche Meinung in den USA verkleidet – unmißverständlich Konsequenzen für das amerikanisch-sowjetische Verhältnis an[20].

So kam es faktisch, obwohl der Präsident wie in Teheran peinlich darauf achtete, jeden Anschein eines »ganging up on Russia« zu vermeiden, eben doch zu einer gemeinsamen britisch-amerikanischen Front, die Stalin zum Rückzug nötigte. Er akzeptierte Roosevelts Kompromißvorschlag und erklärte sich damit einverstanden, die Details durch einen Ausschuß ausarbeiten zu lassen, dem Außenminister Molotow und die Moskauer Botschafter Großbritanniens und der Vereinigten Staaten, Sir Archibald Clark Kerr und Averell Harriman, angehören sollten. Als Roosevelt danach, am 10. Februar, eine »Deklaration über das befreite Europa« vorlegte und stärkstes amerikanisches Interesse an der Annahme der – vom State Department formulierten – Erklärung bekundete, hat Stalin auch das noch hingenommen, obwohl in dem Dokument vom

»Recht aller Völker« die Rede war, »diejenige Form der Regierung zu wählen, unter welcher sie leben wollen«, obwohl es die jetzt »auf breiter Grundlage« gebildeten bzw. noch zu bildenden provisorischen Regierungen der befreiten Länder und der ehemaligen Satellitenstaaten der Achsenmächte darauf verpflichtete, »so bald als möglich durch freie Wahlen Regierungen zu errichten, welche dem Willen des Volkes entsprechen«, und obwohl die Deklaration in unzweideutigen Worten eine »gemeinsame Verantwortung« der drei in Jalta repräsentierten Siegermächte für die Verhältnisse in jedem »befreiten europäischen Staat« oder »früheren Achsen-Satelliten-Staat in Europa« festlegte[21]. Daß Stalin der Verabschiedung einer Drei-Mächte-Erklärung mit Vertragscharakter zustimmte, die ihm bei leidlicher Beachtung von Geist und Buchstaben die Hände in Osteuropa binden mußte, hat Teilnehmer der Konferenz wie Charles Bohlen noch Jahre später erstaunt. Abgesehen von dem Wunsch, den jetzt offensichtlich zur Mitsprache auf dem europäischen Kontinent entschlossenen Präsidenten nicht schon während des Krieges bis zu einem immerhin denkbaren Bruch zu provozieren, und abgesehen von der Annahme, daß die Ereignisse ein derartiges Schriftstück doch bald überrollen würden, mag Stalin auch von der Befürchtung motiviert gewesen sein, daß eine brutale offene Forcierung seines Herrschaftsanspruchs in Ost- und Südosteuropa die Westmächte veranlassen könnte, seinen Preis für den Eintritt der Sowjetunion in den Krieg gegen Japan zu hoch zu finden. Vielleicht war ihm nicht klar, wie sehr die amerikanischen Militärs und Politiker an der sowjetischen Hilfe gegen Japan interessiert waren, und dann mußte ihm selbst der Preis als etwas hoch erscheinen, den die Westmächte am Ende tatsächlich zahlten: Anerkennung der Zugehörigkeit der Äußeren Mongolei zur UdSSR; Rückgabe des 1904/5 von Rußland an Japan verlorenen südlichen Teils Sachalins; Annexion der japanischen Kurilen und etliche Privilegien eines altmodischen Imperialismus, nämlich sowjetische Kontrolle sowohl der Häfen Port Arthur und Dairen wie der ostchinesischen und der mandschurischen Eisenbahn (wenn auch Dairen formal internationalisiert werden und China die Souveränität in der Mandschurei behalten sollte).

Es ist danach begreiflich, daß Churchill und Roosevelt mit den Resultaten von Jalta durchaus zufrieden waren. Stalin hatte zugesagt, zwei bis drei Monate nach dem Ende des Krieges in Europa Japan den Krieg zu erklären. Er hatte ferner die Teilnahme der Sowjetunion an der Gründungskonferenz der Vereinten Nationen versprochen, die am 25. April 1945 in San Francisco beginnen sollte; dabei war Roosevelt allerdings gezwungen gewesen, Stalins Forderung nach der Aufnahme zweier Sowjetrepubliken, der Ukraine und Weißrußlands, in die Weltorganisation grundsätzlich zuzustimmen, weil die Briten im Hinblick auf die UN-Mitgliedschaft

ihrer Dominien nichts gegen das sowjetische Verlangen einwenden wollten (vor der Konferenz hatte Moskau noch für alle Sowjetrepubliken UN-
Mitgliedschaft gefordert, was Roosevelt zu der Bemerkung gereizt hatte,
er werde das mit dem gleichen Anspruch für sämtliche – damals – 48 Staaten der USA quittieren). Vor allem stimmte der in den ost- und südosteuropäischen Fragen erreichte Kompromiß die westlichen Staatsmänner
hoffnungsvoll. Zwar durfte nicht verkannt werden, daß die Westmächte
den in Osteuropa geschaffenen Realitäten viel Respekt gezollt hatten und
daher den sowjetischen Vorstellungen weit entgegengekommen waren,
daß außerdem die Realisierung der Kompromißlösung praktisch allein
vom guten Willen Stalins abhing. Auf der anderen Seite hielten die westlichen Politiker eine klare Zusage Stalins in Händen, bei der Regelung
der Verhältnisse in den ost- und südosteuropäischen Staaten sowohl die
Gleichberechtigung der nichtkommunistischen Kräfte wie das Mitspracherecht der beiden Westmächte zu akzeptieren. Eine solche Zusage
konnte schon vorsichtigen Optimismus wecken. Churchill sagte nach seiner Rückkehr von der Krim, es sei gewiß falsch, jetzt anzunehmen, daß
die Russen sich schlecht benehmen würden[22], und Roosevelt glaubte,
nun könne es gelingen, die Entwicklung der sowjetischen Einflußsphäre
zu einer Kontrollsphäre zu verhindern[23]. Selbst im State Department
herrschte gedämpfte Zuversicht, und auch John Foster Dulles, zur Zeit
des Kalten Krieges Außenminister unter Präsident Eisenhower und
schon 1945 in der Republikanischen Partei einflußreicher Experte für außenpolitische Probleme, sprach angesichts der sowjetisch-amerikanischen Verständigung in Jalta vom Anbruch einer »neuen Ära«[24].

7. Verständigung der Großmächte über die Bewahrung der deutschen Einheit

Den westlichen Politikern schien Jalta aber nicht zuletzt deshalb ein Erfolg gewesen zu sein, weil sie auch in der deutschen Frage wichtigen Ele-
menten ihrer seit Teheran veränderten Zielsetzung wenigstens den Weg
geebnet zu haben meinten. Zwar fanden Churchills und auch Roosevelts
bezeichnende Versuche, die in Teheran getroffene Vereinbarung über die
deutsche Ostgrenze nun doch etwas zugunsten Deutschlands zu revidieren, bei Stalin nicht die geringste Gegenliebe; Churchills plastisches Argument, die polnische Gans dürfe nicht so mit deutschen Brocken vollge-
stopft werden, daß sie Verdauungsstörungen bekomme[25], lockte keine
sowjetische Konzession hervor. Ebenso hart blieben Stalin und Molotow
in der Reparationsfrage. Dabei wurde rasch deutlich, daß zwischen der
westlichen – namentlich der britischen – Reparationspolitik und den so-

wjetischen Forderungen im Grunde keine Versöhnung möglich war. Die Briten und auch – wie sich nach Jalta noch klarer herausstellen sollte – die Amerikaner waren, wenngleich sie die von der Sowjetunion gewünschten Reparationsformen anerkannten, entschlossen, die Höhe der deutschen Reparationen, ob es sich um die Demontage von Produktionsmitteln oder um Entnahmen aus laufender Produktion handelte, so zu begrenzen, daß die deutsche Bevölkerung einen erträglichen Lebensstandard behielt und daß die deutsche Wirtschaft die dazu notwendigen Einfuhren mit eigenen Exporten bezahlen konnte; unter dem Gesichtspunkt der Verantwortung des Siegers für den Besiegten hatte die westliche Reparationspolitik die Moral und unter dem Gesichtspunkt des eigenen Interesses die wirtschaftliche Vernunft auf ihrer Seite. Die Erinnerung an die schädlichen Folgen, die eine unvernünftige Reparationspolitik nach dem Ersten Weltkrieg für Sieger und Besiegte gehabt hatte, war in den westlichen Staaten sehr lebendig. Hingegen zeigten sich die sowjetischen Führer zu einer nahezu totalen Auspowerung Deutschlands entschlossen, was erst in einer sowjetischen Variante Morgenthauscher Pläne zum Ausdruck kam, nämlich in dem Vorschlag, 80 Prozent aller deutschen Industriebetriebe zu demontieren, und dann in der unnachgiebig festgehaltenen Forderung, die deutschen Reparationen auf 20 Milliarden Dollar festzusetzen, was damals 80 bis 120 Milliarden Mark entsprach; das war angesichts des sowjetischen Bedarfs und angesichts eines begreiflichen Unwillens, irgendwelche Rücksichten auf die Deutschen zu nehmen, sicherlich nicht unverständlich, gleichwohl aber ebenso unmenschlich wie wirtschaftlich unsinnig. Indes konnten Churchill und Roosevelt in der Grenzfrage wenigstens einen Beschluß vermeiden und die Regelung des Problems einer künftigen Friedenskonferenz vorbehalten, während sie die Reparationsfrage nach ebenfalls entscheidungslos abgebrochenem Kampf zu einer von den drei Mächten zu bildenden Reparationskommission abzuschieben vermochten, die in Moskau zusammentreten sollte (allerdings erklärten die Amerikaner, die Reparationskommission dürfe die von sowjetischer Seite genannte Forderung, 20 Milliarden Dollar, als Verhandlungsgrundlage benutzen, wovon sich wiederum die Briten ausdrücklich distanzierten).

Das politisch noch wichtigere Problem der Aufteilung Deutschlands wurde jedoch während der Konferenz in einer Weise behandelt, mit der Briten und Amerikaner recht zufrieden sein zu dürfen meinten. Daß sie in diesem Punkt die ersten Schritte zur Abwendung von Teheran nur deshalb so mühelos tun konnten, weil sie keinem ernsthaften sowjetischen Widerstand begegneten, und daß der sowjetische Widerstand fehlte, weil auch Stalin eine Zerstückelung Deutschlands nicht länger wünschte, haben sie offenbar nicht bemerkt. Der Gang der Diskussionen war ja auch etwas verwirrend. Als Stalin, Churchill und Roosevelt das Problem erörterten, sprachen sie sich ausnahmslos für die Aufteilung aus. Stalin ergriff dabei die Initiative. Er erinnerte an die in Teheran bereits erzielte Übereinstimmung, schien es zu bedauern, daß weder damals noch bei Churchills Moskaubesuch im Oktober 1944 ein definitiver Beschluß möglich gewesen war, und richtete an seine beiden Kollegen die Frage, ob es denn nicht jetzt endlich an der Zeit sei, einen solchen Beschluß zu fassen; zumindest sollten die Kapitulationsbedingungen einen Passus enthalten, der die grundsätzliche Absicht der Alliierten zur Aufteilung Deutschlands bekräftige. Auf der anderen Seite spielte Stalin die in Teheran festgestellte »eindeutige Tendenz« bemerkenswerterweise selbst herab, indem er die in der iranischen Hauptstadt geführten Gespräche über Deutschland als bloßen »Meinungsaustausch« charakterisierte, und für einen Mann, der behauptete, die »Großen Drei« müßten hic et nunc zu einem Beschluß kommen, war es immerhin erstaunlich, daß er seinen Partnern nicht verriet, wie man sich in Moskau die Aufteilung Deutschlands eigentlich vorstellte, daß er vielmehr erklärte, detaillierte Pläne seien im Augenblick noch nicht erforderlich[26]. Churchill versicherte ebenfalls, »im Prinzip« für die Zerstückelung Deutschlands zu sein; einmal mehr bot er seine prächtige Rhetorik gegen den Unheilstifter Preußen auf und einmal mehr beschwor er die Vision von einem großen deutschen Südstaat mit der Hauptstadt Wien. Daß er aber in Wahrheit bereits gegen alle Aufteilungspläne war, machte er sogleich klar – viel klarer als Stalin –, indem er nach seiner prinzipiellen Bejahung jeder sofortigen Entscheidung energisch opponierte und die Aufnahme der Zerstückelungsabsicht in die Kapitulationsbedingungen als völlig überflüssig bezeichnete; ehe man eine Entscheidung treffen und der Öffentlichkeit mitteilen könne, müsse erst ein Ausschuß die historischen, ethnographischen und wirtschaftlichen Aspekte des Problems sorgfältig studieren[27]. Dagegen schien Roosevelt zunächst ebenso eindeutig Stellung zu beziehen wie Stalin, als er dessen Verlangen nach einem Beschluß der »Großen Drei« für berechtigt befand und seinem britischen Kollegen vorwarf, auf die Darlegungen des Marschalls keine eindeutige Antwort gegeben zu haben. Danach beseitigte er jedoch umgehend jegliche Klarheit über seine eigene Auffassung. In einer langen und verworrenen Tirade, in der er auch seine freundlichen Eindrücke von den sympathischen kleinen Fürstentümern zum besten gab, die er in seiner Jugend während eines Aufenthalts in Deutschland kennengelernt habe, wandte er sich offenbar vornehmlich gegen die seither geschehene Zentralisierung der politischen Macht in Berlin[28]. Seine Ausführungen waren, je nach Wunsch, sowohl als Plädoyer für die Aufteilung wie als Plädoyer für eine Dezentralisierung und Föderalisierung Deutschlands zu deuten. Daß seine Reverenz vor dem Aufteilungskonzept indes tatsächlich nur noch »Lippendienst für eine sterbende Idee« war, wie Charles Bohlen schon während der Rede seines Präsidenten empfand[29], verriet Roosevelt, als er, seinen beiden Kollegen folgend und ohne irgend jemand vor Interpretationsprobleme zu stellen, die Regelung von Einzelheiten noch auf der Konferenz von Jalta rundweg ablehnte. Die Außenminister der drei Mächte, die ja ebenfalls nach Jalta gekommen waren, sollten, so meinte er, angewiesen werden, »ein Verfahrensschema für das Studium der Zerstückelung Deutschlands« vorzubereiten; einen Monat später könne man dann an die Ausarbeitung eines Aufteilungsplans gehen. Stalin hat diesen Vorschlag, der die Behandlung der Aufteilungsfrage auf die lange Bank schieben und jedenfalls den Briten eine weitere Chance zur Verfechtung ihrer offenkundig gewordenen Opposition gegen die Aufteilung verschaffen mußte, bezeichnenderweise ohne ein kritisches Wort angenommen; er ergänzte Roosevelts Anregung lediglich durch die Bemerkung, die Außenminister müßten zugleich beauftragt werden, für die Aufteilungsabsicht der Alliierten eine Formulierung zu finden, die in die Kapitulationsbedingungen passe[30].

Als danach Molotow, Eden und Cordell Hulls Nachfolger Edward R. Stettinius, der Weisung ihrer Chefs entsprechend, über das Aufteilungsproblem verhandelten, wurde aber die wahre Haltung der drei Mächte und damit ihre weitgehende – höchst unterschiedlich motivierte – Übereinstimmung in dieser Frage doch rasch sichtbar. Zwar hat Molotow anfänglich mit beträchtlichem rhetorischen Aufwand den Eindruck erweckt, daß er entschlossen sei, für die Kapitulationsbedingungen eine Formulierung durchzusetzen, die der Zerstückelungsabsicht der Alliierten – etwa mit den Worten »... und sie werden Maßnahmen zur Aufteilung Deutschlands ergreifen« – unmißverständlich Ausdruck gebe. Auch protestierte er lebhaft, als sein britischer Kollege Eden den Kurs Londons gänzlich offenlegte und die Formel »Maßnahmen zur Auflösung eines einheitlichen deutschen Staates« verlangte, eine Formel, die den Alliierten statt der Zerstückelung schon fast eindeutig die Dezentralisierung Deutschlands als Ziel gewiesen hätte[31]. Indes waren Molotows Worte nur noch Rhetorik. Kaum hatte Stettinius dargetan, daß sich die amerikanische Auffassung praktisch mit der britischen deckte, trat der sowjetische Außenminister einen bemerkenswert eiligen Rückzug an und akzeptierte ohne weiteres einen Vorschlag des amerikanischen Außenministers, der die Aufteilungsfrage so elegant auf ein Nebengleis abschob, daß ihm Eden durchaus zustimmen konnte. Frühere Erfahrungen hatten bereits bewiesen und spätere sollten erst recht beweisen, daß sich sowjetische Politiker anders verhielten, wenn sie über einen Punkt verhandelten, der ihnen wirklich am Herzen lag. Jedenfalls hieß es nun in Artikel 12 der Kapitulationsbedingungen, nach der Feststellung, daß die Alliierten die

oberste politische Gewalt in Deutschland besitzen werden: »In Ausübung dieser Gewalt werden sie Maßnahmen treffen, einschließlich der
vollständigen Entwaffnung, der Entmilitarisierung und der Zerstückelung Deutschlands, die sie für den künftigen Frieden und die Sicherheit
für notwendig halten.«[32] Der Schlußteil des Satzes machte aus der Zerstückelung in der Tat eine bloße Möglichkeit, an deren Verwirklichung
die Alliierten eben nicht heranzugehen brauchten, wenn sie im Hinblick
auf Frieden und Sicherheit keine Notwendigkeit dazu sahen. Mindestens
ebenso aufschlußreich wie das sowjetische Einverständnis mit einer
derart unverbindlichen Erklärung war jedoch Molotows Reaktion auf
Stettinius' Anregung, das weitere Studium des Zerstückelungsproblems
– nach dem Ende der Konferenz von Jalta – der European Advisory
Commission in London anzuvertrauen. Er äußerte dagegen Bedenken,
begründete seine Bedenken aber damit, daß in der EAC auch Frankreich vertreten sei; die Sowjetunion hatte sich in Jalta wohl bereit gefunden, Frankreich als vierte Besatzungsmacht – mit Sitz und Stimme im
Kontrollrat – in den Kreis der Sieger aufzunehmen, doch ließen die sowjetischen Führer nach wie vor keine Gelegenheit ungenutzt, den von
Großbritannien – und allmählich auch von den USA – unterstützten
französischen Anspruch auf Großmachtstatus zu bestreiten und Frankreich auf die Bank der Mächte niederen Ranges zu verweisen. Molotow
schlug seinerseits vor, in London einen speziellen Ausschuß arbeiten zu
lassen, bestehend aus Außenminister Eden und den Londoner Botschaftern der Vereinigten Staaten und der Sowjetunion, John G. Winant und
F. T. Gusev. Das war nichts anderes als die EAC ohne Frankreich. Als
ein Meister in der Handhabung verfahrenstaktischer Instrumentarien
dürfte Molotow gut genug gewußt haben, daß er nun selbst einen Vorschlag machte, der – durch Beratungsort und Beratungsgremium – den
Briten und ihrer Opposition gegen die Aufteilung Deutschlands erhebliche Vorteile verschaffte. Eden und Stettinius nahmen ohne Zögern an,
nachdem der sowjetische Außenminister sogar noch konzediert hatte,
daß der neue Ausschuß auch über eine Beteiligung Frankreichs an seinen Erörterungen diskutieren könne[33].
In der Aufteilungsfrage bestand mithin das Resultat der Konferenz von
Jalta in einer Umkehrung der Ergebnisse von Teheran. War damals eine
»eindeutige Tendenz« für die Zerstückelung Deutschlands evident gewesen, so zeigte sich am Ende der Krimkonferenz eine eindeutige Tendenz
der drei Mächte gegen die Zerstückelung, eine Tendenz, die jene schein-
bar klare Entscheidung für die Aufteilung, die von den »Großen Drei« zu
Beginn getroffen worden war, zunächst erodiert hatte und dann bereits
aufzuheben begann. Schon wenige Wochen nach Jalta war der Prozeß
abgeschlossen. Am 7. März 1945 trat der in Jalta ins Leben gerufene Zer-

stückelungs-Ausschuß zu seiner ersten Besprechung zusammen. Wie zu erwarten war, suchte Anthony Eden seinen in Jalta nur partiell erfolgreichen Standpunkt sogleich endgültig durchzusetzen. Er legte Gusev und Winant einen Entwurf der Richtlinien vor, an die sich nach seiner Meinung der Ausschuß bei seiner Tätigkeit halten sollte, und darin hieß es, das primäre Ziel der Alliierten, nämlich die Verhinderung einer erneuten deutschen Aggression, müsse durch die Entwaffnung und Entmilitarisierung Deutschlands, ferner durch die Zerstörung und die Kontrolle der deutschen Industrie erreicht werden; ein zusätzliches Mittel sei die Aufteilung Deutschlands – »falls nötig«[34]. Gusev, der wie so viele die Überzeugung gewonnen hatte, in Jalta sei ein Beschluß zur Zerstückelung Deutschlands gefaßt worden, und der häufig über die Intentionen der Moskauer Zentrale schlecht unterrichtet war, schrieb Eden am 15. März, nach dem Studium des britischen Entwurfs, einen Brief, in dem er dem britischen Außenminister entgegenhielt, der Ausschuß solle doch nicht über die Frage nachdenken, ob Deutschland aufzuteilen sei, sondern lediglich über die Frage, wie das zu geschehen habe[35]. Aber am 26. März mußte Gusev, der inzwischen nach Hause berichtet und aus Moskau Instruktionen erhalten hatte, dem britischen Außenminister die sowjetische Zustimmung zu Edens Richtlinien-Entwurf übermitteln. In seinem Schreiben erklärte Gusev: »Die sowjetische Regierung versteht den Beschluß der Krim-Konferenz in der Frage der Aufteilung Deutschlands nicht als eine unbedingte Verpflichtung, sondern nur als eine Möglichkeit, um auf Deutschland Druck auszuüben, falls sich andere Mittel nicht als wirksam genug erweisen, dieses Land unschädlich zu machen.«[36] Nun hatten endlich auch die Sowjets ihre Karten aufgedeckt. Angesichts der ohnehin klaren britischen und auch der amerikanischen Haltung – am 6. April teilte Winant mit, die amerikanische Regierung schließe sich der sowjetischen Interpretation des Beschlusses von Jalta an[37] – war damit das Aufteilungskonzept endgültig erledigt. Am 11. April konstatierte der Ausschuß in seiner zweiten Sitzung, daß in der Richtlinienfrage eine Einigung erzielt worden sei, und mit dieser Feststellung durfte er sich auch schon, überflüssig geworden, aus der Geschichte verabschieden. In den Kapitulationsbedingungen fand sich schließlich, als sie im Mai von deutschen Vertretern unterzeichnet wurden, kein Wort mehr über eine Aufteilung Deutschlands, und Stalin genierte sich nicht, den Westmächten zum Schluß noch die Schau zu stehlen und am 9. Mai öffentlich zu versichern: »Die Sowjetunion feiert den Sieg, wenn sie sich auch nicht anschickt, Deutschland zu zerstückeln oder zu vernichten.«[38]

8. Deutschlandpolitische Entscheidung in den USA: Föderalisierung statt Aufteilung

In den Vereinigten Staaten führte die Wende von Jalta, anders als in Großbritannien und in der Sowjetunion, freilich auch erst nach einem letzten Gefecht mit Anhängern der Aufteilungskonzeption zu einer klaren Entscheidung in der Deutschlandpolitik. Ehe Botschafter Winant den amerikanischen Beitrag zum stillen Tod des Londoner Aufgliederungs-Ausschusses leisten konnte, mußte noch der Versuch von Männern wie Henry Morgenthau abgewehrt werden, Präsident Roosevelt wieder auf ihre Seite zu ziehen. Als Roosevelt am 28. Februar 1945 das State Department anwies, die bestehenden Richtlinien für die amerikanische Deutschlandpolitik im Lichte der Beschlüsse von Jalta zu überprüfen und gegebenenfalls – unter Abstimmung mit den übrigen interessierten Ministerien – zu modifizieren, standen allerdings die Befürworter einer maßvollen Behandlung Deutschlands schon bereit, die Chance, die ihnen Jalta zu bieten schien, entschlossen auszunutzen. Bis Jalta waren sie ja nicht recht zum Zuge gekommen. Gewiß hatte das State Department seit eh und je, so in dem Memorandum »Germany: Partition« vom 27. Juli 1943 oder in der Empfehlung »The Political Reorganization of Germany« vom 23. September 1943, eine Aufteilung Deutschands und auch allzu weitgehende Eingriffe in die deutsche Wirtschaft entschieden abgelehnt[39]. Um das Sicherheitsbedürfnis der Nachbarn Deutschlands zu befriedigen, sollte die Friedensliebe der Deutschen, wie das Außenministerium sagte, durch ihre Bekehrung zur Demokratie gefördert und sollte die Fähigkeit Deutschlands zur Aggression sowohl durch die Demontage der Kriegsindustrie wie durch einen Umbau der politischen Struktur im föderalistischen Sinne geschwächt werden. Angesichts eines Präsidenten, der sich vor Kriegsende in keiner politischen Frage gerne festlegte, unter dem Einfluß »harter« Berater stand, mit einer weithin deutschfeindlichen öffentlichen Meinung zu rechnen hatte und selbst eher zur Härte neigte, hatte das State Department bislang jedoch nur erreicht, daß die im September 1944 entstandene und vom Geist des Morgenthau-Plans beherrschte Direktive JCS 1067, die den künftigen amerikanischen Militärgouverneur in Deutschland mit Richtlinien für die Besatzungspolitik versehen sollte, im Januar 1945 eine etwas mildere und dehnbare Fassung erhielt[40].

Jetzt aber sahen der Außenminister und seine Berater ihre Stunde gekommen. Am 10. März 1945, noch ehe er Abstimmung mit anderen Ministerien gesucht hatte, legte Stettinius dem Präsidenten das Memorandum »Draft Directive for the Treatment of Germany« vor, das, falls es gebilligt werden sollte und soweit die amerikanische Haltung in Betracht kam, sowohl die Wirtschaftseinheit Deutschlands garantieren wie eine weit von JCS 1067 abweichende Förderung der deutschen Wirtschaft durch die Militärregierung erlauben mußte. Den politischen Kern des Memorandums stellten jedoch die Abschnitte I. 1 und 2 verbunden mit III. 6 dar. Unter I sagte das State Department: »Die inter-alliierte Militärregierung, die in der internationalen Vereinbarung über den Kontrollapparat für Deutschland vorgesehen ist, wird an die Stelle einer Zentralregierung Deutschlands treten und deren Funktionen übernehmen. 2. Die Autorität des Kontrollrats wird in ganz Deutschland ausschlaggebend sein. Die Besatzungszonen werden eher Gebiete für die Durchsetzung der Entscheidungen des Rats sein als Regionen, in denen die Zonenbefehlshaber einen weiten Spielraum autonomer Macht besitzen.« Absatz III. 6 lautete: »Der Kontrollrat wird sich zur Durchführung und Anwendung seiner Politik und seiner Direktiven in größtmöglichem Maße zentralisierter Vermittlungseinrichtungen bedienen, die der Überwachung und Kontrolle durch die Besatzungstruppen unterworfen sind. Wo immer zentrale deutsche Stellen oder Verwaltungseinrichtungen, die für die ordnungsgemäße Erfüllung solcher Aufgaben benötigt werden, ihre Tätigkeit eingestellt haben, sind sie so schnell wie möglich wiederherzustellen oder zu ersetzen.«[41] Mit solchen Sätzen unternahm das State Department offensichtlich einen ingeniösen Versuch, die in Jalta ja noch nicht offiziell widerrufene Teilungsabsicht mit der in London und dann ebenfalls in Jalta vereinbarten Besatzungsstruktur – d. h. mit einer verschärfenden Auslegung der interalliierten Beschlüsse – zu untergraben und ihr schließlich den Boden zu entziehen. War ein zentralisierter Besatzungsapparat und ein unter dem Kontrollrat arbeitendes zentralisiertes deutsches Administrationssystem erst einmal installiert, mußte eine Rückkehr zur Teilungsabsicht praktisch unmöglich werden: eine Spekulation auf die normative Kraft des Faktischen!

Die Verfechter der extremen Gegenposition durchschauten das Manöver freilich sofort. Finanzminister Morgenthau warf am 15. März, als er das Memorandum kennenlernte, seinem Kollegen vom State Department vor, hinter dem vorgeschlagenen Aufbau der Besatzungsverwaltung verberge sich die Tendenz, »die Macht des Deutschen Reiches zu erhalten und wiederherzustellen«[42]. Das war gewiß übertrieben, nicht nur in der Wortwahl, zielte aber in die richtige Richtung.

Die Leichtigkeit, mit der das State Department seine bislang vertretenen Föderalisierungskonzepte zu den Akten gelegt und durch eine Zentralisierungskonzeption ersetzt hatte, ließ und läßt in der Tat nur den Schluß zu, daß das Ministerium die Frage der Föderalisierung oder Zentralisierung allein unter taktischen Gesichtspunkten sah. Ziel war offenbar immer die Rettung der wirtschaftlichen und politischen Einheit Deutschlands, natürlich eines verkleinerten Deutschland, ohne die ein politisch und wirtschaftlich stabilisiertes Europa, wie es im amerikanischen Interesse lag, nicht erreichbar schien. Erforderte das Ziel die Propagierung einer Föderalisierungskonzeption, nämlich als Konzession an die Anhänger einer extremen Schwächung Deutschlands, die auf ihre Zerstückelungspläne allenfalls dann verzichten würden, wenn man ihnen einen leidlichen Ersatz anbot, so verstand sich das State Department zu einer solchen Konzession. Als aber mit Jalta die Chance auftauchte, jeder Teilungsabsicht den Garaus zu machen, und zwar durch die Konstruktion eines ausgesprochen zentralistischen Besatzungsapparats, wurde die Chance eilends genutzt. Gerade die Unbedenklichkeit, die einen derartigen Austausch höchst verschiedenartiger taktischer Mittel kennzeichnet, spricht für die überragende Bedeutung des strategischen Ziels und damit für die Ernsthaftigkeit der auf die Erreichung des Ziels gerichteten Politik.

Allerdings war dem Manöver des State Department kein durchschlagender Erfolg beschieden. Es endete aber auch nicht mit einem Mißerfolg. Präsident Roosevelt fand nach Jalta – und nach oberflächlicher Lektüre – bezeichnenderweise nichts Irritierendes an Stettinius' Memorandum und schickte es am 12. März mit dem Vermerk »O. K. FDR« an das Außenministerium zurück[43]. Als Henry Morgenthau, der nicht in Jalta gewesen war, in der erwähnten Besprechung am 15. März verblüfft und ungläubig fragte, ob auf der Krim tatsächlich beschlossen worden sei, »Deutschland als eine Nation zu behandeln«, konnte Stettinius, gestützt auf das Konferenzresultat und auf Roosevelts Billigung seines Memorandums, mit Recht antworten, für die unmittelbar bevorstehende Periode der militärischen Besetzung sei in der Tat eine solche Entscheidung getroffen worden. Aber Morgenthau war nicht gewillt, sich damit abzufinden. In den folgenden Tagen brachte er es zunächst fertig, Präsident Roosevelt zu einer glatten Verleugnung seines »O. K.« zu bewegen. Dann zwang er – im Bunde mit dem Kriegsministerium, das in dem Vorschlag des State Department eine Bedrohung der administrativen Autonomie des amerikanischen Militärgouverneurs in Deutschland erblickte – das Außenministerium zum Rückzug. Jedoch artete der Rückzug nicht in Flucht aus, und er endete weit vor der Position Morgenthaus. Am 22. März unterzeichneten Roosevelt und die Vertreter von Außen-, Finanz- und Kriegsministerium ein »Memorandum Regarding American Policy for the Treatment of Germany«, in dem es hieß, bei fehlender Übereinstimmung im Kontrollrat dürften die Zonenbefehlshaber in ihren Zonen notwendige Maßnahmen selbständig treffen, das aber die oberste politische Gewalt in Deutschland eindeutig dem Kontrollrat zuerkannte; außerdem wurde festgelegt, daß die politische Struktur Deutschlands dezentralisiert werden solle[44]. Das State Department hatte also unter Berufung auf Jalta und mit der Beschwörung der Vision eines zentralistischen Deutschland zwei Dinge erreicht: Zum ersten Mal in der inneramerikanischen Diskussion hatten der Präsident und die unmittelbar beteiligten Minister die Erhaltung der wirtschaftlichen und politischen Einheit Deutschlands als Prinzip der amerikanischen Deutschlandpolitik sanktioniert. Zweitens war jetzt, ebenfalls zum ersten Mal, der Föderalisierungskonzeption genau in dem Sinn allgemein zugestimmt worden, den das State Department bei ihrer Einführung im Auge gehabt hatte, nämlich als der Kompromißformel zwischen den Befürwortern der Zerschlagung Deutschlands und den Verteidigern des politischen Überlebens des deutschen Staates. Wie es damals aussah, hatte das State Department einen bedeutenden strategischen Erfolg mit einer taktischen Niederlage relativ billig erkauft. Damit – und folglich noch unter Roosevelt – hatte auch der Abschied Morgenthaus aus der amerikanischen Deutschlandpolitik begonnen; der dem Finanzminister wenig gewogene Nachfolger Roosevelts, Harry S. Truman, setzte dann nur noch den Schlußpunkt, wenn er die Rücktrittsdrohung, mit der Morgenthau wenige Monate später seine Teilnahme an der nächsten großen interalliierten Konferenz und erneut Einfluß auf Entscheidungen über Deutschland erzwingen wollte, als willkommenes Angebot verstand, das er unverzüglich akzeptierte.

Parallel zu den Debatten in Washington hatten aber auch die Stäbe des entstehenden Office of Military Government for Germany, United States (OMGUS), die vor der Übernahme der Geschäfte in Deutschland unter der Bezeichnung US Group, Control Council (USGCC) zusammengefaßt wurden, über die anzustrebende politische Struktur Deutschlands nachzudenken und für die praktische Arbeit der künftigen Militärregierung brauchbare Empfehlungen auszuarbeiten. So legte die Political Division von USGCC am 1. März 1945 eine entsprechende Denkschrift vor, die wiederum den Beratungen eines Komitees als Grundlage diente, das unter dem Vorsitz von Colonel Onthank (Internal Affairs and Communication Division der USGCC) tagte und seinen Abschlußbericht am 23. März präsentierte[45]. Beide Dokumente markieren die in Jalta eingeleitete Niederlage der von Henry Morgenthau verkörperten Deutschlandpolitik – und damit den Sieg eines ganz anderen Kurses, den die amerikanische Militärregierung dann, falls keine scharfe Gegenorder kam, zumindest während der ersten Phase ihrer Herrschaft in Deutschland wohl auch steuern mußte – bezeichnenderweise nicht weniger deutlich als die interministeriellen Vereinbarungen von Washington. Das ist um so bemerkenswerter, als die Dokumente zeigen, daß sich die Militärregierung schon vor der Aufnahme ihrer Tätigkeit in Deutschland keineswegs als apolitisches Exekutivorgan des Weißen Hauses oder der Washingtoner Ministerien verstand. Bereits vor Kriegsende politisch denkend und zum politischen Handeln bereit, haben die künftigen Besatzungsoffiziere aus Washington kommende Weisungen nicht als absolut verbindlich betrachtet. Solche Weisungen durften gewiß nicht ignoriert, konnten aber im Sinne der eigenen Vorstellungen so interpretiert und gedehnt und gestreckt werden, daß sie schließlich halbwegs paßten.

Die Political Division von USGCC und Colonel Onthanks Komitee hatten als nicht bejahte Instruktion die Direktive JCS 1067 auf ihren Schreibtischen liegen. Benützte das State Department die Resultate von Jalta und die Beschlüsse der European Advisory Commission, um allen Zerstückelungsplänen den Gnadenstoß zu versetzen, so benützten gleichzeitig die künftigen Besatzungsoffiziere die leichte Revision der Direktive JCS 1067 im Januar und die zweifellos einlaufenden – nach Art und Quantität allerdings unbekannten – Informationen über die Kontroverse in Washington, um deutschlandpolitische Maximen zu entwickeln, die in den Kernfragen genau den Auffassungen des State Department entsprachen. Das ist bei der Political Division nicht so erstaunlich, da sie wohl den Einfluß des State Department kräftiger zu spüren bekam. Aber die in Onthanks Komitee sitzenden Vertreter der übrigen Divisions haben die Ansichten der Political Division ohne Abstriche übernommen, und in einem Schreiben, mit dem die Dienststelle des Adjutant General die Übersendung der Denkschrift jener Division und des Berichts vom 23. März an die Abteilungen der USGCC begleitete, hieß es ausdrücklich, der Komitee-Bericht sei von USGCC gebilligt. Zu einer Zeit, da die Instanz, die für die Militärregierung politisch zuständig war, nämlich das Kriegsministerium, sich vorübergehend mit Morgenthau gegen das State Department liiert hatte, vertrat also die Militärregierung die Linie des Außenministeriums. Das darf wohl als Bestätigung für die Annahme aufgefaßt werden, daß das Kriegsministerium seine Allianz mit Morgenthau nur aus kurzfristig wirksamen und von engeren Ressortgesichtspunkten bestimmten Motiven geschlossen hat, im Grunde jedoch stets der Deutschlandpolitik des State Department näher stand.

Jedenfalls lehnte die Militärregierung die Pläne zur Zerstückelung Deutschlands ab und trat statt dessen für eine Dezentralisierungskonzeption ein, und zwar offensichtlich deshalb, weil sie, wie das State Department, eine solche Konzeption als den einzig möglichen Kompromiß mit den Advokaten der Zerstückelung ansah. Anders als in Washington machte man sich aber in der USGCC auch schon Gedanken darüber, was eigentlich unter Dezentralisierung zu verstehen sei. In der gegebenen Antwort, unter Dezentralisierung müsse eine auf die vorhandenen deutschen Länder – in Preußen auf die Provinzen – gestützte Föderalisierung verstanden werden, fand offensichtlich das Bestreben Ausdruck, jede

Interpretation des Begriffs Dezentralisierung zu vermeiden, die der Erhaltung der wirtschaftlichen und politischen Einheit abträglich werden konnte. Es ist bezeichnend, daß die Militärregierung einen auf Institutionen der einzelnen Besatzungszonen gegründeten Föderalismus und damit zonale Sonderentwicklungen ebenso verwarf wie einen Föderalismus, der Deutschland in kleinere politische Einheiten als Länder bzw. Provinzen auflösen würde. Noch bezeichnender ist, daß sich die Militärregierung auf den Standpunkt stellte, die Dezentralisierung dürfe nur behutsam und ohne Gefährdung der Existenz zentraler Institutionen, ob alliiert oder deutsch, betrieben werden. Grundtendenzen der Militärregierung, wie sie in der Denkschrift vom 1. März und in dem Komitee-Bericht vom 23. März festgehalten sind, waren also die Sorge um das Fortbestehen eines funktionsfähigen politischen Zentralapparats für ganz Deutschland und die Abneigung gegen eine allzu radikale Föderalisierung. Daß Deutschland auch in Zukunft ein Außenministerium und sonstige Ministerien brauche, wird als bare Selbstverständlichkeit behandelt, und es spricht sowohl für die Sorgfalt wie für das Geschichtsbewußtsein der Besatzungsoffiziere, daß ihnen als Beispiel für notwendige zentrale Einrichtungen auch ein deutsches Nationalarchiv einfiel.

III. Die Konferenz von Potsdam und das Ende der deutschen Einheit

1. Sowjetische Wendung gegen die Jalta-Vereinbarung über Ost- und Südosteuropa

Der Optimismus, den die Regierungschefs der Westmächte nach ihrer Rückkehr aus Jalta zunächst an den Tag gelegt hatten, war allerdings zu einem raschen Tod verurteilt. Nun hatte dieser Optimismus gewiß stets einen recht kränklichen Eindruck gemacht. Als Winston Churchill am 27. Februar 1945 die Ergebnisse der Krimkonferenz im britischen Unterhaus verteidigte, beschwor er mit eindrucksvoller Eloquenz die Unabhängigkeit und Prosperität, die Polen auf Grund der Vereinbarungen von Jalta künftig vergönnt seien, doch ruinierte er die Wirkung seiner schönen Vision weitgehend, als er am Ende seiner Rede den Abgeordneten mitteilte, Großbritannien werde die britische Staatsbürgerschaft all jenen polnischen Soldaten im Westen anbieten, »die zuviel Angst haben, nach Hause zurückzukehren«.[1] Das Tempo aber, mit dem Stalin seine Verbündeten aus ihren immerhin zeitweilig gehegten Illusionen riß, war gleichwohl schockierend und entwickelte sich daher sofort selbst zu einem politischen Faktor von erheblicher Bedeutung: Wer in London und Washington bislang an die Möglichkeit eines langfristigen Einvernehmens zwischen West und Ost geglaubt hatte, wurde durch die Plötzlichkeit der erlebten Enttäuschung in um so tiefere Zweifel gestürzt, wer die Sowjetunion schon immer mit Argwohn betrachtet hatte, sah sich in einer Weise bestätigt, die den Argwohn dogmatisieren mußte, und allenthalben setzte sich die Ansicht fest, daß bei politischen Geschäften mit den Herren im Kreml jedenfalls mehr Härte am Platze sei. Den gleichen Effekt hatte die ebenso plumpe wie rüde Art, mit der die sowjetischen Führer nach Jalta zu Werke gingen.

Kernstück der Abmachungen von Jalta war – zumindest in westlichen Augen – der Kompromiß, zu dem sich Stalin in der Polenfrage und hinsichtlich der übrigen ost- und südosteuropäischen Staaten verstanden hatte. Falls Stalin auf der Krim tatsächlich daran gedacht haben sollte, die eingegangenen Verpflichtungen zu honorieren, so ist er doch gleich wieder davon abgekommen. In der Tat war jene totale sowjetische Verfügungsgewalt über Ost- und Südosteuropa, wie sie nach Stalins politischem Denken im Interesse der Sowjetunion lag, nur zu erreichen, wenn er den Kompromiß von Jalta ignorierte. Das tat er denn auch. Seine polnische

Marionettenregierung machte keine Miene, in einer neuen polnischen Regierung aufzugehen oder sich wenigstens aus nichtkommunistischen polnischen Gruppen in London und in Polen selbst zu ergänzen; sie verhielt sich, als habe es die sowjetischen Zusagen von Jalta nie gegeben. In Moskau wiederum kam die in Jalta für das polnische Problem eingesetzte Dreier-Kommission mit ihrer Arbeit keinen Schritt voran, weil der sowjetische Außenminister Molotow seine beiden westlichen Partner, Sir Archibald Clark Kerr und Averell Harriman, mit einer Obstruktionstaktik enervierte, die ebenfalls eine glatte Verleugnung von Jalta darstellte. In einem Bericht an das State Department klagte Harriman am 6. März, er und sein britischer Kollege hätten abermals drei Stunden fruchtloser Diskussionen mit Molotow hinter sich: »Jedes Argument, das Clark Kerr und ich vorbrachten, wurde beiseite gewischt.« Er, Harriman, habe den sowjetischen Außenminister darauf hingewiesen, daß Präsident Roosevelt schockiert sein würde, wenn er erfahren müßte, daß Molotow mit seiner Weigerung, repräsentative demokratische polnische Führer nach Moskau zu holen, jeden Fortschritt der Kommission blockiere und damit die Position verlasse, die Marschall Stalin in Jalta bezogen habe, doch sei er mit der Antwort abgefertigt worden, einziger »Anker« für die Tätigkeit der Kommission sei das Kommuniqué von Jalta: »kein sonstiges Gespräch in Jalta habe eine Bedeutung.«[2] Harrimans Tochter Kathleen dürfte die Stimmung in der Moskauer Botschaft der Vereinigten Staaten recht gut charakterisiert haben, als sie ihrer Schwester, die in den USA war, am 8. März schrieb, die guten militärischen Nachrichten würden »von unseren tapferen Alliierten getrübt, die sich im Augenblick hundsgemein betragen«[3]. Von den Empfindungen abgesehen, die sich nach einer Kette solcher Erfahrungen mit Molotow in den Vertretern der Westmächte festfressen mußten, drängte sich die Erkenntnis auf, daß die Sowjetunion trotz Jalta jede Anstrengung unternahm, um in Polen wie in allen anderen Staaten des jetzt von der Roten Armee besetzten Gebiets nicht einfach sowjetfreundliche, sondern sowjethörige Regierungen zu konsolidieren, und daß die Sowjetunion mit gleicher Energie daran arbeitete, alle Kontakte zwischen den nichtkommunistischen Kräften ihres Machtbereichs und den Westmächten zu unterbrechen; angesichts des sowjetischen Verhaltens drohte die »Deklaration über das befreite Europa«, in der Stalin die Mitverantwortung Großbritanniens und der USA für Ost- und Südosteuropa anerkannt hatte, zu Makulatur zu werden, noch ehe die Signaturen unter den Papieren von Jalta ganz trocken geworden waren.

2. Verschärfung des west-östlichen Interessenkonflikts zur Krise der Kriegskoalition

Am heftigsten reagierten die Briten, denen die Vorgänge auf dem europäischen Kontinent noch näher gingen als den Amerikanern; daß die Sowjetunion Osteuropa und den Balkan ihrem Imperium einverleibte, daß die sowjetische Beteiligung an der Verwaltung Deutschlands unmittelbar bevorstand und daß die amerikanischen Truppen nach dem Sieg über das Dritte Reich Europa womöglich rasch wieder verlassen würden, nährte in London überdies die Furcht, daß auch Westeuropa bald in akute Gefahr geraten werde. Schon während der Konferenz von Jalta, am 9. Februar, hatte das Foreign Office in einer für Außenminister Eden bestimmten Notiz geunkt, es sehe fast so aus, als verfolge die Sowjetunion eine Politik der Schwächung Westeuropas: »Mit sowjetischen Besatzungsstreitkräften westlich der Elbe und eventuell sogar in Rheinland–Westfalen, mit vier slawischen Satellitenstaaten (Polen, Tschechoslowakei, Jugoslawien und Bulgarien) als einer nach Westen und Süden gerichteten Vorhut, mit einem von inneren Wirren geschwächten und von Großbritannien entfremdeten Frankreich, mit einem verringerten britischen und gar keinem amerikanischen Kontingent in Deutschland hätten die Russen in der Tat den Ball auf ihren Füßen.«[4] Hatte das Ergebnis von Jalta solche Befürchtungen einen Augenblick lang zurückgedrängt, so schossen sie angesichts der sowjetischen Ignorierung von Jalta erst recht ins Kraut, und der sowjetischen Politik wurde nun, ob für Ost-, Mittel- oder Westeuropa, erst recht zielbewußter Expansionismus zugeschrieben; was Westeuropa betraf, waren die Befürchtungen sicherlich grundlos, aber wenn die sowjetischen Führer so zynisch mit Jalta umgingen, hätte es sie eigentlich nicht überraschen dürfen, daß sich ihrer Partner auch unbegründete Ängste bemächtigten. Der britische Premier ließ Stalin außerdem nicht im Zweifel, wie die sowjetische Politik in London beurteilt wurde. Acht Wochen nachdem er die Vereinbarungen von Jalta in einer großen Rede im Unterhaus gerechtfertigt hatte, am 28. April 1945, richtete Churchill eine lange Botschaft an Stalin, in der er das völlig unveränderte sowjetische Vorgehen in Polen und in Südosteuropa mit dem Satz kommentierte, die Briten hätten »das Gefühl, daß wir es sind, denen man diktiert hat und die in einer Angelegenheit, von der wir aufrichtig glaubten, sie sei auf der Krim im Geiste freundschaftlicher Verbundenheit geregelt worden, an die Wand gedrückt worden sind«[5]. Auch die Konsequenzen, die das sowjetische Verhalten und die westliche Reaktion haben mußten, stellte Churchill seinem »Freund Stalin« klar vor Augen: »Es ist nicht eben beruhigend, einer Zukunft entgegenzusehen, in der Sie, die von Ihnen beherrschten Länder und die kommunistischen Parteien in vielen anderen

Staaten sich alle auf einer Seite zusammenschließen, und jene, die zu den
englischsprechenden Nationen und zu ihren Partnern und Dominien gehören, auf der anderen Seite. Es ist ganz offensichtlich, daß dieser Streit
die Welt in Stücke reißen würde ... Selbst wenn wir uns nur auf eine lange
Periode der Verdächtigungen, Beschuldigungen und Gegenbeschuldi-
gungen, einer gegeneinander gerichteten Politik einlassen würden, wäre
das eine Katastrophe, von der die große Entwicklung eines weltweiten
Wohlstands für die Massen verhindert würde, die nur durch unsere Einheit zu dritt verwirklicht werden kann.«[6] Auch ein so überzeugter Verfechter einer sowjetfreundlichen Politik der Westmächte wie Harold Nicolson, der im Unterhaus die Resultate von Jalta mit großem Erfolg, wie
ihm Churchill dankbar bescheinigte[7], gegen ihre konservativen Kritiker
vertreten und dabei alle Zweifel an der sowjetischen Vertragstreue als
haltlos hingestellt hatte, notierte wenige Tage vor dem Ende des Krieges
in Europa besorgt: »In Wien, in Triest, vom Balkan ganz zu schweigen,
benimmt es [Rußland] sich, als sei es unser Feind und nicht unser Verbün-
deter.« Noch hatte er, obwohl er die sowjetische Politik bereits als »ar-
roganteste Doppelzüngigkeit« charakterisieren zu dürfen glaubte, die
Hoffnung, daß die »russische Flut«, wie 1814, allmählich wieder zurück-
weichen werde. »Ich bete zu Gott, daß ich damit recht habe; sollte ich
mich täuschen, wäre das Gleichgewicht der Kräfte für immer dahin.«[8]
Die britische Regierung – namentlich der Premierminister – gab sich
größte Mühe, die Freunde in Washington, in erster Linie natürlich Präsident Roosevelt, auf die gleiche Skepsis gegenüber der Moskauer Politik
einzustimmen. Churchill drängte auch, und zwar mehrmals, darauf, die
anglo-amerikanischen Armeen so rasch und so weit wie möglich nach
Osten vordringen zu lassen, vor allem in Deutschland, und sie erst dann
auf die mit der Sowjetunion bereits vereinbarten Demarkationslinien zurückzunehmen, wenn Stalin sich zur Einhaltung der Vereinbarungen von
Jalta verstanden haben würde; am 1. April suchte er Roosevelt davon zu
überzeugen, wie wichtig es sei, daß General Eisenhowers Panzer vor den
sowjetischen Truppen Berlin erreichten[9]. Nachdem Roosevelt am
12. April gestorben war, intensivierten die Briten ihre Anstrengungen,
zumal Churchill nicht ganz zu Unrecht darauf spekulierte, allein schon
mit seinem Prestige den in außenpolitischen Dingen völlig unerfahrenen
Nachfolger Harry S. Truman leichter beeinflussen zu können, als ihm das
bei dem als Persönlichkeit ranggleichen Roosevelt möglich gewesen war.
Am 4. Mai, als sich Außenminister Eden in San Francisco aufhielt, wo die
Vereinten Nationen seit dem 25. April über ihre Charta berieten, malte
Churchill in einem Memorandum, das Eden in Kalifornien für seine Ge-
spräche mit den amerikanischen Kollegen benutzen sollte, ein düsteres
Bild der europäischen Situation: »Ich fürchte, daß sich beim russischen

Marsch quer durch Deutschland bis zur Elbe entsetzliche Dinge abgespielt haben. Der beabsichtigte Rückzug der amerikanischen Armee auf die von uns in Quebec festgelegten und auf den dort benützten Karten gelb eingezeichneten Zonengrenzen bedeutet, daß die Flut der russischen Vorherrschaft auf einer fünfhundert bis sechshundertfünfzig Kilometer breiten Front um zweihundert Kilometer vorgetragen würde. Kommt es wirklich dazu, wäre es eines der betrüblichsten Ereignisse der Weltgeschichte. Ist der Akt einmal vollzogen und das ganze Gebiet von den Russen besetzt, wäre Polen ganz von russisch besetzten Ländern umschlossen und begraben. Wir würden dann praktisch eine russische Grenze bekommen, die vom Nordkap in Skandinavien, längs der schwedisch-finnischen Grenze, über die Ostsee zu einem Punkt knapp östlich von Lübeck, längs der gegenwärtig vereinbarten Zonengrenze und der bayerisch-tschechoslowakischen Grenze nach Österreich, das nominell Vier-Mächte-Gebiet werden würde, und halbwegs durch dieses Land bis zum Isonzo verliefe, werden doch Tito und Rußland alles Gebiet östlich dieses Flusses für sich beanspruchen. Demnach würde die russische Kontrolle die baltische Küste, ganz Deutschland bis zur vorgesehenen Zonengrenze, die gesamte Tschechoslowakei, einen großen Teil Österreichs, ganz Jugoslawien, Ungarn, Rumänien und Bulgarien bis zur Grenze des ungefestigten Griechenland umfassen. Sämtliche großen Hauptstädte Mitteleuropas, Berlin, Wien, Budapest, Belgrad, Bukarest und Sofia, fielen in diese Zone. Die Stellung der Türkei und Konstantinopels werden fraglos sofort zur Debatte kommen. Wir stehen damit vor einem Ereignis in der Geschichte Europas, für das es keine Parallele gibt und das die Westmächte am Ende ihres langen und wechselvollen Ringens unvorbereitet trifft.«[10] Abermals machte Churchill klar, welches Argument seine breite Einleitung einleuchtend erscheinen lassen sollte: »Wir haben einige bedeutende Pfänder in der Hand, die, richtig verwendet, zu einer friedlichen Regelung beitragen können. Erstens, bevor die Westmächte aus ihren gegenwärtigen Stellungen auf die vorgesehenen Zonengrenzen zurückfallen, müssen wir in folgenden Punkten bindende Zusicherungen haben: Polen, den temporären Charakter der russischen Besetzung Deutschlands, die in den russifizierten oder russisch kontrollierten Ländern des Donaubeckens einzuführende Ordnung mit besonderer Berücksichtigung Österreichs, der Tschechoslowakei und des Balkans. Zweitens könnten wir uns im Rahmen einer Generalbereinigung hinsichtlich der Ausgänge aus dem Schwarzen Meer und der Ostsee entgegenkommend zeigen. Eine Lösung für alle diese Dinge ist aber nur zu finden, bevor die amerikanischen Armeen in Europa geschwächt werden. Sollten sie nach dem Abzug der amerikanischen Armee aus Europa und nach dem Abbau der Kriegsmaschinerie der westlichen Welt noch ungelöst sein, dann sind die Aussichten für eine befriedigende

Lösung und die Vermeidung eines dritten Weltkriegs nur sehr gering. Auf eine solche frühzeitige Kraftprobe und Generalbereinigung mit Rußland müssen wir jetzt unsere Hoffnungen setzen.«[11] Am 12. Mai benutzte Churchill in einem Telegramm an Truman erstmals einen Ausdruck, der später berühmt und zur Kennzeichnung der Beziehungen zwischen sowjetischem Imperium und westlicher Welt lange Zeit allgemein üblich werden sollte. Vor der Front der sowjetischen Truppen, so sagte er, sei »ein eiserner Vorhang« niedergegangen. »Was dahinter vorgeht, wissen wir nicht.«[12] Erneut appellierte er an den amerikanischen Präsidenten: »Es ist lebenswichtig, zu einer Verständigung mit Rußland zu kommen, beziehungsweise zu sehen, wo wir mit Rußland stehen, und zwar sofort, ehe wir unsere Armeen bis zur Ohnmacht schwächen und uns auf unsere Besatzungszonen zurückziehen.«[13]

In Washington fand Churchills Politik der Faustpfänder kaum Anhänger; sie wurde mit Fug und Recht als wenig weise angesehen. Da keineswegs mit sowjetischer Nachgiebigkeit gerechnet werden durfte, hätte die Politik der Faustpfänder an der großen Lage praktisch nichts geändert, dafür aber die Schuld an dem dann offenen Konflikt zwischen West und Ost den Regierungen der Westmächte aufgebürdet, gerade in den Augen der gänzlich unvorbereiteten eigenen Bevölkerung, und außerdem Stalin einen prächtigen Grund geliefert, seinerseits fast ganz Österreich zu behalten. Mit seinem Urteil hingegen, die Sowjetunion sei offensichtlich im Begriff, die Vereinbarungen von Jalta zu brechen, rannte der britische Premier offene Türen ein. Auch bei Präsident Roosevelt. Gewiß behielt Roosevelt auch jetzt stets im Auge, daß die von ihm erhoffte globale Nachkriegsordnung ein gutes oder doch leidlich gutes amerikanisch-sowjetisches Verhältnis voraussetzte. Er war deshalb nach wie vor bereit, unnötige Spannungen vermeiden zu helfen und geringere Störfälle zu ignorieren. Als im Frühjahr 1945 anglo-amerikanische Repräsentanten mit deutschen Vertretern über eine separate Kapitulation der deutschen Italienarmee verhandelten, ohne die Sowjetunion zur Teilnahme an den Gesprächen einzuladen, bedachte Stalin den amerikanischen Präsidenten sogleich mit Telegrammen, in denen er die Existenz eines gegen die Sowjetunion gerichteten Komplotts zwischen den Westmächten und Deutschland praktisch als Tatsache behandelte. Daß zur gleichen Zeit die deutschen Truppen noch zähen Widerstand gegen die Rote Armee leisteten und etwa »mit den Russen verzweifelt um Zemlenice kämpfen, eine unbekannte Bahnstation in der Tschechoslowakei, die ihnen soviel nützt wie einem Toten heiße Umschläge, während sie im Herzen Deutschlands ohne jeden Widerstand so wichtige Städte wie Osnabrück, Mannheim und Kassel räumen«, konnte sich Stalin, wie er behauptete, ebenfalls nur als Folge eines solchen Komplotts erklären; in beiden Fällen fügte Stalin zum politischen Vorwurf ungeniert noch eine persönliche Kränkung, indem er sehr deutlich zu verstehen gab, daß in russischen Augen Roosevelt entweder als Mitverschwörer oder als ein von den eigenen Leuten hinters Licht geführter Trottel gelten müsse[14]. Derartige Anschuldigungen waren wohl kaum Äußerungen eines grundsätzlichen und in der Endphase des Krieges wieder rasch zu weckenden Mißtrauens der sowjetischen Führer; mit der Bestürzung und der offensichtlich aufrichtigen Trauer, die Stalin, Molotow und andere sowjetische Würdenträger zeigten, als sie die Nachricht vom Tode Roosevelts erhielten, haben sie wenig später die gerade erst an den Tag gelegte Erregung selbst Lügen gestraft. Wahrscheinlich hatten sie einfach die Gelegenheit nutzen wollen, die ständigen westlichen Anklagen in der Polenfrage endlich heimzuzahlen und zugleich vom polnischen Problem etwas abzulenken. Präsident Roosevelt reagierte sowohl auf den politischen Vorwurf wie auf die persönliche Kränkung mit einem Zorn, der in seiner Antwort an Stalin durchaus zu spüren ist[15]. Gleichwohl hat er es vermieden, aus dem Zwischenfall eine Staatsaffäre zu machen, und in der letzten politischen Botschaft seines Lebens, die an den britischen Premier gerichtet war, legte er Churchill dar, daß sich die Westmächte auch weiterhin, trotz aller Schwierigkeiten, um gute Beziehungen zur Sowjetunion bemühen müßten[16].

Ob er zu diesem Zeitpunkt selbst noch an die Zukunft der west-östlichen Zusammenarbeit glaubte, ist allerdings zweifelhaft. Nirgends waren Anzeichen für eine Rückkehr Stalins zu den Vereinbarungen von Jalta zu entdecken, und ohne Rückkehr zu Jalta war der Zerfall der west-östlichen Koalition und damit der Zerfall der amerikanisch-sowjetischen Allianz unvermeidlich. Wäre Roosevelt länger am Leben geblieben, hätten sich die amerikanisch-sowjetischen Beziehungen vielleicht noch schneller verschlechtert als unter seinem Nachfolger. War erst einmal klargeworden, daß Stalin gar nicht daran dachte, sich zum Kompromiß von Jalta, den er ohne Provokation verlassen hatte, zurücksteuern oder zurücklocken zu lassen, mochte Roosevelt, der in Jalta schließlich selbst einer der beiden westlichen Partner Stalins und einer der Architekten des Kompromisses gewesen war, den Eindruck gewinnen, eine persönliche Niederlage erlitten zu haben oder sogar von Stalin getäuscht worden zu sein; es ist ohne weiteres vorstellbar, daß ihn solche Gefühle dazu gebracht hätten, die mit seinem Namen verbundene amerikanische Rußlandpolitik rascher aufzugeben, als das dann unter Harry S. Truman geschah, der nicht zur amerikanischen Jalta-Delegation gehörte und bis zum 12. April 1945 überhaupt nichts mit amerikanischer Außenpolitik zu tun gehabt hatte. Daß Roosevelt jedenfalls, so bereitwillig er über kleinere Trübungen des amerikanisch-sowjetischen Verhältnisses hinwegsah, weder willens noch in der Lage war, auch Stalins Bruch der Verständigung von Jalta zu tole-

rieren – kein amerikanischer Präsident konnte dazu in der Lage sein –,
zeichnete sich im Frühjahr 1945 bereits deutlich ab. Am 29. März, zwei
Wochen vor seinem Tod, veranlaßte ihn die sowjetische Polenpolitik zu
einem Telegramm an Stalin, das in einer für den urbanen Präsidenten
bemerkenswert harten Sprache abgefaßt war. Der entscheidende Satz in
dieser »ernsten und gewichtigen« Botschaft – so der lebhaft zustimmende
Churchill – lautete: »Ich muß Ihnen in aller Deutlichkeit sagen, daß jede
Lösung, die nichts als eine kaum verhüllte Fortsetzung des gegenwärtigen
Warschauer Regimes ergäbe, unannehmbar wäre und das amerikanische
Volk veranlassen würde, die Jalta-Vereinbarung als einen Fehlschlag zu
betrachten.«[17]

Der Strom westlicher Proteste bewog Stalin kaum zu Gesten der Verständigungsbereitschaft und schon gar nicht zu einer realen Modifizierung
seiner Politik. Roosevelts Telegramm beantwortete Stalin, ohne seine Polenpolitik im geringsten zu ändern, am 7. April ausweichend, wobei er,
der Polen gerade eine Regierung aufgezwungen hatte, mit dreister Stirn
erklärte, sein als provisorische Regierung amtierendes Lubliner Komitee
genieße bei der polnischen Bevölkerung »gewaltiges Ansehen« und jede
Umbildung dieser Regierung, die auf ein größeres Revirement oder gar
auf Absetzung hinauslaufe, sei eine »Beleidigung des polnischen Volkes«
und ein Versuch, »Polen ohne Rücksicht auf die öffentliche Meinung eine
Regierung aufzuzwingen«[18]. Letzteres Argument wirkte um so heraus-
fordernder, als Molotows Stellvertreter, Andrej Wyschinski, kurz zuvor,
am 28. Februar, in der rumänischen Hauptstadt Bukarest erschienen war
und von König Michael ultimativ die Ablösung der Regierung Radescu
durch ein der Sowjetunion – nicht etwa der rumänischen Bevölkerung –
noch genehmeres Kabinett unter Petru Groza gefordert und natürlich
auch erreicht hatte; im September 1945 hat dann Molotow in einer inoffiziellen Unterhaltung mit dem amerikanischen Außenminister die Buka-
rester Intervention Wyschinskis ohne erkennbare demokratische Skrupel
zugegeben[19]. Um den Westmächten seine Bewertung der Jalta-Vereinbarung endgültig klarzumachen, schloß Stalin schließlich mit der amtierenden polnischen Regierung, statt gemäß Jalta ihre Umbildung zuzulassen,
am 21. April demonstrativ einen Beistandspakt.

Zum Abschluß des sowjetisch-polnischen Pakts hielt Stalin eine Rede, in
der er als Motiv einmal mehr das sowjetische Sicherheitsbedürfnis – im
Hinblick auf Deutschland – beschwor und den gerade unterzeichneten
Vertrag unter anderem deshalb als historisches Ereignis feierte, weil er
der Gewohnheit der »alten Beherrscher Polens« ein Ende setze, »eine
Politik des Ränkespiels zwischen Deutschland und der Sowjetunion zu
betreiben«, und weil Deutschland nun keine Möglichkeit mehr habe,
»Polen gegen die Sowjetunion auszuspielen und umgekehrt«[20]. Manche

Historiker behandeln das stalinistische Argument, Ursache und Rechtfertigung der Moskauer Verfügungsgewalt sowohl über Polen wie über
die anderen ost- und südosteuropäischen Staaten lägen im Sicherheitsbedürfnis der Sowjetunion, noch heute mit großem Ernst und wollen ihm
eine gewisse Berechtigung nicht absprechen[21]. Aber Stalin hat in seiner
Rede einige ihm wohlvertraute Tatsachen unberücksichtigt gelassen.
Wenn man den polnisch-sowjetischen Krieg von 1920 ausklammert, was
man tun darf, weil es sich um einen exzeptionellen Fall handelt, der ein
extrem entkräftetes Rußland voraussetzte, so hat es in der ganzen Zwischenkriegsperiode und erst recht nach der Stabilisierung des Sowjetsystems nicht einmal eine Situation gegeben, in der Staaten Ost- und Südosteuropas, einzeln oder in irgendwelchen Kombinationen, die Sicherheit der Sowjetunion bedroht hätten, obwohl die autoritären Regime in
jenen Staaten zweifellos antikommunistisch und keineswegs sowjetfreundlich waren. Der Begriff »Cordon sanitaire« umschrieb lediglich,
daß sie der ideologischen und territorialen Expansion der Sowjetunion im
Wege lagen; angesichts der Kräfteverhältnisse konnte damit gar nicht
mehr gemeint sein. Das gilt auch und gerade für Polen. Daß das nationalsozialistische Deutschland im Sommer 1939 Polen angriff, hatte ja seinen
Grund in erster Linie in der Weigerung der »alten Beherrscher Polens«,
Partner einer antisowjetischen Koalition zu werden und gemeinsam mit
Deutschland gegen die Sowjetunion vorzugehen. Daß aber Hitler Polen
überhaupt angreifen konnte, lag nicht zuletzt daran, daß sich Stalin im
Sommer 1939 darauf einließ, zusammen mit Hitler eine »Politik des Ränkespiels« gegen Polen zu betreiben. Nachdem Stalin Polen mit Hitler
geteilt, anschließend Finnland überfallen, die baltischen Staaten annek-
tiert, die Abtretung rumänischen Territoriums erpreßt und noch weiter-
gehende Ansprüche in Südosteuropa angemeldet hatte, war freilich eine
Lage entstanden, in der es Hitler nicht mehr sonderlich schwerfiel, für
seinen Eroberungskrieg gegen Rußland die Bundesgenossenschaft Finnlands, Ungarns und Rumäniens erfolgreich zu fordern; Bulgarien blieb
allerdings selbst dann noch neutral. In Wahrheit hat sich Stalin in der
Zwischenkriegsperiode wohl kaum größere Sorgen um die äußere Sicherheit der Sowjetunion gemacht; andernfalls wäre es nur schwer zu erklären, daß er sich nicht scheute, den sowjetischen Staat durch eine verord-
nete wirtschafts- und gesellschaftspolitische Revolutionierung gewaltigen
Ausmaßes und schließlich durch eine mehrjährige gigantische Säuberungsaktion bis zur außenpolitischen Handlungsunfähigkeit zu schwächen und in einen Zustand höchster Verwundbarkeit zu versetzen; das
stalinistische System ist ja sicherlich, ob es um seine Schaffung, seine Erhaltung oder seinen sozusagen normalen Betrieb geht, auch als perma-
nenter Bürgerkrieg von oben zu charakterisieren. Einem realen Sicher-

heitsproblem sah sich die Sowjetunion erst konfrontiert, als das nationalsozialistische Deutschland so kräftig geworden war und seine strategische
Position so verbessert hatte, daß Hitler die Realisierung seiner Politik der
Eroberung von »Lebensraum im Osten« ernsthaft in Angriff nehmen
konnte. Wie der Verlauf des Zweiten Weltkriegs lehrte, war aber einer
von Deutschland ausgehenden Bedrohung keinesfalls mit dem von Stalin
zwischen 1939 und 1941 angewandten Rezept zu begegnen, nämlich
durch die im Bunde mit Deutschland erreichte sowjetische Expansion auf
Kosten des Cordon sanitaire, sondern nur durch das Bündnis der Sowjetunion mit den Westmächten; daß Stalin dem deutschen Problem
zunächst, zwischen 1934 und Herbst 1938, mit einem solchen Bündnis
beizukommen gesucht hatte und sich erst nach dem Scheitern seiner Bemühungen – für das vor allem die konservative Regierung Großbritanniens und das Bedürfnis der ost- und südosteuropäischen Staaten nach
Sicherheit vor der Sowjetunion verantwortlich zeichneten – dazu entschloß, mit den nationalsozialistischen Wölfen zu jagen, beweist, wie klar
ihm dieser Sachverhalt war. Das Kriegsende änderte an den grundlegenden Bedingungen der sowjetischen Situation vorläufig gar nichts. Wie der
deutsche Angriff nur gemeinsam mit den Westmächten hatte abgewehrt
werden können, so war auch der Wiederholung eines deutschen Angriffs –
das Fortleben eines deutschen Expansionsdranges einmal unterstellt –
nur gemeinsam mit den Westmächten dauerhaft vorzubeugen. Jedenfalls
gewann die Sowjetunion nicht an Sicherheit, wenn Stalin, wie es nun geschah, den sowjetischen Machtbereich um eine unterworfene Randzone
mit freiheitshungrigen und deshalb kaum je zuverlässigen Staaten erweiterte und dabei zwangsläufig seine Beziehungen zu den Westmächten ruinierte.

Stalin dürfte sich der Hohlheit der Argumente durchaus bewußt gewesen
sein, mit denen er jetzt eine Machtpolitik bemäntelte, deren Verfolgung
in Wirklichkeit ein Gefühl weitestgehender Sicherheit zugrunde lag. Er
hat denn auch bald auf Argumente praktisch verzichtet. Dem auf eine
Änderung der sowjetischen Polenpolitik drängenden britischen Premier
bedeutete er am 4. Mai 1945 kühl: »Aus Ihrer Botschaft geht hervor, daß
Sie nicht willens sind, die Provisorische Polnische Regierung als Basis
einer künftigen Regierung der Nationalen Einheit anzusehen oder ihr in
dieser Regierung den Platz einzuräumen, der ihr zukommt. Ich muß offen
sagen, daß eine solche Haltung die Möglichkeit eines gemeinsamen Beschlusses über die polnische Frage ausschließt.«[22] Zuvor schon hatte er
die lästigen Mahnungen Roosevelts am Ende mit der simplen Mitteilung
quittiert, sein Außenminister Molotow sei nun doch verhindert, an der
Gründungskonferenz der Vereinten Nationen in San Francisco teilzunehmen[23]. Zwar hat ihn dann gerade der Tod Roosevelts bewogen, diese

Brüskierung sowohl der Vereinigten Staaten wie der Vereinten Nationen wieder zurückzunehmen; Averell Harriman, der amerikanische Botschafter in Moskau, fand den Marschall bewegt, als er ihm die offizielle Nachricht vom Tod des Präsidenten überbrachte, und nutzte die Stimmung Stalins geschickt aus, um ihm eine entsprechende Zusage zu entlokken[24]. Aber Stalin verzichtete damit lediglich auf eine Geste, die einen Affront der Westmächte vor der Weltöffentlichkeit bedeutet hätte; seine Politik modifizierte er natürlich nicht. Im Gegenteil. Nachdem Molotow tatsächlich in San Francisco erschienen war, gab er sich sogleich größte Mühe, im Koordinierungsausschuß der Konferenz, der zunächst Weißrußland und die Ukraine als Gründungsmitglieder der UN akzeptierte, auch noch die Anerkennung der polnischen Marionettenregierung durchzusetzen und so den Widerstand der Briten und Amerikaner zu unterlaufen. Das Manöver scheiterte, nicht zuletzt am Widerspruch westeuropäischer Politiker wie des belgischen Außenministers Paul Henri Spaak, doch demonstrierte es erneut die intransigente Politik der Sowjetunion in Osteuropa, zumal Jan Masaryk, Außenminister der Tschechoslowakei, gegenüber westlichen Gesprächspartnern kein Hehl daraus machte, daß Molotow die tschechoslowakische Delegation mit einer ultimativen Drohung zur Unterstützung der sowjetischen Forderung gezwungen hatte[25]. Ebenfalls in San Francisco kam es zu einer bezeichnenden Szene. Die Außenminister Großbritanniens und der USA, Eden und Stettinius, hatten Molotow gebeten, sich nach dem Verbleib von sechzehn polnischen Widerstandsführern zu erkundigen, die, zu Diskussionen über die künftige polnische Regierung nach Moskau eingeladen, wohl aus Polen verschwunden, aber nie in der sowjetischen Hauptstadt aufgetaucht waren. An einem Abend gab Molotow im sowjetischen Konsulat ein Dinner. Als er seinem Gast Stettinius zur Begrüßung die Hand drückte, sagte er: »Übrigens, Mr. Stettinius, was diese sechzehn Polen angeht; sie sind alle von der Roten Armee verhaftet worden.« Danach ließ er den amerikanischen Außenminister stehen, um Anthony Eden willkommen zu heißen und mit der gleichen Nachricht zu erfreuen. Man wird Charles Bohlen, der Stettinius begleitete, glauben dürfen, wenn er berichtet, daß das Lächeln seines stets zum Lächeln bereiten Chefs nach solcher Botschaft und solcher Behandlung etwas gefroren wirkte[26]. In London notierte Harold Nicolson, nachdem er am 5. Mai von dem Vorfall erfahren hatte: »Das bedeutet, daß Rußland die Vereinbarungen von Jalta in flagranter Weise verletzt hat und daß es nicht länger möglich ist, auch nur die Fiktion russischen Treu und Glaubens aufrechtzuerhalten. Die Aussichten sind düster.«[27]

3. Die amerikanische Politik im Widerstreit zwischen »Roll back«-Strategie und Verständigungsbereitschaft

Allerdings fragte man sich in Washington und London vergeblich, was angesichts der sowjetischen Intransigenz eigentlich zu tun sei, sofern ein offener Konflikt mit der Sowjetunion vermieden werden sollte – und zunächst wollte und konnte in der Tat kaum jemand, von Churchill vielleicht abgesehen, eine Alternative zur Politik der Verständigung mit Moskau ernstlich ins Auge fassen, schon gar nicht Roosevelts Nachfolger Harry S. Truman, der wie sein Vorgänger in der Tradition Wilsons stand und sich auch an die von Roosevelt verkörperte amerikanisch-sowjetische Zusammenarbeit gebunden fühlte. Als Konsequenz verfolgte Truman, wie das Roosevelt wohl ebenfalls hätte tun müssen, eine höchst inkonsequente Politik, die ständig zwischen hart formulierten Beschwerden bzw. Pressionsversuchen und versöhnlichen Gesten bzw. Konzessionen hin und her schwankte; die britische Regierung, zu selbständigem Handeln nicht mehr fähig, schloß sich dem amerikanischen Kurs notgedrungen an. Das Ergebnis war ebenso unvermeidlich wie die Politik selbst: die Beziehungen zwischen den Westmächten und der Sowjetunion verschlechterten sich mehr und mehr, ohne daß der Prozeß der Einverleibung Ost- und Südosteuropas in das sowjetische Imperium stärker behindert worden wäre.

So hat Präsident Truman, als er am 23. April Molotow empfing, der auf dem Weg nach San Francisco in Washington Station machte, die Gelegenheit benutzt, um dem sowjetischen Außenminister eine formidable Gardinenpredigt zu halten. Molotow stellte zunächst die Frage, ob Truman als Nachfolger Roosevelts gewillt sei, den in Jalta vereinbarten Preis für den Kriegseintritt der Sowjetunion gegen Japan zu zahlen. Nachdem Truman versichert hatte, daß die amerikanische Regierung alle Vereinbarungen von Jalta selbstverständlich einhalten werde, setzte er aber sofort hinzu, andererseits seien es die Vereinigten Staaten leid, darauf zu warten, daß endlich die Sowjetunion jene Verpflichtungen erfülle, die sie in Jalta ohne Zwang übernommen habe und deren Erfüllung den Völkern Osteuropas eine Chance geben würde, demokratische Regime zu errichten. Als Molotow mit einer Erklärung über antisowjetische Umtriebe in Polen zu kontern suchte, fuhr ihm Truman mit der Bemerkung über den Mund, er sei nicht an Propaganda interessiert, er wünsche von Molotow lediglich, Marschall Stalin zu informieren, wie besorgt und betroffen er, Truman, darüber sei, daß die Sowjetunion sich nicht an die Abmachungen von Jalta halte. Der blaß gewordene Molotow, dem der Satz entfuhr, so habe noch nie jemand mit ihm gesprochen, wollte das Gespräch begreiflicherweise zu den fernöstlichen Problemen zurücklenken. Darauf

Truman: »Das ist alles, Mr. Molotow. Ich wäre Ihnen dankbar, wenn Sie meine Auffassung Marschall Stalin übermitteln würden.«[28] Am Tage vor dieser Unterredung hatte Molotow, in Diskussionen mit Stettinius und dem gleichfalls bereits in Washington weilenden Eden, die intransigente sowjetische Polenpolitik einmal mehr in seiner gewohnt intransigenten Art vertreten, und nach einem Bericht von Stettinius über seine Erfahrung, erstattet vor einer Runde der außenpolitischen Berater des Präsidenten, die – in gleicher Besetzung wie zur Zeit Roosevelts – auf Trumans Wunsch wenige Stunden vor seinem Treffen mit Molotow zusammengekommen war, hatte sich der Präsident entschlossen, den sowjetischen Gast so hart anzufassen. Truman konnte sich dabei auf das Votum einer klaren Mehrheit der Konsultierten stützen; lediglich die Repräsentanten des Militärs, Kriegsminister Henry L. Stimson und General George C. Marshall, Generalstabschef der Armee, die noch immer der sowjetischen Unterstützung gegen Japan Priorität einräumen zu müssen glaubten, hatten sich für eine konziliantere Haltung ausgesprochen[29]. Wäre Roosevelt noch am Leben gewesen, hätte er die amerikanischen Gravamina vermutlich weniger grob formuliert und einen verbindlicheren Ton angeschlagen als der bisherige Vizepräsident, der aus dem Mittleren Westen kam und auch in seiner Sprache nie die Wirkung des rauhen politischen Klimas von Missouri verleugnete. In der Sache aber hätte sich höchstwahrscheinlich auch Roosevelt nicht anders geäußert.

Freilich ist fraglich, ob Roosevelt die Lieferungen an die Sowjetunion, die unter dem Lend-Lease-Act vom 11. März 1941 erfolgten, so abrupt abgebrochen hätte, wie das nun die Truman-Administration tat, kaum hatte Deutschland kapituliert[30]. Die Sowjetunion war – nach Überwindung erheblicher inneramerikanischer Widerstände – am 7. November 1941 in den Kreis der Empfänger von Leih- und Pacht-Lieferungen aufgenommen worden, jener Länder also, deren Verteidigung der Präsident als notwendig für die Sicherheit der USA ansah, und hatte seither über Murmansk – Archangelsk bzw. über den Iran und Wladiwostok kriegswichtige Güter im Werte von 10 Milliarden Dollar erhalten. Wohl war der jähe Abbruch, der vorübergehend auch Großbritannien und Frankreich Schwierigkeiten brachte, mit dem Buchstaben des Leih- und Pacht-Gesetzes und im Falle der Sowjetunion auch mit seinem Geist zu vereinbaren; schließlich sollte das Gesetz, wie Roosevelt am 29. Dezember 1940 gesagt hatte, die USA befähigen, zum »Arsenal der Demokratien« zu werden, und selbst bei Ausklammerung der Frage, ob die Sowjetunion als Demokratie gelten dürfe, war doch evident, daß in allen von der Roten Armee besetzten Ländern sowjetische Politik gerade angestrengt daran arbeitete, demokratische Verhältnisse – im westlichen Verständnis des Begriffs – einzuschränken und sogar zu liquidieren. Hätte die amerikani-

sche Regierung die Lieferungen in vollem Umfang fortgesetzt, wäre ihr
außerdem harte Kritik isolationistischer und – oft damit identisch – konservativer Kongreßmitglieder nicht erspart geblieben. Aber in all den
Jahren, in denen die Rote Armee zur Niederwerfung Deutschlands gebraucht worden war, hatte man in Washington das Problem der demokratischen Qualität sowjetischer Zustände und sowjetischer Politik stets ge-
flissentlich ignoriert, und auch im Hinblick auf den Kongreß wäre eine
derart kleinliche und legalistische Handhabung des Gesetzes, die zweifellos eine schäbige und brüskierende Behandlung der Alliierten darstellte,
keineswegs notwendig gewesen. Der Lieferstopp war in der Tat als Bestrafung der Sowjetunion und als wirtschaftlicher Pressionsversuch gedacht, auch wenn er nach scharfen sowjetischen Protesten wenigstens
partiell wieder aufgehoben wurde.

Im übrigen suchte die Truman-Administration den sowjetischen Partner
noch mit einem anderen wirtschaftlichen Druckmittel zu politischem
Wohlverhalten zu zwingen. Am 3. Januar 1945 hatte Molotow dem amerikanischen Botschafter in Moskau eröffnet, die Sowjetunion sei gewillt,
nach Kriegsende in den USA Waren im Werte von 6 Milliarden Dollar zu
kaufen, und zwar auf der Basis eines Kredits mit einer Laufzeit von drei-
ßig Jahren und einem Zinssatz von 2¼ Prozent; die ersten neun Jahre
müßten zahlungsfrei bleiben, ab dem zehnten Jahr werde dann die Sowjetunion Kapital plus Zinsen in jährlichen Raten zurückzahlen. Molotow hatte seinen Vorschlag nicht etwa mit dem Güterbedarf und der Devi-
senarmut seines vom Krieg so schwer heimgesuchten Landes begründet,
sondern als Ausdruck der freundschaftlichen Hilfsbereitschaft eines guten Verbündeten verstanden wissen wollen: die UdSSR sei bereit, mit
ihren Aufträgen einen Beitrag zur Linderung der mit dem Übergang von
der Kriegs- zur Friedenswirtschaft unweigerlich verbundenen Wirt-
schaftskrise in den USA zu leisten, vor allem zur Bekämpfung der zu
erwartenden gewaltigen Arbeitslosigkeit. Er hatte hinzugesetzt, daß die
künftige Entwicklung der sowjetisch-amerikanischen Beziehungen gewisse Aussichten brauche und auf eine solide wirtschaftliche Grundlage
gestellt werden müsse[31].

Averell Harriman erinnerte sich später noch lebhaft an seine Verblüffung
über die etwas seltsame Begründung der sowjetischen Kreditwünsche;
auch sei ihm, so sagte er, in all seinen Jahren als Bankier nie der Fall
untergekommen, daß ein prospektiver Schuldner schon sämtliche Bedingungen einer Anleihe festgelegt habe, noch ehe der potentielle Kreditge-
ber auch nur zu Wort gekommen sei[32]. Indes hatte er damals den sowjetischen Kreditbedarf als sehr dringlich eingeschätzt und sich sofort nachdrücklich dafür ausgesprochen, das sonderbare Verhalten der Sowjets
ihrer Unerfahrenheit in geschäftlichen Dingen zuzuschreiben und zu igno-

rieren[33]. Zwar hatte er Molotow dargelegt, daß die amerikanische Regierung zur Vergabe internationaler Kredite vorerst lediglich im Rahmen des Leih- und Pacht-Gesetzes autorisiert sei[34]; tatsächlich hatte der Johnson Act von 1934 Anleihen an alle Länder, einschließlich der Sowjetunion, untersagt, die schon einmal den USA geschuldete Gelder nicht gezahlt hatten, und der Kongreß sollte diese Beschränkung der kreditpolitischen Handlungsfreiheit der Regierung erst im Juli 1945 aufheben. Nach Washington hatte Harriman aber am 6. Januar geschrieben: »Es ist meine Grundüberzeugung, daß wir alles tun sollten, was wir können, um die Sowjetunion bei der Entwicklung einer gesunden Wirtschaft durch Kredite zu unterstützen.«[35]

Allerdings hatte er auch gemeint, »daß die Regierung der Vereinigten Staaten über alle gewährten Kredite die Kontrolle behalten« müsse, damit »politische Vorteile« erreicht werden könnten und die gekauften Güter für Zwecke verwendet würden, »die unsere generelle Billigung finden«. Dazu hatte er geraten, die Kreditfrage in »die Gesamtheit unserer diplomatischen Beziehungen mit der Sowjetunion einzubinden«: »Zur rechten Zeit sollte den Russen zu verstehen gegeben werden, daß unsere Bereitschaft, mit ihnen bei der Bewältigung ihrer gewaltigen Wiederaufbauprobleme rückhaltlos zusammenzuarbeiten, von ihrem Verhalten in internationalen Angelegenheiten abhängen wird.«[36]

Die Idee eines amerikanischen Nachkriegskredits für die Sowjetunion war in den USA schon vor Molotows Unterhaltung mit Harriman mehrmals diskutiert worden, und am 10. Januar 1945 hatte Finanzminister Morgenthau bei Präsident Roosevelt angeregt, der Sowjetunion sogar 10 Milliarden Dollar mit einer Laufzeit von 35 Jahren und einem Zinssatz von 2 Prozent zu offerieren[37]. Roosevelt hatte sich von dem Gedanken, die amerikanisch-sowjetischen Beziehungen nach dem Kriege solchermaßen wirtschaftlich zu fundieren, sehr angetan gezeigt[38], und das State Department hatte Harriman am 26. Januar mitgeteilt, der Präsident werde die Kreditfrage in Jalta mit Stalin persönlich erörtern[39]. Harriman hatte daraufhin Molotow gedrängt, dafür zu sorgen, daß auch Stalin das Thema in die Tagesordnung von Jalta einbringen werde[40]. Eigenartigerweise ist das Kreditproblem in Jalta trotzdem nicht erwähnt worden, weder von Roosevelt noch von Stalin, ohne daß die Gründe erkennbar wären. Bei Stalin liegt sicherlich die Vermutung nahe, daß er mitten in einer neuen und offenbar wichtigen Auseinandersetzung um die sowjetische Politik in Osteuropa den Amerikanern nicht selbst ein wirtschaftliches Druckmittel in die Hand geben wollte. Bei Roosevelt ist das Motiv, wenn er die Sache nicht einfach vergessen hat, schwerer auszumachen. Immerhin ist es denkbar, daß er sowohl in Jalta wie in den Wochen nach der Krimkonferenz erst einmal das weitere sowjetische Verhalten in Osteuropa abwarten wollte, ehe er sich auf eine künftige amerikanische Wirtschaftshilfe für die Sowjetunion festlegte. Sein Nachfolger verriet dann schon in der ersten Unterredung, die er am 20. April mit seinem Moskauer Botschafter hatte und in der Harriman auf die Anleihe zu sprechen kam, nicht die geringste Lust, mit einem amerikanischen Angebot gleichsam die sowjetische These zu bestätigen, die Vereinigten Staaten seien zur Vermeidung einer Nachkriegsdepression auf die freundliche Annahme eines amerikanischen Kredits durch die Sowjetunion angewiesen[41]. Danach setzte sich in Washington die von Harriman bereits im Januar vertretene Ansicht durch, daß die Erfüllung der sowjetischen Kreditwünsche – da in dieser Frage in Wahrheit natürlich die Sowjetunion auf die USA angewiesen sei – an politische Bedingungen geknüpft werden könne und folglich – da die USA im Hinblick auf Osteuropa reichlich Grund zur Beschwerde hätten – von einer Änderung der sowjetischen Politik in jener Region abhängig gemacht werden müsse; jedenfalls gehe es nicht an, die Sowjetunion für den Bruch der Jalta-Vereinbarung und für die arrogante Behandlung der westlichen Beschwerden auch noch zu belohnen. Wann immer sowjetische Politiker im Frühjahr und Frühsommer des Jahres 1945 auf die Anleihe zurückkamen, reagierten also ihre amerikanischen Partner ausweichend, nicht ohne anzudeuten, daß die Sowjetunion vor der Aufnahme ernsthafter finanzieller Verhandlungen bestimmte Verhältnisse in Osteuropa zu schaffen habe.

Auf der anderen Seite praktizierten Truman und seine Berater noch häufiger eine Politik des freundschaftlichen Zuredens, mit der sie Stalin davon zu überzeugen hofften, daß sie der Fortsetzung der von Roosevelt begründeten Tradition amerikanisch-sowjetischer Zusammenarbeit größten Wert beimaßen und nach wie vor zu einem entsprechenden Verhalten bereit waren, daß sie aber als Voraussetzung zumindest eine gewisse und durchaus zumutbare Mäßigung der sowjetischen Politik in Ost- und Südosteuropa brauchten. Während der UN-Konferenz von San Francisco hatte Harriman, nach seinen Moskauer Erlebnissen bereits zutiefst skeptisch geworden, führenden Vertretern der amerikanischen Presse in mehreren informellen und vertraulichen Unterredungen seine Skepsis über die Zukunft der amerikanisch-sowjetischen Beziehungen nicht verhehlt. Bei einer Gelegenheit sagte er sogar: »Wir müssen erkennen, daß unsere Ziele und die Ziele des Kreml unvereinbar sind. Der Kreml will kommunistische Diktaturen schaffen, die von Moskau kontrolliert werden, während wir, soweit das möglich ist, eine Welt der Regierungen sehen wollen, die dem Willen des Volkes folgen. Wir werden Mittel und Wege finden müssen, unsere Differenzen in den Vereinten Nationen und anderswo auszugleichen, wenn wir auf diesem kleinen Planeten ohne Krieg leben wollen.«[42] Es ist bezeichnend für die Stimmung, die in den

Vereinigten Staaten damals noch herrschte, daß zwei einflußreiche Journalisten, Raymond Gram Swing und Walter Lippmann, von Harrimans Worten schockiert und nicht gewillt, sich den Traum von einer postfaschistischen Welt der internationalen Eintracht rauben zu lassen, aufstanden und den Raum verließen[43]; Harriman zog sich sogleich den Ruf zu, ein antisowjetischer Hetzer zu sein. Es ist jedoch nicht minder bezeichnend, daß eben dieser Harriman einen Vorschlag zur Verbesserung begierig aufgriff, den Charles Bohlen machte, als er kurz nach der deutschen Kapitulation mit dem Botschafter von San Francisco nach Washington zurückflog. Wie wäre es, so meinte Bohlen, wenn Präsident Truman einen persönlichen Emissär zu Stalin schickte, und zwar einen Emissär, der geradezu als die Personifizierung der Rooseveltschen Rußlandpolitik gelten dürfe und deshalb mit Sicherheit Stalins Vertrauen besitze, nämlich Harry Hopkins[44]. Harriman unterbreitete den Vorschlag, nachdem er sich zunächst der – enthusiastischen – Bereitschaft des schwerkranken Hopkins versichert hatte, Truman, der nach einigem Zögern zustimmte[45] und Stalin informieren ließ[46]. Da der Kreml ebenfalls unverzüglich grünes Licht gab[47], trat Hopkins, schon vom Tode gezeichnet, der ihn am 29. Januar 1946 ereilen sollte, die Reise nach Moskau in der Erwartung an, daß es nicht unmöglich sein werde, den Geist der Kriegskonferenzen von Teheran und Jalta wiederherzustellen und dann die Mißverständnisse zu beseitigen, die das Klima zwischen den beiden Weltmächten ohne Not zu vergiften drohten.

In der Tat blieb die – keineswegs kalkulierte – Kombination aus demonstrierter Härte und versöhnlicher Geste nicht völlig ergebnislos. In einer Serie von Gesprächen, die Stalin und Hopkins vom 26. Mai bis zum 6. Juni hatten[48], gab sich der sowjetische Gastgeber ruhig, sachlich und vernünftig, während Hopkins, das Vertrauen Stalins zu dem vor ihm sitzenden amerikanischen Repräsentanten des gemeinsamen Kampfes gegen Hitler gelassen unterstellend, in gleicher Weise auseinandersetzte, daß auch die Truman-Administration Stalins Vertrauen verdiene und die Wege Roosevelts gehen wolle, sofern ihr das die Sowjetunion durch eine Modifizierung der sowjetischen Politik in Osteuropa – auf die Roosevelt ebenfalls hätte bestehen müssen – ermögliche. Mit einem kleinen Kolleg über das politische System der USA und über die Rolle, die darin die öffentliche Meinung spielte, suchte Hopkins dem sowjetischen Diktator auch begreiflich zu machen, warum die amerikanische Regierung, gerade wenn sie an der Allianz mit Moskau festzuhalten gedenke, die Rückkehr der Sowjetunion zu den Abmachungen von Jalta als Conditio sine qua non zu behandeln habe. Selbstverständlich räumte Stalin nicht ein, seine Zusagen von Jalta gebrochen zu haben. Er zeigte sich aber von Hopkins' Ernst und Aufrichtigkeit beeindruckt, schob die Schuld an allen Differenzen auf die imperialistischen Briten und verstand sich sogar zu einigen Konzessionen. So desavouierte er Molotow, der in San Francisco hartnäckig darauf bestanden hatte, daß jedes Mitglied des UN-Sicherheitsrates das Recht erhalten müsse, mit seinem Veto schon Diskussionen des Rats über Streitfragen zu blockieren. Stalin bezeichnete die Auffassung Molotows, nachdem er sich Hopkins' Kritik an ihr angehört hatte, ohne Rücksicht auf seinen anwesenden Außenminister als »Unsinn« und akzeptierte den amerikanischen Standpunkt, nach dem das Vetorecht auf Beschlüsse des Sicherheitsrats zu beschränken war; damit hatte die Sowjetunion endlich den Weg für den Abschluß der Arbeit an der Satzung der Vereinten Nationen freigegeben. Selbst in der Polenfrage bewies Stalin eine gewisse Umgänglichkeit. Zwar ließ er keine Hoffnung aufkommen, die Sowjetunion könnte auf ihre volle Handlungsfreiheit in Polen verzichten; so hat er die von Hopkins wieder und wieder verlangte Freilassung der von der Roten Armee verhafteten sechzehn polnischen Widerstandsführer glatt verweigert. Doch erklärte er sich am Ende immerhin mit einer bescheidenen Umbildung der polnischen Regierung einverstanden, d. h. mit dem Einbau von vier oder fünf nichtkommunistischen Polen, darunter Mikolajczyk. Churchill hatte Stalin bereits am 15. April mitgeteilt, daß er Mikolajczyk für die Anerkennung der neuen polnischen Ostgrenze und für eine Politik der engen polnisch-sowjetischen Freundschaft gewonnen habe[49]. Aber erst jetzt, nach seinen Gesprächen mit Hopkins, bequemte sich Stalin zum Handeln. Am 17. Juni trafen nun ernsthaft eingeladene nichtkommunistische Polen in Moskau ein, und nach fünftägigen Verhandlungen wurde der Welt eine neue polnische Regierung präsentiert. Am 5. Juli honorierten die Westmächte den Moskauer Vorgang, indem sie die »Provisorische Regierung der Nationalen Einheit«, die zudem baldige freie Wahlen versprach, offiziell anerkannten.

Die Umbildung des polnischen Kabinetts war gewiß nur eine Geste Stalins, die er sich gestattete, weil sie an der Lage in Polen praktisch nichts änderte, obschon Mikolajczyk, der das Landwirtschaftsministerium übernahm, sich zusätzlich mit dem Titel eines stellvertretenden Ministerpräsidenten schmücken durfte. Auch sonst mußten sich Stalin und Hopkins sagen, daß ihre Unterredungen die Dinge nicht in Bewegung brachten, jedenfalls nicht in eine Bewegung, die, wenn man vom Problem der Prozeduren im UN-Sicherheitsrat absah, als amerikanisch-sowjetische Annäherung in konkreten Streitfragen hätte angesehen werden können. Genaugenommen, machten die Gespräche vor allem deutlich, daß sowohl die politischen Prinzipien wie die auch im Lichte solcher Prinzipien definierten politischen Interessen der USA und der UdSSR höchst gegensätzlich waren, so gegensätzlich, daß nicht allein ihre Versöhnung oder doch ihre friedliche Koexistenz schwerfallen würden, sondern jede Seite schon größte Mühe hatte, die Motive und Ziele ihres Gegenspielers klarer zu beurteilen[50].

Hopkins und andere Amerikaner, die ihr Beharren auf der Schaffung pluralistischer politischer Systeme in Ost- und Südosteuropa mit der Bewahrung der amerikanisch-sowjetischen Kooperation für vereinbar hielten, haben nie recht verstanden, daß Stalin, der totalitäre Funktionär par excellence, einfach seiner politischen Natur und den Gesetzen des von ihm errichteten, beherrschten und verkörperten Systems gehorchte, wenn er Macht und Herrschaft als unteilbar behandelte, wenn er folglich in Osteuropa unter sowjetfreundlich nur sowjethörig zu verstehen vermochte und entsprechend handelte, wenn er deshalb und auch unter dem Zwang seiner ideologischen Prämissen überall da, wo es ihm die Umstände erlaubten, noch so widerstrebende Nationen unbedenklich – mal schneller und mal langsamer – der Fuchtel der jeweiligen kommunistischen Partei unterwarf. Wie sagte er damals zu Milovan Djilas, dem Mitstreiter Marschall Titos in Jugoslawien: »Wer immer ein Gebiet besetzt, erlegt ihm auch sein eigenes gesellschaftliches System auf. Jeder führt sein System ein, soweit seine Armee vordringen kann. Es kann gar nicht anders sein.«[51] Was kümmerten den alten Mitarbeiter Lenins und Schöpfer einer Lenin noch in den Schatten stellenden Diktatur dabei Begriffe wie Selbstbestimmungsrecht, individuelle und kollektive politische Freiheit, Mehrheitsprinzip oder gar Gewaltenteilung? Wer aber auf westlicher Seite, wie George Kennan, in diesem Sinne die Sowjetisierung und Stalinisierung Osteuropas als zwangsläufigen und allenfalls durch Gewaltanwendung abwendbaren Prozeß diagnostizierte oder wer aus Enttäuschung über die Fruchtlosigkeit der Versuche, Stalin am Gebrauch seiner Macht im sowjetischen Herrschaftsbereich zu hindern, in dem Diktator allmählich nichts weiter als ein barbarisches und böses Ungeheuer sah, schrieb dann einer von Stalin bestimmten sowjetischen Außenpolitik meist ein uferloses Machtstreben und einen im Grunde nicht zu saturierenden Expansionismus zu.

In Wirklichkeit orientierte Stalin seine außenpolitischen Ambitionen an den Kategorien des zaristischen Imperialismus, und wenn er den überkommenen russischen Imperialismus auch gleichsam modernisierte, d. h. ideologisch auflud und mit einiger Großzügigkeit erweiterte, so akzeptierte er doch zugleich die grundsätzliche Limitierung der sowjetischen Expansion auf jene Regionen in Europa und im Fernen Osten, die bereits dem zaristischen Rußland als natürliche Objekte seines Zugriffs gegolten hatten[52]. Außerdem besaß er – darin Roosevelt sehr ähnlich und etwa Hitler so unähnlich wie nur möglich – einen klaren Blick für die Grenzen seiner Macht und einen tiefen Respekt vor fremder Macht. Das Eingehen erkennbarer Risiken im Dienste einer imperialistischen Politik war nicht seine Sache, so manches seiner Verbrechen vielmehr Produkt einer Vorsicht mit krankhaften Zügen. Nicht der schlechteste Beweis ist die offenkundige Tatsache, daß wiederum Stalin nie zu begreifen vermochte, wie verstörend seine Unterwerfung Ost- und Südosteuropas in der ganzen westlichen Welt wirkte. Der unermüdlichen Darlegung liberaldemokratischer Prinzipien, mit der westliche Gesprächspartner so oft seine Einsicht in das Verwerfliche seiner Praktiken in Osteuropa zu wecken hofften, lauschte er ohnehin ohne Verständnis und erst recht ohne Sympathie. Daß hinter der westlichen Prinzipienpolitik auch politische und wirtschaftliche Interessen standen, etwa das Interesse am europäischen und globalen Gleichgewicht, hat er sicherlich erkannt, die Verletzung derartiger Interessen jedoch offensichtlich für unvermeidlich und für zumutbar gehalten, jedenfalls mit der Aufgeregtheit, die er so bei den Westmächten provozierte, nichts anzufangen gewußt; schließlich ließ er ja, wie er und Molotow häufig genug hervorhoben, die Anglo-Amerikaner in Griechenland, Italien oder Frankreich auch nach Belieben schalten und walten, ohne die Benachteiligung oder sogar Unterdrückung der dortigen kommunistischen Parteien mit den gleichen Protesten zu quittieren, mit denen die Westmächte ihrer Entrüstung über sein Vorgehen in Osteuropa Luft machen zu müssen glaubten. Das Recht der Westmächte auf ein eigenes Sicherheitsbedürfnis hat er ebenfalls anerkannt. Aber er meinte, daß er diesem Sicherheitsbedürfnis nirgends zu nahe trat. Leuchtete es im Westen nicht ein, daß eine nichtkommunistische Regierung in Polen oder Rumänien die Sicherheit der Sowjetunion bedrohen sollte, so konnte Stalin nicht einsehen, daß die Sowjetisierung Osteuropas etwas mit der Sicherheit der Westmächte zu tun habe. Hätte er sie gekannt, wäre ihm erst recht die nicht allein in London, sondern mittlerweile auch in Washington anzutreffende Furcht unverständlich gewesen, die Festigung sowjetischer Herrschaft in Osteuropa bereite die Ausdehnung sowjetischen Einflusses und bald sowjetischer Macht bis zur europäischen Atlantikküste vor; solche Ängste wären ihm um so törichter erschienen, als er selbst kaum je dazu neigte, die politische Kraft und die Revolutionschancen kommunistischer Parteien außerhalb des sowjetischen Machtbereichs zu überschätzen. Wie war also die permanente westliche Einmischung in das Geschehen im sowjetischen Imperium zu erklären? Der mißtrauische Geist Stalins erklärte sie sich offenbar schon früh als eine Art Neuauflage jener antibolschewistischen Interventionspolitik, die Großbritannien, Frankreich und Japan während der ersten Jahre nach der Oktoberrevolution verfolgt hatten. Zielte die Einmischung der westlichen Kapitalisten womöglich bereits auf die Sowjetunion? Vor einer Weltkarte mit der rot eingezeichneten Sowjetunion rief Stalin damals aus: »Sie werden nie den Gedanken akzeptieren, daß eine so große Fläche rot ist, niemals, niemals!«[53]

Dominierte aber westlich wie östlich der bei Kriegsende gezogenen Demarkationslinie Unverständnis für das Verhalten des bisherigen Koali-
tionspartners, begannen deshalb Interpretationsversuche zu wuchern,
die als Motive der anderen Seite nur noch Aggressionsgelüste ausmachen
konnten, so war nicht allein, wie Churchill an Stalin geschrieben hatte,
die Entstehung zweier Lager unvermeidlich, sondern auch die politische –
wenngleich nicht die militärische – Kollision der beiden Lager. Harry
Hopkins hatte in Moskau eine Ahnung von dieser Zukunft bekommen.
Auf dem Rückflug stellte selbst er, der seit 1941 unerschütterlich daran
geglaubt hatte, daß die amerikanisch-sowjetische Kooperation das
Kriegsende überdauern werde, erstmals düstere Prognosen; das amerikanisch-sowjetische Verhältnis gehe stürmischen Zeiten entgegen, so sagte
er und nannte als Grund dafür das totalitäre System der Sowjetunion[54].
Gleichwohl hatten die Gespräche zwischen Stalin und Hopkins vorerst
einen positiven Effekt. Zwar restaurierten sie nicht die Zuversicht, die bis
in die Endphase der Ära Roosevelt geherrscht hatte; dazu waren ihre
konkreten Ergebnisse denn doch zu mager. Daß sie überhaupt stattgefunden und freundschaftlichen Charakter gehabt hatten, bewirkte jedoch, da
ja auf beiden Seiten der Wunsch vorhanden war, die Zusammenarbeit der
Kriegsjahre fortzusetzen, sofort eine spürbare Erwärmung des Klimas,
zumal die leidige Polenfrage endlich durch einen Kompromiß erledigt zu
werden schien. Die Besserung der Atmosphäre gewann auch durchaus –
freilich nur vorübergehend – politische Bedeutung, standen doch nun die
prinzipielle Wünschbarkeit und sogar Notwendigkeit der Kollaboration
zwischen Sowjetunion und Westmächten wieder klarer vor aller Augen,
kräftigte sich mithin sowohl in Moskau wie in London und Washington
der zuvor schon etwas erlahmte Wille, den eines Tages vielleicht kommenden Konflikt wenigstens so weit wie nur möglich hinauszuschieben.
So hat Hopkins' Moskauer Mission eine nicht unwichtige atmosphärische
Voraussetzung für jene dritte Konferenz der Regierungschefs Großbritanniens, der USA und der UdSSR geschaffen, die, zur Klärung der bren-
nendsten unmittelbaren Nachkriegsprobleme bereits seit einiger Zeit
grundsätzlich vereinbart, nun auf den 17. Juli anberaumt wurde; Ort des
Treffens: Potsdam. Dort sollte die Wiederbelebung der Entschlossenheit
zur Fortsetzung der west-östlichen Zusammenarbeit alsbald eine sehr
reale und folgenreiche Wirkung auf die Behandlung der deutschen Frage
haben.

4. Erosion der inter-alliierten Einigung über Deutschland: Das Reparationsproblem

In den Monaten nach Jalta hatte die Hoffnung auf eine gemeinsame Deutschlandpolitik der drei großen Siegermächte, die während der Krimkonferenz ja ebenfalls schüchtern gekeimt war, ähnlich starke Dämpfer erhalten wie der an den Akkord über Osteuropa geknüpfte Optimismus. Nicht daß das Einverständnis über die Bewahrung der Einheit Restdeutschlands irgendwo wieder grundsätzlich in Frage gestellt worden wäre. Im Gegenteil. Die Zunahme der inter-alliierten Spannungen ließ die Gründe, die vor, während und unmittelbar nach der Konferenz für die Behandlung Deutschlands als Einheit gesprochen hatten, nur noch schärfer hervortreten. Zwar hatte der britische Schatzkanzler Anderson, als ihn stärkste Zweifel an der Erreichbarkeit einer Verständigung mit Moskau in der Reparationsfrage befielen, bereits am 7. März in einem Memorandum und am 22. März in einer Kabinettssitzung die Idee ventiliert, dann Deutschland eben doch zu teilen und die vereinigten drei westlichen Besatzungszonen – nach einer kurzen Periode relativ maßvoller Reparationsentnahmen und einer ebenso maßvollen Reduzierung des deutschen Rüstungspotentials – in das Wirtschaftssystem Westeuropas zu integrieren, die sowjetische Zone hingegen der UdSSR zur freien wirtschaftlichen und politischen Verfügung zu überlassen[55]. Außenminister Eden legte aber in einem Schreiben an Anderson sofort sein Veto ein: »Wir müssen vielmehr, so denke ich, gewaltige Anstrengungen unternehmen, um bei der Behandlung Deutschlands Einigkeit unter den Alliierten zu erreichen, ehe wir uns auf eine Politik der separaten Einflußsphären zurückziehen.«[56] Das Kabinett schloß sich, einschließlich des Premierministers, der Auffassung des Foreign Office an. In Washington hatten Überlegungen, wie sie in London Anderson anstellte, ebenfalls keine Chance.

Auf der anderen Seite war nicht zu leugnen, daß Andersons Prämisse – es werde nahezu unmöglich sein, mit der Sowjetunion eine Reparationsvereinbarung zu treffen – der Realität nur zu sehr entsprach. Die Grundsätze der britischen Reparationspolitik, die in Jalta sichtbar geworden waren, gewannen in den Wochen und Monaten nach der Krimkonferenz noch an Festigkeit. In seinem Memorandum vom 7. März entwickelte der britische Schatzkanzler, in Erinnerung an die üblen Effekte der alliierten Reparationspolitik nach dem Ersten Weltkrieg und orientiert an den wirtschaftlichen Interessen Großbritanniens wie aller anderen auf internationalen Handel angewiesenen Staaten, zwei Forderungen deutlicher, als das bisher geschehen war: 1. Es müsse anerkannt werden, daß die internationale wirtschaftliche Verflechtung eine unentrinnbare wechselseitige

wirtschaftliche Abhängigkeit der am internationalen Handel partizipie-
renden Staaten geschaffen habe; 2. mithin dürften weder die Wirtschaftskraft Deutschlands noch der Lebensstandard der Deutschen so reduziert
werden, daß Deutschland als Handelspartner ausfalle, sei sonst doch eine
Reduzierung der Wirtschaftskraft und des Lebensstandards anderer Länder – unweigerlich verbunden mit ernsten sozialen Krisen – die unvermeidliche Folge. Anderson zog daraus den Schluß, daß die Alliierten –
ganz anders als in Jalta festgelegt – nach dem Sieg sogleich darauf bedacht
zu sein hätten, die deutsche Wirtschaft wieder anzukurbeln; ein Sicherheitsproblem, im Hinblick auf das deutsche Rüstungspotential, entstehe
dabei in Wahrheit nicht, meinte Anderson, da die Deutschen wohl weniger zu nationalistischem Revanchismus neigten, wenn man ihnen erträgliche Lebensumstände lasse, als wenn man sie in Elend, Arbeitslosigkeit
und Verzweiflung stoße. Es versteht sich, daß der Schatzkanzler nicht
darauf vergaß, erneut das Postulat aufzustellen, jede Deutschlandpolitik
der Alliierten, die zu einer finanziellen Belastung Großbritanniens führen könne oder gar müsse, sei abzulehnen. Präziser noch als bislang formulierte der Schatzkanzler die Konsequenzen seiner Prinzipien für die
britische Reparationspolitik: 1. Maßvolle Festsetzung des Gesamtum-
fangs der deutschen Reparationen; 2. zeitliche Begrenzung der deutschen
Reparationsverpflichtung auf eine Periode von höchstens zehn Jahren; 3.
eherne Gültigkeit des Grundsatzes, daß die deutsche Industrieproduktion erst nach der Befriedigung des Inlandsbedarfs und erst nach der Finanzierung notwendiger Einfuhren für Reparationszwecke herangezo-
gen werden dürfe (first charge principle); 4. qualitative Beschränkung der
Entnahmen deutschen Anlagevermögens auf Einrichtungen, die zum Rüstungspotential zu rechnen seien, und zeitliche Begrenzung solcher Entnahmen auf zwei Jahre; 5. keine Reparationen in barem Gelde. Das britische Kabinett hat die prinzipiellen Forderungen Andersons weitgehend
und die aus ihnen abgeleiteten Folgerungen für die Londoner Reparationspolitik vollständig akzeptiert. Manchem britischen Politiker und
Diplomaten erschien die Durchsetzung einer relativ bescheidenen deutschen Reparationsschuld und einer engen Befristung der Reparationsperiode mittlerweile allerdings auch deshalb als überaus wünschenswert,
weil sie befürchteten, der Sowjetunion werde sonst eine Handhabe geliefert, zur Eintreibung ihrer Ansprüche auf allzu lange Zeit Truppen in
Deutschland zu stationieren. Indes mußte das britische Programm, mit
dem die Amerikaner zu sympathisieren begannen, auch ohne solche Hin-
tergedanken auf den schärfsten Widerspruch der Sowjetunion stoßen. Jedenfalls nach den Erfahrungen von Jalta, und nirgends waren Anzeichen
dafür zu entdecken, daß der Kreml in dieser Frage seine Auffassung zu
revidieren gedachte. Noch ehe die in Jalta eingesetzte Reparationskom-

mission ihre Arbeit in Moskau aufnahm, rechneten daher die britischen Politiker voll Unbehagen mit einem weiteren west-östlichen Konflikt, und Anthony Eden bemerkte pessimistisch, es werde schon sehr schwierig sein, sich »mit den Russen darüber zu verständigen, welche Güter Deutschland zu seiner Versorgung wirklich braucht«[57]. Im übrigen hatten bisher weder die Amerikaner noch die Briten der Sowjetunion je das Recht bestritten, von Deutschland Reparationen in beträchtlicher Höhe zu verlangen.

Es kam denn auch, wie es kommen mußte. Während sich die anglo-amerikanischen Truppen – von Churchill aus der Ferne sicherlich mit grimmigen Blicken verfolgt – vom 1. bis zum 5. Juli 1945 nicht nur aus der Tschechoslowakei, sondern zugleich aus jenen eroberten Territorien Sachsens, Thüringens und Mecklenburgs, die nach den Beschlüssen der European Advisory Commission und der Konferenz von Jalta zur sowjetischen Besatzungszone gehörten, auf das eigene Okkupationsgebiet zurückzogen, während die von den Regierungen Großbritanniens, der Sowjetunion, der USA und Frankreichs zu ihren Vertretern im Alliierten Kontrollrat bestellten Soldaten, Feldmarschall Montgomery, Marschall Schukow, General Eisenhower und General de Lattre de Tassigny, am 5. Juni in Berlin offiziell die Regierungsgewalt in Deutschland übernahmen und mit ersten Weisungen zu amtieren begannen, erhielt die scheinbare Eintracht in der Deutschlandpolitik einen recht schmerzhaften Stoß. Nachdem die Reparationskommission am 19. Juni 1945 in Moskau ihre Beratungen aufgenommen hatte, stellte sich rasch heraus, daß sich die Sowjetunion von ihrer Reparationsforderung in der Tat nicht ein Jota abhandeln lassen wollte[58]. Die sowjetische Delegation berief sich auf Jalta und behauptete, wenn Roosevelt dort zugestanden habe, daß die Reparationskommission die von der sowjetischen Seite gewünschte Höhe der deutschen Reparationen, nämlich 20 Milliarden Dollar, als Verhandlungsgrundlage benützen dürfe, so bedeute das die grundsätzliche Annahme der genannten Summe. Die britische Delegation fand eine solche Auslegung des Begriffs »Verhandlungsgrundlage« abwegig und konnte sich im übrigen darauf stützen, daß Churchill in Jalta jener sowjetisch-amerikanischen Vereinbarung seine Zustimmung ausdrücklich verweigert hatte; nach britischer Meinung mußte daher die Reparationskommission ihre Arbeit ohne Verhandlungsgrundlage beginnen. In endlosen Konferenzen gelang lediglich eine Verständigung über den Schlüssel zur Verteilung der deutschen Reparationen: der Sowjetunion sollten 56 Prozent zustehen, Großbritannien und den USA je 22 Prozent, wobei die drei Mächte die Verpflichtung übernahmen, mit jeweils 10 Prozent ihrer Anteile die Ansprüche anderer Staaten zu befriedigen (d. h. die Sowjetunion wurde z. B. für die Reparationsforderungen Polens zuständig, Großbritannien und die USA für die Forderungen des britischen Commonwealth, Frankreichs, Norwegens, Hollands, Belgiens und Luxemburgs). Alle übrigen Fragen aber, ob es um die Höhe der Reparationen ging, um die Dauer der Reparationsperiode oder um die exakte Festlegung der Formen deutscher Leistungen, blieben heftig umstritten. Vor allem das »first charge principle«, das den Kern der britischen Reparationspolitik darstellte und so der britischen Delegation besonders am Herzen lag, fand keine Gnade vor sowjetischen Augen, weckte vielmehr den Verdacht, den Westmächten gehe es um eine möglichst schonende Behandlung Deutschlands, und zwar deshalb, weil sie bereits am Aufbau einer gegen die Sowjetunion gerichteten Front arbeiteten und für ihre antisowjetische Strategie auch die Deutschen einzuspannen hofften; jedenfalls gab es für die sowjetischen Funktionäre keinen Zweifel, daß die Anwendung des »first charge principle« berechtigte wirtschaftliche Interessen der UdSSR schädigen würde. Hingegen nahmen die Briten, ohne rechtes Verständnis für die Nöte und Rekonstruktionsprobleme der Sowjetunion, die Schwerhörigkeit, die ihre sowjetischen Kollegen bei jedem wirtschaftlich noch so vernünftigen Argument bewiesen, im Grunde schon als Bestätigung ihres vor einiger Zeit wach gewordenen Mißtrauens, der Sowjetunion sei es, zur Vorbereitung einer auf Westeuropa zielenden Expansionspolitik, in erster Linie darum zu tun, Deutschland und damit das ganze nicht unter sowjetischer Kontrolle stehende Europa wirtschaftlich zu ruinieren; jedenfalls wären wirtschaftlicher Ruin und politische Krisen zwangsläufige Folgen einer Realisierung der sowjetischen Reparationspolitik.

Beide Seiten schätzten gewiß die Intentionen des Kontrahenten falsch ein, doch urteilten sie über die Konsequenzen der jeweils anderen Reparationsvorstellung so offensichtlich richtig, daß sie keinen Zentimeter nachzugeben vermochten. Freilich hat es die Briten nicht gerade konzilianter gestimmt, daß die Sowjetunion im Juni und Juli eine Ausplünderung ihrer Besatzungszone in bereits großem Stil einleitete. Abgesehen davon, daß es dafür keine gemeinsamen Beschlüsse als Grundlage gab, verringerten diese vorweggenommenen Reparationen, deren Umfang offenkundig nie genau kalkuliert werden konnte, das für Reparationszwecke zur Verfügung stehende deutsche Vermögen ganz erheblich; das Mißverhältnis zwischen sowjetischen Ansprüchen und deutscher Leistungsfähigkeit nahm dadurch zu, und wenn die sowjetische Forderung trotzdem nicht reduziert wurde, mußte ihre Durchsetzung die deutsche und europäische Wirtschaft jetzt also noch härter treffen. Daß die Sowjetunion gleichzeitig, und zwar wiederum ohne definitive inter-alliierte Beschlüsse, Ostdeutschland bis zu Oder und Neiße unter polnische Verwaltung zu stellen begann, hat das Verhandlungsklima in Moskau ebenfalls nicht verbessert. Abermals drohte ein beachtlicher Teil der deutschen Rohstoff- und Industrieproduktion, wenn Oberschlesien nun als polnischer Besitz galt, aus der Reparationsrechnung zu verschwinden, und die Abtrennung eines beträchtlichen Teils der landwirtschaftlichen Nutzfläche Deutschlands brachte die Gefahr sehr nahe, daß die Ernährung der deutschen Bevölkerung in den westlichen Besatzungszonen nur zu sichern war, wenn die Westmächte unterstützend eingriffen und eine entsprechende finanzielle Belastung auf sich nahmen. Briten wie Sowjets konstatierten mit wachsender Verbitterung und Gereiztheit, daß die Gegenseite für alle Argumente völlig unempfindlich blieb, und Mitte Juli wurden die Beratungen der Reparationskommission abgebrochen, ohne daß es ihr gelungen wäre, der Verabschiedung eines »statement of principles«, ihrer ersten Hauptaufgabe, einen Schritt näher zu kommen.

5. Scheitern der Potsdamer Verhandlungen über die Nachkriegsordnung Europas

Es blieb nichts übrig, als das Reparationsproblem auf die Tagesordnung der unmittelbar bevorstehenden Konferenz der »Großen Drei« zu setzen, obwohl zunächst, angesichts der Unvereinbarkeit des britischen mit dem sowjetischen Standpunkt, niemand zu sagen wußte, wie denn in Potsdam ein Kompromiß erreicht werden sollte, eine gemeinsame Reparationspolitik der Alliierten. Indes war in Moskau eines deutlich geworden: die Entschlossenheit der Amerikaner, die Suche nach einem Kompromiß fortzusetzen, bis einer gefunden war. Zwar vertraten die Mitglieder der amerikanischen Delegation in den Grundfragen der Reparationspolitik kaum andere Auffassungen als die britischen Kollegen. Doch steuerten sie, dirigiert von Edwin Pauley, einem kalifornischen Ölmagnaten, der sich im Herbst 1944 Verdienste um Trumans Wahl zum Vizepräsidenten erworben hatte und dem jetzigen Präsidenten nahe stand, einen flexibleren Kurs, zeigten sie sich bei der Behandlung der sowjetischen Wünsche um mehr Verständnis oder doch um mehr Entgegenkommen bemüht. Das lag sicherlich auch daran, daß amerikanische Politiker und Diplomaten, im Gefühl mangelnden Interesses der USA an deutschen Reparationen und im Bewußtsein der großen wirtschaftlichen und finanziellen Kraft ihres Landes, die Reparationsfrage distanzierter und gelassener betrachteten als die Repräsentanten der Verbündeten; das hatte ja schon Roosevelts Haltung in Jalta dargetan. Im Sommer 1945 folgten sie aber vor allem der Tendenz, der nach Hopkins' Moskauer Mission eingetretenen Verbesserung des Klimas Rechnung zu tragen und Stalins kleine Konzession in den polnischen Angelegenheiten zu honorieren. Im Zeichen der gekräftigten Bereitschaft, die amerikanisch-sowjetische Allianz so lange wie möglich zu erhalten, waren sie keinesfalls gewillt, das Bündnis gleich einer neuen Belastungsprobe auszusetzen, zumindest nicht wegen eines Problems der Deutschlandpolitik und schon gar nicht mit dem reparationspolitischen Konzept der Briten, das die Westmächte in die Rolle von Anwälten auch deutscher Interessen zwingen mußte; unter dem Schock, den gerade in den letzten Kriegstagen die bei der Befreiung deutscher Konzentrationslager wie Dachau und Buchenwald erlebten Schreckensbilder ausgelöst hatten, neigte ohnehin – entgegen dem sowjetischen Argwohn – kaum ein Amerikaner zur Rücksichtnahme auf deutsche Belange. Andererseits war klar, daß die wirtschaftliche und politische Vernunft, im Hinblick auf die Zukunft Westeuropas, eindeutig für die reparationspolitischen Vorstellungen der Briten sprach; auch waren die Amerikaner ebenfalls nicht gesonnen, sich bei der Besetzung Deutschlands größere finanzielle Lasten aufbürden zu lassen und womöglich indirekt deutsche Reparationsleistungen an die Sowjetunion zu bezahlen. So konnte kein Amerikaner im Ernst daran denken, die reparationspolitischen Auffassungen der Sowjetunion gegen den britischen Widerstand als Grundsätze einer alliierten Reparationspolitik durchpauken zu helfen [59]. In diesem Dilemma, da die Annahme der sowjetischen Forderungen ebenso unmöglich schien wie ihre Ablehnung und offensichtlich niemand Wege zu einer gemeinsamen Reparationspolitik der Alliierten zu weisen vermochte, begannen Edwin Pauley und andere Amerikaner nach einem Kompromiß zu fahnden, der wenigstens eine gemeinsam vereinbarte Reparationspolitik erlauben sollte.

Am 13. Juli 1945 traf Harriman, von Moskau kommend, in Berlin ein, wo er zur amerikanischen Delegation für die Konferenz von Potsdam stieß. Das Deutschland vom Sommer 1945 vermittelte auch dem Botschafter, wie jedem, der von außen kam, einen deprimierenden Eindruck von Tod und Verwüstung. Doch gewann Averell Harriman noch spezielle Impressionen: »Als ich sah, wie vollständig die Russen jede Fabrik ausgeräumt hatten, die sie in ihre Hände bekommen konnten, begriff ich, daß ihre Vorstellung davon, welche Werkzeuge und Maschinen Deutschland als überschüssig weggenommen werden durften, viel zu hart war, als daß wir ihr je zustimmen konnten. Die Reparationskommission hatte vor Potsdam in Moskau getagt und dabei endlos über Prozentsätze geredet, und in der ganzen Zeit hatten sich die Russen in der Ostzone alles angeeignet, was irgendeinen Wert besaß. Nachdem ich die Situation mit eigenen Augen gesehen hatte, kam ich zu dem Schluß, daß wir zwar die Russen nicht daran hindern konnten, sich nach Belieben aus ihrer Zone zu bedienen, daß wir ihnen aber nichts aus den westlichen Zonen geben sollten. Andernfalls würde der amerikanische Steuerzahler die Rechnung für die Ernährung der Deutschen zu begleichen haben, die sich unmöglich selbst zu

erhalten vermochten, wenn ihr ganzer industrieller Maschinenpark nach
Rußland abtransportiert wurde.«[60] Pauley, ebenfalls in Berlin erschienen, stimmte der Folgerung zu, die Harriman aus seinen – zweifellos allzu
kräftig ausgefallenen, aber tendenziell richtigen – Impressionen gezogen
hatte, und so machte schon zu Beginn der Konferenz von Potsdam in der
amerikanischen Delegation der Vorschlag die Runde, der Sowjetunion
eine Teilung der Reparationspolitik anzubieten[61].

Der Konferenzverlauf hat dann die nach amerikanischer Meinung für
einen Kompromiß in der Reparationsfrage sprechenden Gründe noch
zwingender erscheinen lassen. Paradoxerweise gerade deshalb, weil in
Potsdam vom 17. Juli bis zum 2. August 1945 zahlreiche andere – alte und
neue – Streitpunkte diskutiert wurden, in denen eine Einigung zwischen
den Westmächten und der Sowjetunion völlig ausgeschlossen war. Die
drei Regierungschefs waren nach Potsdam gekommen, um sich vor allem
mit Europa zu befassen, d. h. um die Grundprinzipien der europäischen
Nachkriegsordnung festzulegen und Voraussetzungen für die Arbeit an
den Friedensverträgen mit den ehemaligen Satellitenstaaten Deutschlands zu schaffen; ferner mußten die Grundsätze für die Behandlung
Deutschlands, die in Jalta in vieler Hinsicht noch vage geblieben waren,
endlich präzisiert und dann in die Form brauchbarer Direktiven für den
Alliierten Kontrollrat gegossen werden. Tatsächlich kam aber nur in einer
Verfahrensfrage ohne größere Mühe eine Vereinbarung zustande. Präsident Truman und sein neuer Außenminister James F. Byrnes, der Stettinius erst im Juni abgelöst hatte, schlugen vor, die Außenminister der fünf
Großmächte Sowjetunion, Großbritannien, USA, Frankreich und China
regelmäßig tagen zu lassen, also einen Rat der Außenminister zu institu-
tionalisieren, der zunächst beauftragt werden solle, die Friedensverträge
mit den Satellitenstaaten zu entwerfen; danach könne es seine Aufgabe
sein, den Friedensvertrag mit Deutschland in Angriff zu nehmen. Churchill und Stalin protestierten dagegen, China an europäischen Angelegenheiten zu beteiligen, und Stalin wollte auch Frankreich aus dem Rat
verbannen. Nachdem aber die Regelung gefunden war, daß an der Ausarbeitung eines Friedensvertrags immer nur die Außenminister jener Staaten teilzunehmen hätten, deren Vertreter die Kapitulation des betreffenden Staates unterzeichnet hatten, nachdem außerdem die Zustimmung
Stalins zur Mitwirkung Frankreichs an den Friedensverträgen mit Italien
und Deutschland erreicht war, konnte der Rat aus der Taufe gehoben
werden. Die erste Konferenz der neuen Institution – die gleichsam ein
schwacher Nachhall der Rooseveltschen Idee von den »Weltpolizisten«
war – wurde für den September beschlossen; in London hatten sich dann
die Außenminister mit den von Truman bezeichneten Problemen herum-
zuschlagen[62].

Wann immer jedoch die Rede auf wesentlichere politische Fragen kam, stand die Konferenz sogleich im Zeichen scharfer und offenkundig nicht kompromißfähiger Kontroversen, obwohl die Teilnehmer in der gelockerten Atmosphäre des ersten Treffens nach dem Sieg in Europa die äußerlichen Verkehrsformen von Allianzpartnern wahrten und durchaus verbindlich, ja sogar – von etlichen hitzigen Wortgefechten abgesehen – freundschaftlich miteinander verhandelten. Es lag in der Logik der Dinge, daß sich die Westmächte zu einem weiteren Versuch genötigt fühlten, Stalin zur Einhaltung der Abmachungen von Jalta zu bewegen, namentlich zur Respektierung der Deklaration über das befreite Europa. Ebenso wie Churchill und Eden – an deren Stelle am 26. Juli die Labourpolitiker Attlee und Bevin traten, nachdem die britischen Konservativen in der Unterhauswahl vom 5. Juli eine schwere Niederlage erlitten hatten – machten daher Truman und Byrnes Marschall Stalin und Molotow klar, daß zwar der Rat der Außenminister mit der Arbeit an den Friedensverträgen beginnen könne, daß aber für die Westmächte eine Unterzeichnung der Verträge erst in Frage komme, wenn in den ehemaligen Satellitenstaaten Deutschlands freie Wahlen stattgefunden hätten, und zwar unter der Aufsicht auch Großbritanniens und der USA, wenn also jene Staaten über repräsentative Regierungen verfügten; ein Friedensvertrag sei ein Vertrag, und als Vertragspartner seien für die westlichen Demokratien nur repräsentative Regierungen akzeptabel, die den Bestand pluralistischer Systeme garantierten – die von der Sowjetunion eingesetzten derzeitigen Regierungen seien alles andere als repräsentativ. Stalin und Molotow war damit erklärt worden, daß die Westmächte nach wie vor nicht gewillt seien, auf ihr Mitspracherecht in Ost- und Südosteuropa zu verzichten und diese Region als Teil des sowjetischen Imperiums anzuerkennen.

Selbstverständlich betraf die westliche Erklärung nicht allein Finnland, Ungarn, Rumänien und Bulgarien; sie schloß unausgesprochen auch Polen und die Tschechoslowakei ein. Wohl hatten die Westmächte die provisorische Regierung Polens nun anerkannt und von den in Potsdam anwesenden Mitgliedern der polnischen Regierung die Zusage verlangt und bekommen, bald freie Wahlen abzuhalten und westlichen Journalisten die unbehinderte Beobachtung der Wahlen zu ermöglichen; als Gegenleistung für die Zusage, die sogar in die offizielle »Mitteilung über die Dreimächtekonferenz von Berlin«[63], d. h. ins Potsdamer Kommuniqué oder Potsdamer Protokoll oder – ungenau – Potsdamer Abkommen, aufgenommen wurde, verschwand die polnische Exilregierung in London endgültig von der Bildfläche und mußte ihr Vermögen der Warschauer Regierung übertragen. Mit ihren Forderungen hatten die Westmächte jedoch deutlich zu verstehen gegeben, daß sie die weitere Entwicklung in Polen genau zu verfolgen und etwa auf das Ausbleiben oder eine Manipulation der Wahlen scharf zu reagieren gedachten. Was die Tschechoslowakei anging, so war der repräsentative Charakter der Prager Regierung kaum zu bestreiten; daß Kommunisten in ihr über beträchtlichen Einfluß verfügten, erschien angesichts der Existenz einer relativ starken kommunistischen Partei als gerechtfertigt, und die nichtkommunistischen Kräfte konnten sich zumindest in der Innenpolitik noch ganz gut behaupten. Auf der anderen Seite war bei mehreren Gelegenheiten, so in San Francisco, erkennbar geworden, daß Stalin die Tschechoslowakei in internationalen Fragen und auf dem Felde der Beziehungen zwischen Ost und West bereits als Satellit Moskaus traktierte und daß die Prager Regierung den sowjetischen Direktiven auch weitgehend gehorchte. Die Westmächte hatten, obschon sie ein gewisses Verständnis für die schwierige Lage des Prager Kabinetts aufbrachten, ihre Unzufriedenheit mit einem solchen Zustand nicht verhehlt. Sollte sich der Satellitenstatus der Tschechoslowakei verfestigen und sollten die tschechoslowakischen Kommunisten eine Zunahme ihres Einflusses forcieren oder am Ende agieren, als hätten sie die Mehrheit, dann würden die Westmächte, das stand fest, auch darin eine Sünde wider die Deklaration über das befreite Europa und eine nicht einfach hinzunehmende Verletzung ihrer Interessen erblicken.

Lag Trumans und Churchills Versuch zur Restauration von Jalta in der Logik der Dinge, so freilich auch Stalins Weigerung, dem westlichen Druck nachzugeben. Kurz vor der Konferenz hatte Stalin ein weiteres Mal signalisiert, daß er sowohl in Ost- und Südosteuropa wie in jenen Territorien Mitteleuropas, in denen jetzt die Rote Armee stand, keine westliche Mitsprache dulden, daß er die gesamte Region vielmehr als Teil eines Imperiums behandeln wolle, in dem allein der sowjetische Machtspruch entscheide. Wenn er im Juni Polen durch die Übereignung deutscher Gebiete bis zu Oder und Neiße vorschob, auch noch bis zur westlichen Neiße, so leistete er sich damit eine rücksichtslose Brüskierung seiner Verbündeten, die einer Westverschiebung Polens wohl im Prinzip bereits zugestimmt, aber in Jalta mit ihm ausdrücklich vereinbart hatten, die definitive Festlegung der polnischen Westgrenze erst auf einer Friedenskonferenz vorzunehmen – und zwar gemeinsam. Am 29. Juni hatte Stalin außerdem der Prager Regierung einen Vertrag aufgedrängt, der die Tschechoslowakei zur Abtretung der Karpato-Ukraine an die Sowjetunion nötigte; der territoriale Zuwachs, der Moskau die Kontrolle wichtiger Karpatenpässe bescherte und der UdSSR eine gemeinsame Grenze mit Ungarn verschaffte, verbesserte die strategische Position der Sowjetunion in ihrem neuen Imperium ganz erheblich. In Potsdam verlangte nun Stalin von den Westmächten die Sanktionierung der vollendeten Tatsachen, nicht ohne anzukündigen, daß die deutsche Bevölkerung aus dem neuen Polen ebenso zu verschwinden habe und ins Besatzungsgebiet abgeschoben werden müsse wie jeder Deutsche aus der Tschechoslowakei und aus Ungarn; dabei operierte er auch mit der wahrheitswidrigen Behauptung, die meisten Deutschen seien aus den betreffenden Ländern ohnehin schon geflohen. Zugleich begegnete er dem westlichen Wunsch nach baldigen freien Wahlen in Ost- und Südosteuropa – von Polen abgesehen – mit kühler Ablehnung und mit der hartnäckig verfochtenen Gegenforderung nach der westlichen Anerkennung seiner Marionettenregierungen; er habe ja auch, so sagte er, die unter amerikanisch-britischer Patronanz stehende Regierung in Italien anerkannt, obwohl dort ebenfalls noch keine Wahlen stattgefunden hätten. Höflich und in aller Ruhe tat Stalin seinen Partnern also kund und zu wissen, daß sie die Deklaration über das befreite Europa endlich in den Papierkorb werfen sollten. Eine Einigung über Ost- und Südosteuropa schien ferner denn je [64].

Versagte sich Stalin alten Wünschen der Westmächte, so sahen sich umgekehrt Truman und Churchill/Attlee zu einer gleich negativen Reaktion veranlaßt, als Stalin mit neuen sowjetischen Ambitionen aufwartete, die Regionen galten, in denen die Westmächte die alleinige Macht besaßen oder doch die Rote Armee nicht bzw. nur gemeinsam mit anglo-amerikanischen Truppen präsent war. Wiederum kurz vor der Potsdamer Konferenz, im Juni, war die türkische Regierung, nachdem die Sowjetunion den 1925 geschlossenen Freundschafts- und Neutralitätspakt mit der Türkei gekündigt hatte, mit dem sowjetischen Anspruch auf militärische Stützpunkte an den türkischen Meerengen und auf die beiden östlichen Provinzen Kars und Ardaban konfrontiert worden; die zwei Provinzen hatten allerdings bis 1921 zu Rußland gehört. Gleichzeitig mischten sich die Sowjets im Iran, wo sowjetische und anglo-amerikanische Einheiten während des Krieges Ölvorkommen für die Alliierten und west-östliche Verbindungslinien gesichert hatten, recht ungeniert in innerpersische Dinge ein und unterstützten die Separatistenbewegung in Nordpersien; eine Note der persischen Regierung, in der die drei Großmächte daran erinnert wurden, daß sie sich verpflichtet hatten, ihre Besatzungstruppen nach Kriegsende wieder abzuziehen, blieb ohne Antwort aus Moskau. In Potsdam ersuchte Stalin die Westmächte um die Absegnung solcher Ambitionen und überraschte sie zudem noch mit einem gänzlich neuen Verlangen: Er sehe keinen Grund, so ließ er durchblicken, warum nicht auch die Sowjetunion Erfahrungen in der modernen Form des Kolonialismus sammeln sollte, weshalb er hiermit, so sagte er klipp und klar, für die Sowjetunion die Treuhänderschaft über eine der italienischen Kolonien in Nordafrika – offenbar Libyen – haben wolle [65]. Da Stalin und Molotow sich zugleich energisch für die jugoslawischen Ansprüche auf Triest einsetzten, interpretierten die Führer der Westmächte die Summe derartiger sowjetischer Aktivitäten und Forderungen, die wirklich nicht mehr mit dem Bedürfnis der Sowjetunion nach Sicherheit vor Deutschland in Zusammenhang zu bringen waren, als klaren Beweis für den unersättlichen Appetit des sowjetischen Imperialismus, der jetzt auch den Mittleren Osten, die Adria und den ganzen Mittelmeerraum auf seine Speisekarte gesetzt habe. In diesem Fall konnten aber nun die Westmächte, angesichts ihrer starken Position in den von Stalin offenbar anvisierten Gebieten, keinen Anlaß zur Nachgiebigkeit entdecken. So machten Amerikaner und Briten ihren sowjetischen Kollegen klar, daß sowohl die Türkei wie der Iran unversehrt zu bleiben hätten und daß auch für kolonialistische Experimente der Sowjetunion in Afrika kaum Chancen bestünden; außerdem verwandten sie sich sogleich – ohnehin zur Kräftigung eines nichtkommunistischen Italien entschlossen – für den italienischen Standpunkt in der Triestfrage. Zwar schien Stalin im Laufe der Konferenz den Anspruch auf die beiden türkischen Provinzen zurückzustellen, und den Abzug der sowjetischen Truppen aus dem Iran sagte er grundsätzlich zu. Doch abgesehen davon, daß es sich dabei nur um Versprechungen à la Jalta handeln mochte, ließ Stalin die Forderung nach Stützpunkten an den Meerengen auf dem Tisch, ebenso die Forderung nach Kolonialbesitz in Afrika, ergänzt um den Wunsch nach sowjetischer Beteiligung an der Verwaltung der wieder internationalisierten Tanger-Zone; ferner beharrte er darauf, daß Triest Jugoslawien zugeschlagen werden müsse. Schließlich blieb kein anderer Ausweg, als die ungelösten Probleme ohne Aussicht auf Verständigung dem Rat der Außenminister zu überweisen[66].

6. Rettung der inter-alliierten Kooperationsfähigkeit: Der Beschluß zur Teilung Deutschlands als Reparationsgebiet

Die Konferenz drohte also in einem Morast der Erfolglosigkeit zu versakken. Ihr Scheitern mußte den Rest an Gemeinsamkeit zerstören, der die bisherigen Koalitionspartner noch verband, und den verbündeten Nationen wie der gesamten Weltöffentlichkeit die Unfähigkeit der Weltmächte demonstrieren, den zusammen gewonnenen Krieg mit einer vernünftigen oder doch einvernehmlich geschaffenen Friedensregelung zu beenden. Weder die Führer der Westmächte noch die Führer der Sowjetunion konnten es sich aber leisten, schon jetzt, ein knappes Vierteljahr nach dem Abschluß der Feindseligkeiten in Europa, der Welt ein so klägliches Schauspiel zu bieten und damit ihren kriegsmüden Völkern die Aussicht auf neue Konflikte oder gar auf eine neue bewaffnete Auseinandersetzung zu eröffnen. Amerikaner wie Sowjets hatten außerdem zwingende psychologische und wirtschaftliche Gründe, ihre riesigen Armeen möglichst rasch zu demobilisieren; die Amerikaner hofften nach wie vor, zumal sie auch im Fernen Osten engagiert waren, ihrer militärischen Bürden in Europa bald gänzlich ledig zu sein. Wie sollte das geschehen, wenn es zwischen Washington und Moskau zum offenen Bruch kam? Die Briten wiederum, die jenes amerikanische Interesse keineswegs teilten, vielmehr die Amerikaner als Stützen gegen den sowjetischen Druck finanziell, politisch und militärisch in Europa festzuhalten wünschten, hatten klar erkannt, daß Großbritanniens Rolle als unabhängige Weltmacht bis zu einem gewissen Grade von der Erhaltung der Kriegskoalition abhing: Wenn nicht mehr zu dritt oder zu viert debattiert und entschieden wurde, wenn die Allianz vollends zerfiel, wenn die Polarisierung Großbritannien ans westliche Lager fesselte, dann verlor die britische Stimme zwangsläufig an Gewicht, schrumpfte der Handlungsspielraum gegenüber den stärkeren amerikanischen Freunden, geriet Großbritannien unweigerlich in Gefahr, zum abhängigen Juniorpartner der westlichen Führungsmacht USA abzusinken; die ersten Schritte in dieser Richtung hatten während des Krieges schon getan werden müssen. Alle Beteiligten empfanden offensichtlich die Konklusion als unabweisbar: sie hatten ein Minimum an Verständigung zu suchen und die Konferenz durch vorzeigbare Teilerfolge vor einem völligen Fehlschlag zu bewahren. Wenn aber die eine Weltmacht nicht bereit war, Verständigung durch Konzessionen in der Auseinandersetzung um Ost- und Südosteuropa zu ermöglichen, wenn sich die beiden anderen Weltmächte nicht dazu verstehen wollten, für die Rettung des Einvernehmens mit der Schmälerung eigener Interessen im Mittleren Osten oder im Mittelmeerraum zu zahlen, dann blieb – in friedensgemäßer Abwandlung einer bereits in Teheran begründeten Tradition – als Feld für Kompromisse nur Deutschland, mußten opferungsfähige Interessen, wie sie für die Rettung der Konferenz gebraucht wurden, eben vom geschlagenen Feind geliefert werden. Nicht daß den in Potsdam konferierenden Alliierten die Interessen der Deutschen einfach gleichgültig gewesen wären. Im Gegenteil. Obwohl nach den deutschen Angriffskriegen und angesichts der Verbrechen des NS-Regimes niemand auf alliierter Seite glaubte, den Deutschen etwas schuldig zu sein, empfanden doch gerade in Potsdam die meisten alliierten Politiker die Verpflichtung, auf der Konferenz auch das Fundament für eine annehmbare Zukunft der Besiegten legen zu müssen; dafür zeichnete simple Menschlichkeit ebenso verantwortlich wie Vernunft und das bei den Westmächten ja schon seit einiger Zeit geschärfte Bewußtsein für die – etwa auf wirtschaftlichem Gebiet gegebene – partielle Deckungsgleichheit eigener und deutscher Interessen. In diesem Sinne bekräftigten die Alliierten in Potsdam ihren Willen, auf die Aufteilung Deutschlands zu verzichten und dem Territorium der vier Besatzungszonen sowohl die wirtschaftliche wie die politische Einheit zu erhalten. Wenn sie auch sagten, daß die deutsche Verwaltung des Okkupationsgebiets dezentralisiert werde, so benutzten sie andererseits für jenes Territorium wie selbstverständlich den Begriff »Deutschland« und nahmen die Vereinbarung, Deutschland als wirtschaftliche Einheit zu behandeln, ins offizielle Kommuniqué der Konferenz auf. Sie kamen ferner überein, »zentrale deutsche Verwaltungsabteilungen« unter der Leitung von Staatssekretären einzurichten, die, dem Alliierten Kontrollrat unterstellt, in ganz Deutschland für das Finanz-, Transport- und Verkehrswesen, dazu für den Außenhandel und die Lenkung der Industrie zuständig sein sollten; auch das wurde als Beschluß im Kommuniqué verankert. Zwar erklärten die Alliierten ausdrücklich, daß die Zentralverwaltungen nicht als deutsche Regierung anzusehen seien und daß es »bis auf weiteres« auch keine zentrale deutsche Regierung geben werde. Doch machten sie klar, daß die Wendung »bis auf weiteres« relativ eng auszulegen war. Der Rat der Außenminister erhielt ja die Weisung, nach dem Abschluß der Arbeit an den Friedensverträgen mit den ehemaligen Satellitenstaaten Deutschlands die Vorbereitung eines deutschen Friedensvertrages in Angriff zu nehmen, und daß für die Annahme des fertigen Vertrags eine deutsche Regierung zu bilden sei, war ebenfalls im Kommuniqué der Konferenz fixiert[67]. Nach solch eindeutiger Bekundung der Absicht, ein geschrumpftes Deutschland als föderalisierten Nationalstaat bestehen zu lassen, und vor allem natürlich nach der Übernahme der Regierungsgewalt in Deutschland, wie sie durch das Manifest des Kontrollrats am 5. Juni offiziell erfolgt war, konnten die Alliierten außerdem der Frage nicht länger ausweichen, wie sich die inneren politischen Verhältnisse im okkupierten Deutschland entwickeln sollten. Tatsächlich schienen sie in Potsdam auch auf diese Frage Antworten zu geben, die erstmals von der Einsicht zeugten, daß es nicht damit getan sei, die Deutschen für ihre politischen Sünden zu bestrafen. Anders als zur Zeit der Konferenzen von Teheran und Jalta, die beide im Zeichen rein negativer – und wenig präzise ausgedrückter – Intentionen gestanden hatten, erklärten die Alliierten Deutschland jetzt gleichsam zum politischen Entwicklungsland, dessen Bevölkerung lediglich für eine gewisse Zeit unter Vormundschaft gestellt werden müsse. Die Vormünder entwarfen sogar ein politisches Hilfsprogramm, das gewissermaßen chirurgische Eingriffe und gleichzeitig eine kräftigende Behandlung mit Medikamenten vorsah. Zur Chirurgie gehörte die Realisierung der ja schon längst beschlossenen Entwaffnung und industriellen Kapazitätsverringerung, gehörten ferner die Aburteilung der Kriegsverbrecher und die Entfernung aller Nationalsozialisten aus dem öffentlichen Leben. In einer »Entnazifizierung« genannten gigantischen Säuberungsaktion sollte die politische

Vergangenheit aller erwachsenen Deutschen genau geprüft und eine festgestellte Schuld oder Verstrickung in das NS-Regime je nach Schwere und
Grad mit Haft, Berufsverbot oder Geldbußen geahndet werden. General
Lucius D. Clay, Stellvertreter Eisenhowers in dessen Eigenschaft als Militärgouverneur in Deutschland, umschrieb den Sinn der Entnazifizierung
mit dem Satz: »Sie ist eine Voraussetzung der deutschen Erholung und
Rehabilitierung, eine Notwendigkeit für die Entwicklung einer gesunden
deutschen Demokratie.«[68] Auf der anderen Seite betonten die Vormünder ihre Bereitschaft und sogar Entschlossenheit, zur Demokratisierung
der deutschen Gesellschaft auch positive Beiträge zu leisten und den Aufbau demokratischer Institutionen in Deutschland (Parteien, Gewerkschaften) zu fördern. Selbst die postulierte Auflösung der Kartelle, Kon-
zerne und Trusts war nicht allein zur Schwächung der wirtschaftlichen
Macht Deutschlands gedacht, sondern zugleich, schon weil sie die Basis
des politischen Einflusses der mit den Nationalsozialisten verbündeten
Industriellen zerstören würde, als Mittel zur Schaffung einer im demokratischen Sinne verbesserten Organisation der Wirtschaft. Vor allem aber
versicherten die Sieger, auf die Wirkung politischer Pädagogik vertrauen
zu wollen: mit einem umfassenden Umerziehungsprogramm müsse der
nationalsozialistische Geist überwunden und die Bekehrung der Deutschen zu den Werten, Einrichtungen und Spielregeln der Demokratie erreicht werden[69].

Bei Lichte betrachtet, waren jedoch schon diese Fortschritte wenig eindrucksvoll. So machten die in Potsdam konferierenden Repräsentanten
dreier Besatzungsmächte einen weiten Bogen um die Aufgabe, den allgemeinen Auftrag zur Demokratisierung Deutschlands, den sie dem Kontrollrat und den vier Militärgouverneuren nun immerhin erteilten, in ein
konkretes, detailliertes und vor allem gemeinsames Handlungsprogramm
umzusetzen. Bereits während der Kriegskonferenzen waren die Alliierten nicht zuletzt deshalb vor der Arbeit an einem positiven politischen
Konzept für das Nachkriegsdeutschland zurückgeschreckt, weil das britische Verständnis von Demokratie anders aussah als das amerikanische
oder französische und weil die sowjetischen Politiker erst recht sehr eigene Vorstellungen mit dem Begriff verbanden. Das Problem bestand
nach wie vor: Wollte man nicht endlose und ernste Konflikte heraufbe-
schwören, war es noch immer unmöglich, den in dieser Frage so notwendigen Kompromiß in der Interpretation bestimmter Grundbegriffe auch
nur zu versuchen, und ohne einen solchen Kompromiß war es wiederum
unmöglich, genauere und einheitliche Richtlinien für das politische Handeln in Deutschland zu formulieren. Unter derartigen Umständen steckte
in dem allgemeinen Demokratisierungsauftrag an die Besatzungsbehörden vornehmlich ein reiches Potential an Komplikationen und Konfusio-

nen, sogar eine gefährliche Sprengkraft. Gewiß schien die politische Sonderentwicklung einzelner Besatzungszonen, wie sie sich mit der alliierten
Selbstverpflichtung zur Einwirkung auf deutsche Innenpolitik abzeichnete, durch die vereinbarte Behandlung des Okkupationsgebiets als Wirtschaftseinheit blockiert werden zu können. Doch war auch der Wert all
jener schönen Sätze über die wirtschaftliche und politische Einheit
Deutschlands mehr als dubios, wenn es den Alliierten nicht gelang, zu
einer gemeinsamen Reparationspolitik zu finden.

Während der ersten Tage der Potsdamer Konferenz brachten die inter-
alliierten Gespräche über das Reparationsproblem lediglich eine Fortsetzung jener Kontroversen, die zuvor in Moskau die Arbeit der Reparationskommission gelähmt hatten, wenn auch die Potsdamer Debatten
noch lebhafter und schärfer verliefen, weil ja nun zugleich Stalins Übereignung Ostdeutschlands an Polen und die angekündigte Austreibung der
Deutschen auf der Tagesordnung standen: Stalins Willkürakt hatte zwar
schon die Atmosphäre der Moskauer Beratungen gestört, aber in Potsdam mußte über ihn verhandelt und das hieß gestritten werden. Obwohl
die Westmächte die polnisch-sowjetische Forderung, Polen sei für seine
Verluste im Osten mit deutschen Territorien zu entschädigen, grundsätzlich längst anerkannt hatten, zeigten sie sich nämlich zunächst keineswegs
bereit, sich mit der Gesamtheit der polnischen Annexionen abzufinden.
Jetzt, da in der Grenzfrage eine Entscheidung von ihnen verlangt wurde,
traten den – zudem durch Stalins einseitiges Vorgehen gereizten – Führern der Westmächte die gegen eine Oder-Neiße-Grenze sprechenden
Gründe noch deutlicher vor Augen als bisher: Vererbten sie nicht dem
europäischen Staatensystem wieder einen Grund für einen neuen
deutsch-polnischen Krieg? Halfen sie nicht bei einer beträchtlichen Verringerung des Reparationsgebiets? Zogen sie sich damit nicht sofort finanzielle Belastungen bei der Verwaltung des restlichen Deutschland auf
den Hals? So setzten sie sich anfänglich energisch für eine Reduzierung
der polnischen Ansprüche ein und suchten außerdem die Vertreibung
der Deutschen zu verhindern oder doch erheblich einzuschränken. Hatte
Churchill bereits in Jalta seinem Teheraner Akkord mit Stalin über Ostdeutschland wieder entwischen wollen, so verfocht die britische Delegation in Potsdam sogar die These, unter dem Reparationsgebiet Deutschland müsse das Deutsche Reich in den Grenzen von 1937 verstanden
werden. Eine Annahme dieser These hätte die Verhandlungen in der
Reparationsfrage auf eine für die Westmächte – wie für die Deutschen –
wesentlich günstigere Basis gestellt und eine Regulierung der deutsch-
polnischen Grenze erleichtert, darüber hinaus einen Ansatzpunkt geboten, alle territorialen Ansprüche Polens und der Sowjetunion in Schlesien,
Brandenburg, Pommern und Ostpreußen wieder in Frage zu stellen. Die

sowjetischen Vertreter ließen denn auch keinen Zweifel, daß sie den britischen Vorschlag für ein unannehmbares Ansinnen hielten. Kaum hatte die Potsdamer Konferenz begonnen, schien sie also in den wichtigsten Punkten der Deutschlandpolitik ebenfalls zur Erfolglosigkeit verdammt [70].

In dieser Situation führte der Drang zur Rettung der Konferenz, der nun in allen drei Delegationen die Oberhand gewann, zu einem ebenso üblen wie folgenreichen Handel. Die Amerikaner, fast mehr denn je um die Bewahrung eines gewissen Einvernehmens zwischen Washington und Moskau besorgt, wurden zuerst aktiv. Außenminister Byrnes als Jurist und Politiker ein erfolgreicher Selfmademan, der im Repräsentantenhaus wie im Senat die hohe Schule des do ut des absolviert hatte [71], griff jetzt die Idee einer Teilung der Reparationspolitik auf und unterbreitete sie, verbunden mit einer Konzession in der Grenzfrage, am 23. Juli Molotow und Eden. Es sei doch sinnlos, setzte er seinen beiden Kollegen auseinander, die kostbaren Konferenztage mit Streitereien zu füllen, die offensichtlich nicht zu einer Verständigung führen könnten und nur böses Blut machten. Wenn eine Einigung über die Höhe der deutschen Reparationen und über die sonstigen Grundfragen der Reparationspolitik nicht erreichbar sei, wäre es doch besser, das Problem der deutschen Gesamtschuld einfach zu ignorieren und das Reparationsgebiet zu teilen. Die Sowjetunion wäre dann in der Lage, sich aus ihrer Besatzungszone, gemäß den sowjetischen Ansprüchen und Bedürfnissen, ohne jede Einmischung seitens der Westmächte nach Belieben zu bedienen, während es den drei Westmächten freistünde, in ihren Zonen ebenso zu verfahren und dort ihre reparationspolitischen Vorstellungen zu verwirklichen. Um seine ingeniöse Formel, die der Sowjetunion jede Beteiligung an der wirtschaftlichen Ausbeutung und politischen Kontrolle der westdeutschen Industriegebiete kosten konnte, Molotow schmackhaft zu machen, bot Byrnes ein weiteres Geschäft an: Falls die Sowjetunion den reparationspolitischen Vorschlag der USA annehme, werde sich die amerikanische Regierung damit einverstanden erklären, daß Ostdeutschland bis zur Oder und zur westlichen Neiße unter polnischer Verwaltung bleibe und nicht als Teil der sowjetischen Besatzungszone gelte; allerdings dürfe die polnische Westgrenze erst in einem Friedensvertrag mit Deutschland definitiv festgelegt werden [72]. Molotow war interessiert, Eden nicht abgeneigt; beide begriffen sofort, daß in Byrnes' Vorschlag, der gewissermaßen auf eine allseitige Anerkennung der geschaffenen und entstandenen Realitäten hinauslief, in der Tat die Möglichkeit zu dem auch von ihnen mit Eifer gesuchten Kompromiß steckte. Natürlich verlangten die Sowjets in den folgenden Tagen doch einen Anteil an den Reparationen aus den Westzonen, und ihre Forderung wurde sowohl von Mitgliedern der amerikanischen Delegation wie von Anthony Eden und Ernest Bevin unterstützt[73], die den sowjetischen Anspruch allerdings nur dann akzeptieren wollten, wenn die Sowjetunion als Gegenleistung die Lieferung von Rohstoffen und Lebensmittel aus den polnisch verwalteten Gebieten und aus der sowjetischen Besatzungszone zusagte[74].

Auf solcher Basis kam es dann auch zur Einigung: Im wesentlichen sollte die Sowjetunion ihre Reparationsansprüche aus der eigenen Besatzungszone und aus den deutschen Guthaben in den ost- und südosteuropäischen Ländern befriedigen, zusätzlich aber 10 Prozent der Reparationsentnahmen aus den westlichen Zonen ohne Bezahlung und 15 Prozent derartiger Entnahmen im Tausch gegen Nahrungsmittel, Holz, Kohle, Kali und andere Waren erhalten. Außerdem verstand sich die Sowjetunion, die aus ihrem Reparationsanteil auch Polen abzufinden hatte, zur Annahme des »first charge principle«. Im Potsdamer Protokoll hieß es dazu: »Die Bezahlung der Reparationen soll dem deutschen Volke genügend Mittel belassen, um ohne eine Hilfe von außen zu existieren. Bei der Aufstellung des Haushaltsplans Deutschlands sind die nötigen Mittel für die Einfuhr bereitzustellen, die durch den Kontrollrat in Deutschland genehmigt worden ist. Die Einnahmen aus der Ausfuhr der Erzeugnisse der laufenden Produktion und der Warenbestände dienen in erster Linie der Bezahlung dieser Einfuhr.«[75] Die Festsetzung einer deutschen Gesamtschuld unterblieb. Dafür zahlten die Westmächte, die ihre Reparationsansprüche ganz auf die eigenen Zonen und auf die deutschen Guthaben in westlichen Ländern beschränkten, die aus dem hier greifbaren deutschen Vermögen auch die Reparationsforderungen aller anderen Staaten außer der UdSSR und Polen erfüllen sollten, nun tatsächlich mit der Erklärung, daß die deutschen Gebiete östlich von Oder und westlicher Neiße »unter die Verwaltung des polnischen Staates kommen und in dieser Hinsicht nicht als Teil der sowjetischen Besatzungszone in Deutschland betrachtet werden sollen«. Stalin honorierte das mit seiner Zustimmung zu folgendem Satz im Konferenzprotokoll: »Die Häupter der drei Regierungen bekräftigten ihre Auffassung, daß die endgültige Festlegung der Westgrenze Polens bis zu der Friedenskonferenz zurückgestellt werden soll.«[76]

Allerdings fanden sich die Westmächte, nachdem sie einmal in den Sog des Kompromißgeschäfts geraten waren, auch mit dem von Stalin verlangten Bevölkerungstransfer ab, und zwar nicht nur mit dem Exodus der Deutschen aus der Tschechoslowakei und aus Ungarn, sondern ebenso mit der Vertreibung der Deutschen aus den jetzt unter polnische Verwaltung gestellten deutschen Territorien. Wohl machten sie noch einen Versuch, die Austreibung wenigstens in geordnete Bahnen zu lenken, indem sie vorschlugen, den Alliierten Kontrollrat einen Plan für die schrittweise Aufnahme der Ausgewiesenen in den vier Besatzungszonen ausarbeiten

zu lassen. Doch begnügten sie sich am Ende, nachdem Stalin ihren Vorschlag abgelehnt hatte, weil der Kontrollrat den Regierungen in Warschau, Prag und Budapest keine Weisungen erteilen könne, mit einem
Abkommen, das die drei Mächte darauf verpflichtete, für eine Abwicklung der Vertreibung in »humaner Weise« zu sorgen; außerdem sollten
die Regierungen Polens, der Tschechoslowakei und Ungarns ersucht werden, die Ausweisungsaktion einzustellen, bis der Kontrollrat das Problem
geprüft habe[77].

Der Potsdamer Handel war nicht schon deshalb übel, weil er auf Kosten
der Besiegten ging. Vielmehr muß er übel genannt werden, weil er den
Besiegten so enorme Kosten abverlangte, daß Begriffe wie »vertretbar«
oder gar »gerechtfertigt« in die Bewertung keinen Eingang mehr finden
können. Die deutschlandpolitischen Beschlüsse der Konferenz opferten
der Eintracht der Alliierten nicht einfach deutsche Interessen, sondern
beraubten, jedenfalls nach damaligem Urteilsvermögen, einen beträchtlichen Teil der geschlagenen Nation seiner Existenzgrundlage. Bei der
Entscheidung in der Grenzfrage und über die mit ihr aufs engste verbundene Vertreibung ist das evident. Gewiß büßten die unglücklichen
Deutschen der Ostprovinzen, der Tschechoslowakei und Ungarns für ver-
brecherische Methoden, die kurz zuvor von den nationalsozialistischen
Herren Deutschlands in die europäische Politik eingeführt und gerade in
Polen in großem Maßstab praktiziert worden waren. Auch kann nicht
bestritten werden, daß der Gedanke, Deutsche hätten nach der deutschen
Schreckensherrschaft in Osteuropa wieder friedlich mit Polen und Tschechen in gemeinsamen Staaten zusammenleben sollen, 1945 nicht leicht zu
denken war. Doch abgesehen davon, daß die hypothetische Koexistenz
von Deutschen und Polen in Schlesien oder Brandenburg ohnehin nur die
Folge eines mit unvertretbaren Mitteln durchgesetzten unvertretbaren
Besitzanspruchs gewesen wäre, hoben und heben jene Einsichten die Tatsache nicht auf, daß hier Verbrechen mit Verbrechen vergolten wurden,
NS-Methoden mit NS-Methoden. Daß Stalin so handelte, ist nicht weiter
verwunderlich; lange vor dem Kriege war in der stalinistischen Sowjetunion die gleiche Brutalität in noch größerem Stile gegen die Bevölkerung der UdSSR aufgebracht worden. Aber in Potsdam wahrten auch die
Westmächte eine weite Distanz zu den Grundsätzen der Atlantik-Charta.
Sicherlich hatten es die führenden Politiker der Westmächte stets abgelehnt, den Deutschen zu versprechen, daß die Charta Wort für Wort für
sie ebenfalls gelten werde. Andererseits hatten interpretierende Erklärungen Churchills und Roosevelts sehr wohl besagt, daß der Geist der
Charta auch die Deutschen vor einem wirklich schlimmen Los schützen
werde, jedenfalls vor schlichter Rache und vor der Imitierung von NS-
Praktiken durch die Alliierten. Und genau dazu gaben die Westmächte

jetzt ihr Einverständnis: Zur Unmenschlichkeit der Vertreibung selbst
und zur völligen Verelendung von Millionen und Millionen Vertriebener;
zur Zeit von Potsdam hat ja kaum jemand angenommen, daß die Besatzungszonen jemals in der Lage sein könnten, den Vertriebenen eine auch
nur halbwegs erträgliche Existenz zu ermöglichen, zumal gleichzeitig mit
der Austreibung eine drastische Beschränkung der deutschen Industrie
beschlossen wurde, die auch ohne den Zustrom der Vertriebenen Mas-
senarbeitslosigkeit zu verewigen schien. Wenn sich die Westmächte in der
Grenzfrage mit der Überlegung beruhigten, daß ihnen im Augenblick
doch nichts anderes übrigbleibe, als sich mit Stalins Fait accompli abzufinden, und daß sie für die Zukunft die Möglichkeit von Verhandlungen
offengehalten hätten, so war das bestenfalls eine Selbsttäuschung, da die
Zustimmung zur Vertreibung künftigen Korrekturen praktisch die
Grundlage entzog. Hinsichtlich der Vertreibung war jedoch nicht einmal
eine Selbsttäuschung möglich. Hier drehte es sich nicht darum, ein Fait
accompli zu akzeptieren. Wenn die Westmächte die Übernahme von Vertriebenen in ihre Besatzungszonen verweigerten, gab es keine Vertreibung; die Sowjetunion hätte es fraglos unterlassen, sämtliche Vertriebenen in die eigene Zone zu pferchen. Wie erwartet werden mußte und wie
sich rasch herausstellte, war zu allem Überfluß auch noch das Abkommen
über die humane Abwicklung der Vertreibung, mit dem die Führer der
Westmächte ihr zweifellos verstörtes Gewissen zu salvieren suchten, das
Papier nicht wert, auf dem es geschrieben stand.

Indes verfuhren die Alliierten in der Reparationsfrage mit kaum geringerer Härte. Zwar durften sich Amerikaner und Briten sagen, daß sie mit
der Teilung des Reparationsgebiets die Basis für eine rationale Reparationspolitik in den westlichen Besatzungszonen geschaffen hatten, doch
konnten sie sich nicht verhehlen, daß die wirtschaftliche Befreiung der
Westzonen – darum handelte es sich im Prinzip – zu Lasten der Bewohner
der sowjetischen Zone ging, die nun nahezu allein die sowjetischen Reparationsansprüche zu befriedigen hatten und so nach menschlicher Voraussicht einer weitaus brutaleren Ausplünderungs- und Ausbeutungspolitik
überantwortet wurden, als sie sonst gewärtigen mußten. Daß die Sowjetunion das »first charge principle« akzeptiert hatte, war dabei ohne jede
Bedeutung, da es den Sowjets freistand, die betreffenden Sätze des Potsdamer Protokolls für die sowjetische Besatzungszone ganz nach Belieben
auszulegen. Es ist anzunehmen, daß die sowjetischen Vertreter in Potsdam auch sofort entschlossen waren, aus der Reparationsvereinbarung
solche Konsequenzen zu ziehen, zumal sie keine Sicherheit hatten, daß
die Sowjetunion ihren Anteil an den Entnahmen aus den Westzonen, dessen Höhe außerdem von der Reparationspolitik der Westmächte abhing,
jemals erhalten werde.

Noch wichtiger waren freilich die politischen Folgen der Potsdamer Beschlüsse. Mit der neuen polnischen Grenze und mit der Vertreibung der Deutschen hatten die Alliierten zwischen einige Staaten des sowjetischen Imperiums und Deutschland Feindschaft gesetzt und einen deutschen Revisionsanspruch begründet, der für geraume Zeit ein bestimmender Faktor europäischer Politik sein mußte, schon wenn Deutschland schwach blieb, erst recht aber wenn es wieder erstarkte. Als logische Folge entwickelten Polen, die Tschechoslowakei und Ungarn ein Bedürfnis nach Sicherheit vor Deutschland, das sie unweigerlich zur Anlehnung an eine Großmacht nötigte. Als Garant des geschaffenen Zustands und damit als Schutzmacht kam vorerst nur die Sowjetunion in Frage. Stalin hatte die Oder-Neiße-Grenze und die Vertreibung durchgesetzt. Die Westmächte hatten opponiert, widerwillig nachgegeben und dachten erklärtermaßen an Revision, zumindest im Sinne nicht unerheblicher Korrekturen. Die Potsdamer Beschlüsse mischten daher in die Bindung jener Länder an die Sowjetunion kräftige Elemente des Eigeninteresses und der zwangsläufigen Freiwilligkeit, die bisher gefehlt hatten und die fester fesselten als ideologische Gemeinsamkeiten. Anders ausgedrückt: Waren zunächst nur die Regierungen in Warschau, Prag und Budapest von Moskau abhängig, so gerieten nun in drei Staaten des Stalinschen Machtbereichs auch die Nationen in eine gewisse Abhängigkeit von der Sowjetunion und in die Anfänge einer gewissen Entfremdung von den Westmächten. Mit ihrer eigentümlichen Beteiligung am Potsdamer Geschäft trugen die Westmächte selbst dazu bei, Stalins Reich besser zu kitten und die Wirkung der ansonsten so eifrig unternommenen westlichen Lockerungsversuche zu erschweren. Unwillentlich förderten sie damit die Tendenz zur Teilung Europas, wie sie sich auf Grund der sowjetischen Politik in Osteuropa seit einiger Zeit abzeichnete.

Mit der Reparationsvereinbarung trieben die Westmächte die Entwicklung in die gleiche Richtung. Daß die Alliierten Deutschland als Reparationsgebiet teilten, machte die Realisierung des Beschlusses über die Behandlung Deutschlands als Wirtschaftseinheit praktisch unmöglich. Die fundamentalen Unterschiede zwischen sowjetischer und westlicher Reparationspolitik mußten danach in den beiden Hälften des Okkupationsgebiets zu fundamental unterschiedlichen wirtschaftlichen Verhältnissen führen, zu scharfen Disharmonien in Wirtschaftspolitik, Wirtschaftsorganisation, Wirtschaftsverwaltung. Wie sollten unter solchen Umständen für die Kontrolle und Lenkung der Rohstoffe, der Industrieproduktion, der Investitionen, des Exports und des Imports Grundsätze oder gar Richtlinien zu formulieren sein, die für ganz Deutschland sinnvoll und gültig sein konnten? Wie war jetzt eine gesamtdeutsche Finanz- und Steuerpolitik möglich, ein gesamtdeutsches Bankensystem mit einer staatlichen Zentralbank als der Leitinstitution einer gesamtdeutschen Währungs- und Kreditpolitik? Wenn aber Deutschland als Wirtschaftsraum auseinandergerissen wurde, wie sollten dann die beiden Teile ihre politische Einheit bewahren? Bereits das Potsdamer Protokoll behandelte ja bezeichnenderweise schon die simpelsten Formen des Warenverkehrs zwischen der sowjetischen Besatzungszone und den drei Westzonen als regelungs- und geradezu vertragsbedürftige Handelsbeziehungen zweier Staaten.

Daß der Alliierte Kontrollrat nun seine Aufgabe als interimistische Regierung Deutschlands noch zu erfüllen und damit die Trennung zu steuern vermochte, war sehr zweifelhaft geworden. Wenn die vier Militärgouverneure – d. h. der sowjetische Militärgouverneur auf der einen und die drei westlichen Militärgouverneure auf der anderen Seite – in den so wichtigen Wirtschafts- und Finanzfragen selbständig handeln durften, sich dazu förmlich verpflichtet und gezwungen sahen, verwandelten sie sich, statt gemeinsam im Kontrollrat als Klammer der Einheit des Okkupationsgebiets zu fungieren, vielmehr selbst in Promoter der Sonderentwicklung jeder Zone, zumal sie als wirtschaftspolitisch autonome Territorialfürsten unweigerlich in Versuchung geraten oder sogar immer wieder vor der Notwendigkeit stehen mußten, auch in den übrigen Bereichen der Politik Kompetenzen an sich zu ziehen, die zur Ausübung einer gesamtdeutschen Regierungsgewalt dem Kontrollrat hätten vorbehalten bleiben müssen. Die Alliierten hatten als Sitz des Kontrollrats Berlin gewählt, die bisherige Reichshauptstadt, die, ein kleineres Abbild der deutschen Situation, in vier Sektoren geteilt und unter gemeinsame alliierte Verwaltung gestellt war. Auch mit dieser Geste, die dem geschrumpften Deutschland das gewohnte politische Zentrum beließ, schienen sie ihren Willen ausgedrückt zu haben, die politische Einheit des Besatzungsgebiets zu erhalten. Mit der Reparationsvereinbarung aber wurde der Kontrollrat, noch ehe er mit seiner Tätigkeit so recht angefangen hatte, halb gelähmt und einem Prozeß ausgeliefert, der die Effektivität des Rats als einer suprazonalen Institution sehr rasch aufzulösen drohte.

Haben also die Alliierten zur Rettung ihrer Einigkeit in Potsdam stillschweigend die Einheit Deutschlands geopfert? Faktisch war das geschehen. Auch machten die Akteure von Potsdam ihr reparationspolitisches Geschäft ohne Zweifel in dem Bewußtsein, daß sie für die Verlängerung ihres Einvernehmens mit deutschen Interessen und dabei mit einem Stück deutscher Einheit zahlten; in dem noch ungebrochenen Gefühl, über Deutschland frei verfügen zu dürfen, fiel ihnen das nicht weiter schwer. Gleichwohl meinten sie keineswegs, einen Beschluß zur Teilung Deutschlands gefaßt zu haben. Spätestens seit Jalta zu einer Deutschlandpolitik entschlossen, in der die Bewahrung der deutschen Einheit einen zentralen Platz einnahm, konnte ihnen eine so jähe Abkehr von dieser Politik noch nicht in den Sinn kommen; die guten Gründe, die zum Verzicht auf die Zerstückelungspläne geführt hatten, waren ja nicht plötzlich außer Kraft gesetzt. Truman und Byrnes hielten die Beschädigung der deutschen Einheit, die sie bei ihrem Versuch, einen spektakulären Fehlschlag der Konferenz zu vermeiden, in Kauf nahmen, offensichtlich für reparabel. Stalin und Molotow dürften ebenfalls keine klare Vorstellung von der wahren Bedeutung des Handels gehabt haben, auf den sie sich eingelassen hatten. Zwar müssen sie gesehen haben, daß die Reparationsvereinbarung eine sowjetische Beteiligung an der wirtschaftlichen und politischen Kontrolle Westdeutschlands zunächst einmal verhinderte. Ob sie das aber schon in Kategorien wie Erhaltung oder Zerstörung der deutschen Einheit einordneten, ist doch sehr fraglich. Vermutlich betrachteten sie, wie die Amerikaner, den Verlust an deutscher Einheit, mit dem auch sie sich zur Rettung der Konferenz abzufinden bereit waren, als ausgleichbar, ihren Ausschluß aus den Westzonen als nur vorübergehend. Im übrigen akzeptierten sie den amerikanischen Reparationsvorschlag in der gegebenen Situation wahrscheinlich einfach deshalb, weil sie andernfalls offenbar die amerikanische Zustimmung zur Oder-Neiße-Linie nicht erhielten und weil sie bei Ablehnung Gefahr liefen, statt der – freilich unsicheren – Aussicht auf einen bescheidenen Anteil an Reparationen aus den Westzonen eben gar nichts zu bekommen. Auch Eden und Bevin glaubten nicht, an einer bedeutsamen Entscheidung über die Einheit Deutschlands mitgewirkt zu haben. Sie werteten den amerikanischen Vorschlag als die im Augenblick anscheinend einzige Möglichkeit, die britische Besatzungszone gegen eine Reparationspolitik im sowjetischen Stil abzuschirmen; später, so dämpften sie ihr allerdings erkennbares Unbehagen, werde man schon Mittel und Wege finden, die Behandlung Deutschlands als Einheit, wirtschaftlich und politisch, doch noch zu sichern.

Indes gab es gerade auf britischer Seite Realisten, die sich nichts vormachten und sogleich konstatierten, daß die Potsdamer Beschlüsse im Grunde genau jenen Gedanken entsprachen, die von Schatzkanzler Anderson bereits im März – gegen Edens so entschiedenen Protest – skizziert worden waren, daß mithin die Alliierten, kaum hatten sie die Zerstückelungspläne der Kriegsjahre ad acta gelegt, unversehens doch bei einer Zweiteilung Deutschland angelangt waren. In London, abgesetzt vom Potsdamer Geschehen, schrieb ein Beamter des Foreign Office am 31. Juli 1945 resignierend: »So wird es der amerikanische Plan, ... wie sehr wir das Prinzip der Wirtschaftseinheit auf dem Papier auch sichern mögen, von Beginn an unmöglich machen, Deutschland als Einheit zu verwalten.« Ein Deutschland aber, das nicht als wirtschaftliche Einheit behandelt werde, könne »nicht sehr lange als eine politische Einheit behandelt werden«[78]. Troutbeck, Leiter der Deutschlandabteilung im Foreign Office, kommentierte die Reparationsvereinbarung mit dem Satz, es sei nur schwer vorstellbar, »daß eine solche Regelung Deutschland nicht vollständig in zwei Hälften teilt, so sehr wir auch versuchen mögen, ein derartiges Ergebnis zu verhindern«[79]. Sir David Waley, der als Vertreter des Schatzamts der britischen Delegation in Potsdam angehörte, zog denn auch den Schluß, daß es nun an der Zeit sei, zu den im März angestellten Überlegungen seines Ministeriums zurückzukehren: Es bleibe nichts anderes, als »mitten durch Deutschland eine Grenze zu ziehen, östlich von ihr alles von Rußland verwalten und unter das sowjetische System des Staatssozialismus stellen zu lassen und westlich von ihr alles unter britische, amerikanische und französische Verwaltung zu stellen, und zwar in der Absicht, so bald wie möglich ein normales wirtschaftliches Leben wiederherzustellen«[80]. Im Foreign Office wurde auch sofort prophezeit, die nach der Reparationsvereinbarung reale wirtschaftliche und wahrscheinliche politische Teilung Deutschlands werde zugleich den Zusammenschluß Osteuropas zu einem festen Block unter sowjetischer Herrschaft und so die politische Teilung des europäischen Kontinents fast unvermeidlich machen[81].

IV. Der Rat der Außenminister und die Teilung Deutschlands

1. Obstruktionistische Deutschlandpolitik Frankreichs und die Lähmung des Alliierten Kontrollrats in Berlin

Nach ihrem Treffen vom 5. Juni, auf dem sie die Übernahme der Regierungsgewalt in Deutschland proklamiert hatten, kamen die vier Mitglieder des Alliierten Kontrollrats – Marschall Schukow, General Eisenhower, Feldmarschall Montgomery und General Koenig, der inzwischen an General de Lattres Stelle getreten war – wenige Tage vor dem Ende der Potsdamer Konferenz, am 30. Juli 1945, zu ihrer ersten offiziellen Sitzung zusammen[1]. Drei dieser vier Soldaten, die nun im Ernst mit ihrer Arbeit zu beginnen hatten, scheinen sich kaum Gedanken darüber gemacht zu haben, daß in der Potsdamer Vereinbarung üble Konsequenzen für die deutsche Einheit und damit für die Tätigkeit des Kontrollrats steckten. Sie lebten offensichtlich in der Vorstellung, mit den Beschlüssen der »European Advisory Commission«, der Konferenz von Jalta und jetzt der Potsdamer Konferenz ein klares Mandat für die Verwaltung des gesamten Okkupationsgebiets als Einheit zu besitzen; sie verstanden sich in der Tat als interimistische Regierung. So krempelten sie gleichsam die Ärmel hoch, um mit Lust und Energie gesamtdeutsch zu amtieren. Als das eigentliche Diskussions- und auch Entscheidungsorgan des Kontrollrats riefen sie, die ja in erster Linie militärische Befehlshaber waren, den sogenannten Koordinierungsausschuß ins Leben, zusammengesetzt aus den vier stellvertretenden Militärgouverneuren, den Generälen Wassilij Sokolowski, Lucius D. Clay, Sir Brian Robertson und Louis Koeltz. Clay und Robertson konnten sich als die wahren Prokonsuln ihrer Staaten in Deutschland fühlen. Obwohl in solcher Eigenschaft Leiter der Militärregierung in der amerikanischen bzw. britischen Besatzungszone, zeigten aber zunächst beide, wie sehr sie sich der Tatsache bewußt waren, daß sie eine Doppelrolle spielen und als Mitglieder des Koordinierungsausschusses primär für das gesamte Besatzungsgebiet handeln mußten. Ihr Verhalten verriet deutlich, daß sie weder durch schriftliche Direktiven noch durch mündliche Instruktionen ihrer Regierungen auf die Idee gebracht worden waren, ihre Positionen zur Verfolgung einer zonalen Sonderpolitik zu benutzen. Auch sie waren offenkundig weit davon entfernt, in der Potsdamer Abmachung Gefahren für die deutsche Einheit und für die eigenen Funktionen zu wittern. Unter dem Koordinierungsausschuß entstand außerdem sogleich der übrige Apparat des Kontrollrats, namentlich ein ständiges Sekretariat und die Ressorts für Politik, Finanzen, Wirtschaft, Verkehr usw., d. h. also die Direktorate genannten und jeweils mit Repräsentanten aller vier Mächte besetzten Ministerien der alliierten Regierung für Deutschland[2]. Doch schon während ihrer zweiten offiziellen Sitzung, die am 10. August stattfand, und zwar erstmals im Dienstgebäude des Kontrollrats, dem ehemaligen Kammergericht, stellten Schukow, Montgomery und Clay – Eisenhowers Flug nach Berlin war durch schlechtes Wetter verhindert worden – zu ihrer Verblüffung und Bestürzung fest, daß sie nicht einmal in der Lage waren, ein von den stellvertretenden Militärgouverneuren vorgelegtes Memorandum zu verabschieden, das die Verantwortlichkeiten und Kompetenzen des Kontrollrats gemäß den Potsdamer Beschlüssen fixierte[3]. In den folgenden Wochen und Monaten machten sie alle, ob Eisenhower und Clay, Montgomery und Robertson, Schukow und Sokolowski, überdies die Erfahrung, daß sie bei jeder Entscheidung beschlußunfähig waren, die das Prinzip der Behandlung Deutschlands als Einheit durch die Schaffung irgendeiner zonenübergreifenden deutschen Organisation oder Institution realisieren wollte. Die Zulassung gesamtdeutscher Gewerkschaften gelang ebensowenig wie die Gründung eines Amts für Statistik[4]. Vor allem scheiterte der Kontrollrat an seiner wichtigsten Aufgabe, nämlich an der Errichtung der im Potsdamer Protokoll geforderten deutschen Zentralverwaltungen. Ohne solche Zentralverwaltungen blieb der Kontrollrat ohne suprazonale Exekutive, ein Torso ohne Arme[5].

Beschlüsse des Kontrollrats bedurften der Einstimmigkeit; wie im Sicherheitsrat der Vereinten Nationen war auch in den Verfahrensregeln der alliierten Besatzungsverwaltung in Deutschland jeder beteiligten Macht das Vetorecht zugestanden worden. In jener zweiten Sitzung des Kontrollrats hatte nun der Repräsentant Frankreichs, General Koenig, sowohl dem Memorandum der stellvertretenden Militärgouverneure wie einem amerikanischen Vorschlag, sofort mit der Arbeit an der Schaffung deutscher Zentralverwaltungen im Sinne des Potsdamer Protokolls zu beginnen, seine Zustimmung verweigert. Wann immer danach ähnliche Entscheidungen anstanden, begegneten die drei übrigen Mächte einem gleich unerschütterlichen Veto Frankreichs, ausgesprochen von Koenig oder General Koeltz. Die französische Regierung schickte sich offensichtlich an, auch noch die schwachen restlichen Chancen zu ruinieren, die Potsdam dem Kontrollrat für seine Aktivitäten gelassen haben mochte. Soldaten wie Eisenhower wußten sich darauf zunächst keinen Reim zu machen. Als auf der neunten Sitzung, am 20. Oktober, das Kontrollratsgesetz über die Zulassung gesamtdeutscher Gewerkschaften abermals auf General Koenigs Veto auflief, donnerte der sonst so konziliante und stets um Ausgleich bemühte Eisenhower: »Die amerikanische Delegation ... glaubt, daß der Kontrollrat Deutschland als eine einzige wirtschaftliche Einheit zu behandeln hat. Wenn es weiterhin so sein sollte, daß der Kontrollrat in diesem Punkt keine allgemeine Übereinstimmung erreichen und keine Gesetze für ganz Deutschland formulieren kann, dann ist es besser, seine Tätigkeit nicht fortzusetzen.«[6]

Am 10. August hatte General Koenig seine Haltung mit dem Argument zu rechtfertigen gesucht, Frankreich sei auf der Konferenz von Potsdam nicht vertreten gewesen, gehöre nicht zu den Unterzeichnern des Potsdamer Protokolls und brauche sich deshalb an die Potsdamer Vereinbarungen nicht gebunden zu fühlen[7]. Das klang logisch. Aber Frankreich hatte die Einladung der drei anderen Besatzungsmächte, einen Repräsentanten in den Kontrollrat zu delegieren, angenommen, ohne auch nur den Hauch eines Protests gegen die bereits festgelegten Arbeitsprinzipien dieser Institution verlauten zu lassen; nach dem Eintritt in den Klub die dort geltenden Regeln für unverbindlich zu erklären, war kaum vertretbar[8]. Nun befand sich Frankreich gewiß in einer besonderen Lage. Die französischen Politiker, die jetzt in den Gremien der Siegermächte des Zweiten Weltkriegs saßen, empfanden nur zu deutlich, daß sie – nach der Niederlage von 1940 und angesichts des bescheidenen Anteils französischer Streitkräfte an der Befreiung Frankreichs wie an der Niederwerfung Deutschlands – eben nicht im Namen einer Siegermacht handelten, sondern im Namen eines geschlagenen und erst von Stärkeren wieder aufgerichteten Staates. Daher wechselten sie von der Anpassung an die wahren Großmächte oft jäh zur forcierten Betonung des französischen Großmachtstatus. Für die konsequent negative Politik Frankreichs im Kontrollrat bot das aber keine Erklärung. Einen besseren Anhaltspunkt schien zunächst eine zweite Erkenntnis zu liefern. Schon früh war zu sehen, daß die französische Regierung die deutschen Ressourcen rücksichtslos für den wirtschaftlichen Wiederaufbau Frankreichs zu nutzen gedachte und deshalb in der französischen Besatzungszone – nach den Jahren deutscher Herrschaft in Frankreich mit leidlich gutem Gewissen – eine Ausbeutungspolitik startete, die sich von der Ausplünderung der sowjetischen Zone nur graduell unterschied[9]. Eine solche Politik mußte gegen die in der Reparationsfrage so weichen Briten und Amerikaner nach Möglichkeit abgeschirmt werden, mithin lag eine vom Kontrollrat konzipierte und gesteuerte gesamtdeutsche Wirtschaftspolitik offensichtlich nicht im französischen Interesse. Hatten die französischen Politiker, geführt von der oft beschworenen französischen Logik, aus derartigen Prämissen das Ziel abgeleitet, den Kontrollrat gleich völlig funktionsunfähig zu machen?

Indes stellte sich bald heraus, daß es der französischen Regierung keineswegs allein darum ging, ihrer Besatzungspolitik in Deutschland Interventionen des Kontrollrats zu ersparen. Als die Pariser Politiker ihre wahren Gründe nannten, entdeckten die Repräsentanten der drei anderen Besatzungsmächte, daß mit dem Eintritt Frankreichs in ihren Kreis auch die Emotionen, Verhaltensweisen und politischen Rezepte des ersten Jahrzehnts nach Versailles Einzug gehalten hatten. Während Amerikaner, Briten und Sowjets deutsche Fragen, ohne Deutschland als Sicherheitsproblem aus den Augen zu verlieren, bereits weit mehr im Zusammenhang der inter-alliierten Spannungen sahen, wie sie im Hinblick auf die Ordnung Europas und der Welt mit dem jetzt zu Ende gegangenen Kriege entstanden waren, dachte eine solide Mehrheit der französischen Politiker offenkundig noch ausschließlich in den außenpolitischen Kategorien der Zwischenkriegszeit, die sie durch den deutschen Angriffskrieg bestätigt glaubten. Mit einer gewissen Besessenheit orientierten sie daher in europäischen Dingen ihren außenpolitischen Kurs vorerst allein an ihrem Bedürfnis nach Sicherheit vor Deutschland. Da Deutschland 1945 sogar eine totale Niederlage erlitten hatte, wähnten die Leiter der französischen Außenpolitik überdies, daß die Stunde für die Durchsetzung totaler Sicherheit gekommen sei. Am 13. September unterbreitete Außenminister Georges Bidault dem seit 11. September in London tagenden Rat der Außenminister ein Memorandum der französischen Regierung[10], in dem klipp und klar gesagt wurde, daß es »voreilig« gehandelt sei, einen »natürlichen« Prozeß der politischen »Desintegration« Deutschlands durch – offenbar künstliche – Maßnahmen der Alliierten zu stoppen, und daß Frankreich deshalb die Schaffung gesamtdeutscher Organisationen oder Institutionen ablehnen müsse; besonders zu verurteilen seien deutsche Zentralverwaltungen in Berlin, und zwar als erstes Zeichen »einer Wiedergeburt des Reiches«. Naturgemäß setzte die französische Regierung aber wenig Vertrauen in die »natürliche Evolution« zu einer »Anzahl deutscher Staaten«, die für die europäische Sicherheit bekömmlicher seien als der erneut drohende zentralisierte deutsche Staat. Sie mußte die Katze schon aus dem Sack lassen und ihre konkrete Forderung nennen: Unter Berufung auf die in Potsdam besiegelte Übereignung Ostdeutschlands an Polen verlangte sie, wie bereits im Dezember 1944 General de Gaulle in seinem Moskauer Gespräch mit Stalin, die Abtrennung des Rheinlands und Westfalens – einschließlich des Ruhrgebiets – von Deutschland. Frankreich könne der Entwicklung deutscher Zentralverwaltungen allenfalls dann zustimmen, wenn die bezeichneten Territorien aus dem Zuständigkeitsbereich solcher Behörden ausgenommen blieben. Solange diese Frage nicht diskutiert und – selbstverständlich im französischen Sinne – entschieden sei, werde der französische Vertreter in Berlin gegen jeden Akt des Kontrollrats sein Veto einlegen, der geeignet sei, die

Zukunft des Rheinlands und Westfalens zu präjudizieren. Mündlich erläuterte Bidault, daß die französische Regierung an die Internationalisierung des Ruhrgebiets denke, an einen autonomen Rheinstaat und an den Einbau des Saarlands in den französischen Wirtschaftsraum[11]. Als es im Oktober zu längeren französisch-britischen Besprechungen über die Pariser Ansprüche kam, entwickelten die französischen Teilnehmer schon recht präzise Vorstellungen über eine Internationale Ruhrkommission, über die permanente militärische Besetzung der linksrheinischen deutschen Gebiete und über die Überführung der Saargruben in französischen Staatsbesitz. Robert Murphy, ein Berufsdiplomat, der als amerikanischer Vizekonsul in München deutsche Verhältnisse bereits während der zwanziger Jahre gut kennengelernt hatte und jetzt als politischer Berater General Clays das State Department in Deutschland repräsentierte, berichtete am 2. Oktober nach Washington, Pierre de Leusse, ein Angehöriger der Deutschlandabteilung des Quai d'Orsay, habe ihm frank und frei gesagt, daß man in Paris auch die politische Annexion des Saarlands ins Auge fasse[12].

Mit der Parole »Warum soll Mainz anders behandelt werden als Breslau?« – von Bidault in London proklamiert[13] – unternahm also die französische Regierung offensichtlich einen energischen Versuch, die Pariser Rheinpolitik der Jahre 1918 bis 1924, die damals gescheitert war, in vermeintlich günstigerer Situation – daher auch in einer angereicherten Version – doch noch durchzusetzen. Im Grunde wollten die französischen Politiker die übrigen Besatzungsmächte sogar zur Wiederaufnahme der bis Jalta erörterten Zerstückelungspläne bewegen. Als der französische Regierungschef, General de Gaulle, am 3. November 1945 mit Jefferson Caffery sprach, dem amerikanischen Botschafter in Paris, gab er bereitwillig zu, daß es die französische Obstruktionspolitik dem Kontrollrat schwer mache, Deutschland zu regieren. Aber für Frankreich, so erklärte er bedauernd, gehe es bei der Verwirklichung seiner Ziele im Rheinland und im Ruhrgebiet eben um »Leben oder Tod«, um die Frage, ob die Franzosen »weiterhin als unabhängige Nation existieren« könnten. Dann schlug er vor, noch einen Schritt weiter zu gehen. »Warum nicht separate Staaten schaffen, Bayern, Baden, Hessen-Kassel, Hessen-Darmstadt und Hannover? Wenn sich diese Staaten dann später zu irgendeiner Art von Föderation zusammenschlössen, habe er nichts dagegen[14]. Der General wünschte sich also eigentlich die Wiederkehr der guten alten Zeit des Deutschen Bundes, wie er zwischen den napoleonischen Kriegen und der Bismarckschen Reichsgründung bestanden hatte. Daß de Gaulle dem amerikanischen Botschafter als eines der französischen Motive auch die Überzeugung nannte, eine deutsche Zentralregierung werde unweigerlich unter sowjetische Botmäßigkeit geraten und danach sei es nur eine

Frage der Zeit, bis die Russen mit deutscher Hilfe den europäischen Kontinent vollständig unterworfen hätten, war wohl so ernst noch nicht gemeint, zumal der General fast noch im selben Atemzug behauptete, eine Internationalisierung des Ruhrgebiets sei »selbst bei russischer Beteiligung« an der Kontrolle besser als der Verbleib in einem deutschen Staat. General de Gaulle war sicherlich aufrichtig, als er eine weitere französische Sorge erwähnte. »Ihr Amerikaner seid weit weg, und eure Soldaten werden nicht lange in Europa bleiben«, sagte er zu Caffery. »Den Briten fehlt der Mut, und sie sind erschöpft.«[15] Aber der Feind, dem Frankreich dann nach de Gaulles Ansicht allein gegenüberstand, hieß noch immer Deutschland. Der Hinweis auf die sowjetische Gefahr sollte zu jenem Zeitpunkt wohl mehr dem taktischen Zweck dienen, der amerikanischen Kritik an der französischen Haltung mit einem Argument zu begegnen, das in Washington, wo gerade wieder gallige Verärgerung über die Sowjets vorherrschte, eher einleuchten mochte als Frankreichs Furcht vor dem vollständig zusammengebrochenen Deutschland.

2. Scheitern des antifranzösischen Trizonen-Konzepts der amerikanischen Militärregierung

Argumente, mit denen Verständnis für die französische Deutschlandpolitik geweckt und mit denen sie gerechtfertigt werden konnte, schien die Pariser Regierung ja auch bitter nötig zu haben. In der Tat wurde zwischen Sommer und Herbst 1945 namentlich die amerikanische Kritik an der französischen Obstruktion in Berlin von Woche zu Woche schärfer. Im Kontrollrat selbst nahmen Eisenhower und Clay kein Blatt vor den Mund; in seinem dritten offiziellen Bericht über die Tätigkeit der Militärregierung in Deutschland, der am 1. November an die Presse ging, machte Eisenhower die Franzosen in aller Öffentlichkeit dafür verantwortlich, daß es bislang nicht gelungen war, »ein vereinheitlichtes System der Verwaltung Deutschlands« zu schaffen[16]. Clay begnügte sich aber nicht damit, stachlige Sätze in Mitteilungen an die Presse unterzubringen oder im Koordinierungsausschuß den Franzosen etwa vorzuwerfen, sie ritten wie Don Quijote mit eingelegter Lanze gegen Windmühlen an[17]. Clay, ein tatkräftiger Organisator und ein sehr selbstbewußter Mann, hatte sich bis 1945, anders als Eisenhower, zu einem primär politisch denkenden General entwickelt. Er stammte aus einer politisch aktiven Familie Georgias – sein Vater war Senator gewesen – und hatte im Laufe seiner Karriere mehrmals Stellungen innegehabt, denen er reiche Erfahrungen mit Politik und Politikern verdankte[18]; als Stellvertretender Direktor des Mobilmachungsamts in Washington war er während des letzten Kriegsjahrs naturgemäß eng mit dem damaligen Direktor des Amts verbunden gewesen, nämlich mit James Byrnes, der jetzt als Außenminister der USA fungierte. Zur Überwindung der französischen Obstruktionspolitik ließ Clay sich nun ein politisches Gegenmanöver einfallen, mit dem er die französische Regierung in die Zange nehmen zu können hoffte. Erstens setzte er alle Hebel in Bewegung, um das State Department – auf dem Wege über das Kriegsministerium in Washington – davon zu überzeugen, daß die USA Frankreich durch politischen und wirtschaftlichen Druck zur Respektierung der Potsdamer Vereinbarungen zwingen müßten. Sein politischer Berater, Robert Murphy, der ja direkt an das State Department berichtete, wirkte in gleichem Sinne auf das amerikanische Außenministerium ein. Zweitens gab Clay sich größte Mühe, der französischen Regierung den Eindruck zu vermitteln, sie habe, falls die Pressionsversuche erfolglos blieben, damit zu rechnen, daß dann die drei anderen Besatzungsmächte im Kontrollrat an Frankreich vorbei handeln und eine Politik der trizonalen Kooperation verfolgen würden. Offensichtlich war Clay auch entschlossen, den angedrohten Kurs tatsächlich zu steuern, wenn sich die Franzosen als hartnäckig erweisen sollten, zumal er darauf vertraute, daß eine ausdrücklich als Resultat französischen Starrsinns deklarierte Vereinigung der amerikanischen mit der britischen und der sowjetischen Besatzungszone, die Frankreich in Europa politisch weitgehend isoliert und unter Umständen auch von der Ruhrkohle abgeschnitten hätte, das französische Kabinett binnen kurzem zum Einlenken nötigen mußte. Schon am 24. September bat er das Kriegsministerium um die Ermächtigung, zusammen mit dem britischen und dem sowjetischen Kollegen trizonale deutsche Behörden ins Leben rufen zu dürfen. Wenn auch das unmöglich sei, so setzte er hinzu, bleibe nichts anderes übrig, als einen zentralen Verwaltungsapparat allein für die amerikanische Zone und »so eine neue künstliche politische Einheit zu schaffen«; das werde womöglich bei der »Zerstückelung« Deutschlands enden[19]. Noch ehe er irgendeine Stellungnahme des Kriegsministeriums in Händen hielt, hat er denn auch General Sokolowski und Sir Brian Robertson bei mehreren Gelegenheiten zu einer solchen trizonalen Politik aufgefordert, und zwar entweder im Koordinierungsausschuß selbst, also in Anwesenheit von General Koeltz, oder – nach einer für Koeltz' Ohren bestimmten Ankündigung – in unmittelbarem Anschluß an eine Sitzung des Ausschusses[20].

In Washington zeitigten Clays Appelle durchaus gewisse Ergebnisse. Kriegsminister Robert P. Patterson wandte sich mehrmals an das State Department und verlangte immer dringlicher die Erfüllung der Wünsche Clays[21]. Das State Department wiederum unternahm daraufhin tatsächlich Demarchen in Paris, die mit dem gebotenen Ernst zum Ausdruck brachten, daß die amerikanische Regierung Frankreichs Politik im Kontrollrat höchlichst mißbillige. Am 20. Oktober stellte Generalmajor John H. Hilldring, als Leiter der Abteilung für zivile Angelegenheiten im Kriegsministerium für politische Direktiven an Clay zuständig, in einem Schreiben an den stellvertretenden Militärgouverneur fest, und zwar auch im Namen des State Department, daß an der Behandlung Deutschlands als Einheit festgehalten und Clays Auffassung vom Effekt der französischen Obstruktion im Kontrollrat voll gebilligt werde: »Sie werden daher autorisiert, mit den Russen und Briten jede Vereinbarung im Rahmen des Berliner [Potsdamer] Protokolls zu treffen, die für jene drei Besatzungszonen zentrale Verwaltungsapparate schafft. Dabei versteht es sich, daß eine solche Vereinbarung lediglich Verwaltungszwecken dienen soll und mit ihr nicht beabsichtigt ist, die endgültige Verfügung über Territorien innerhalb dieser Zonen zu präjudizieren.«[22] Byron Price, der als persönlicher Emissär Präsident Trumans im Herbst 1945 eine Reise durch Deutschland unternommen hatte, legte am 9. November einen am 2. Dezember im Bulletin des State Departments veröffentlichten Bericht vor, in dem die französische Haltung im Kontrollrat ebenfalls hart getadelt und namentlich auf die üblen Folgen für die deutsche Wirtschaft aufmerksam gemacht wurde. Danach griff Präsident Truman persönlich in die Auseinandersetzung ein. Am 29. November erklärte er in einer Pressekonferenz, es sei unbedingt erforderlich, die Potsdamer Beschlüsse über die allliierte Verwaltung Deutschlands zu revidieren; es dürfe einer einzigen Besatzungsmacht nicht länger erlaubt sein, Entscheidungen zu verhindern, die von den drei anderen Mächten als richtig und notwendig angesehen würden[23]. Der Präsident verlangte also die Abschaffung des Vetorechts. Am 6. Dezember wies dann Byrnes den amerikanischen Botschafter in Paris an, Außenminister Bidault höflich mitzuteilen, wenn die französische Regierung nicht endlich zur Vernunft komme, müßten die Vereinigten Staaten jetzt aber wirklich darangehen, gemeinsam mit den Briten und den Sowjets trizonale deutsche Behörden einzurichten[24]; dabei scheint im State Department übersehen worden zu sein, daß Clay seit mehr als sechs Wochen ohnehin schon zu einem derartigen Vorgehen autorisiert war. Die amerikanische Aktivität rief im übrigen zu beiden Seiten des Atlantik einige Aufregung in den Journalen hervor. Namentlich nach Trumans Pressekonferenz war von ernsten amerikanisch-französischen Spannungen die Rede. Nun geriet die Politik de Gaulles und Bidaults auch in Frankreich unter Beschuß. Vor allem die französischen Sozialisten, die sowohl Frankreichs politisches Gewicht wie die europäische Gesamtsituation realistischer einschätzten, als General de Gaulle das tat, und nicht zuletzt deshalb eine konstruktivere französische Deutschlandpolitik befürworteten, verlangten den Verzicht auf die nach ihrer Meinung unangemessene und für die französischen Interessen schädliche Herausforderung der USA[25]. So schrieb Leon Blum am 2. Dezember im »Populaire«, der deutlich gewordene amerikanische Unmut über Frankreich habe nichts damit zu tun, daß Kommunisten wichtige Ministerposten in der französischen Regierung innehätten und daß bestimmte französische Wirtschaftsunternehmen verstaatlicht würden. Verantwortlich zeichne vielmehr die destruktive französische Deutschlandpolitik, die schleunigst geändert gehöre.

Als Botschafter Caffery Außenminister Byrnes' Instruktionen vom 6. Dezember ausführte, wiederholte Bidault, wie Caffery am 8. Dezember nach Washington telegrafierte, das von ihm und de Gaulle schon oft vorgebrachte Argument: Sie seien überzeugt davon, »daß die Schaffung zentraler Verwaltungseinrichtungen in Deutschland am Ende unweigerlich zur Schaffung einer sowjetisch beherrschten Zentralregierung in Deutschland führen wird«; auch bezeigte der Chef des Quai d'Orsay »großen Schmerz« über die Trübung der amerikanisch-französischen Beziehungen. Was Bidault aber nicht zusagte, das war eine Änderung der französischen Deutschlandpolitik[26]. Tatsächlich wußte zu diesem Zeitpunkt Bidault so gut wie Caffery, daß das State Department nur eine leere Geste machte. Bereits zwei Wochen zuvor, am 24. November, hatte nämlich General Sokolowski, nachdem von Clay einmal mehr zu einer Drei-Mächte-Vereinbarung über deutsche Zentralbehörden eingeladen worden war, im Koordinierungsausschuß des Kontrollrats die »wichtige Erklärung abgegeben, daß er nicht in der Lage sei, solche separaten Abkommen auszuhandeln, da die Potsdamer Beschlüsse Zentralorgane für alle vier Zonen verlangten«. Robert Murphy teilte das sofort Byrnes mit[27], und am 22. Dezember mußte Murphy überdies berichten, daß nun auch Sir Brian Robertson – der britische Vertreter hatte in den Wochen und Monaten zuvor auf Clays Drängen stets ausweichend reagiert – im Koordinierungsausschuß definitiv festgestellt habe, keine Autorisierung für Drei-Mächte-Abmachungen zu besitzen[28].

Daß die britische und die sowjetische Regierung sich nicht zur Mitwirkung an Clays Manöver verstehen wollten, lag sicherlich nicht daran, daß auch die britischen und sowjetischen Politiker die Potsdamer Beschlüsse über die Einheit Deutschlands wieder außer Kraft zu setzen gedachten. Hätte es die französische Obstruktion im Kontrollrat nicht gegeben, wären die deutschen Zentralverwaltungen höchstwahrscheinlich geschaffen worden. Die Franzosen bekamen ja auch aus London und Moskau genügend Kritik zu hören. Nachdem aber die französische Opposition gegen Potsdam einmal Tatsache war, entdeckte man in London und Moskau sogleich plausibel aussehende Gründe, die dafür sprachen, allzu massiven Druck auf Paris zu unterlassen und auch das Bündel der deutschlandpolitischen Vorschläge Frankreichs nicht gleich in Bausch und Bogen zu verwerfen. Als Bidault am 14. September in London das Memorandum der französischen Regierung präsentierte, sorgten die Briten unter allgemeiner Zustimmung zunächst dafür, daß die deutschen Probleme wieder von der Tagesordnung des Rats der Außenminister verschwanden und Frankreich auf bilaterale Diskussionen mit Großbritannien, der Sowjetunion und den USA verwiesen wurde[29]. So waren der Rat und alle beteiligten Mächte der Notwendigkeit einer sofortigen und negativ oder positiv verpflichtenden Stellungnahme zu den französischen Wünschen enthoben. Obwohl die Briten mit ihrem prozeduralen Trick immerhin ein deutliches Indiz lieferten, wie wenig Geschmack sie an der Summe der französischen Vorschläge fanden, stellte sich während des britisch-französischen Meinungsaustauschs, zu dem es dann im Oktober kam, doch rasch heraus, daß die britische Regierung auch nach dem Wechsel von Churchill zu Attlee und von Eden zu Bevin grundsätzlich an einer möglichst starken Position Frankreichs im Kreise der europäischen Mächte interessiert war und daher im gegebenen Falle zumindest eine schwerere diplomatische Niederlage der französischen Freunde vermeiden wollte. Ohne einer einzigen französischen Forderung wirklich zuzustimmen, haben also Bevin und die Beamten des Foreign Office großes Verständnis für die französischen Ansprüche und noch größere Sympathie für die französischen Motive bekundet; auch räumten sie ein, daß jede Rücksichtnahme auf etwaige deutsche Ressentiments überflüssig sei, weil es eine Regelung der deutschen Fragen, die keinen deutschen Revanchismus provozieren würde, ohnehin nicht geben könne[30]. Zeitweise standen Couve de Murville, der als Vertreter Bidaults nach London gekommen war, und andere französische Gesprächspartner unter dem Eindruck, die Briten eigentlich schon gewonnen zu haben. In Wirklichkeit praktizierten die britischen Unterhändler lediglich eine dilatorische Taktik, mit der sie die französischen Wünsche ohne Gesichtsverlust für Frankreich und ohne Beschädigung der britisch-französischen Beziehungen Stückchen für Stückchen abzubauen hofften; nicht zuletzt vertrauten sie darauf, daß im Laufe der Wochen Amerikaner und Sowjets die Hauptarbeit bei der Ablehnung des französischen Aufteilungsprogramms verrichten würden. Wie wenig Clays Rezept, das unweigerlich zu einer politischen Demütigung Frankreichs führen mußte, zu dieser britischen Strategie der Schonung und der geduldigen Behutsamkeit paßte, wie widerwärtig den Briten die Idee erschien, sich im Kontrollrat in eine antifranzösische Front einzureihen, liegt auf der Hand. Allerdings hatte die Reserve, mit der London Clays Politik der trizonalen Zusammenschlüsse aufnahm, noch einen anderen Grund. Das französische Argument, deutsche Zentralverwaltungen und später eine deutsche Regierung würden immer mehr unter sowjetischen Einfluß geraten, hat die Briten, die ja schon seit einiger Zeit in der Furcht vor einem weiteren sowjetischen Ausgreifen lebten [31], durchaus beeindruckt. So verloren sie jedenfalls die Lust, bei der Durchsetzung deutscher Zentralbehörden, die sowjetischen Einfluß womöglich bis ins Ruhrgebiet transportierten, besonderen Eifer an den Tag zu legen.

Die sowjetischen Politiker hingegen, die bislang nicht durch schonende Respektierung französischer Gefühle und französischen Prestiges aufgefallen waren, neigten diesmal offenbar gerade deshalb zu einer rücksichtsvollen Behandlung Frankreichs, weil sie sich von einem bestimmten französischen Vorschlag eher eine Ausdehnung ihres Mitspracherechts auf Westdeutschland versprachen als von der Einrichtung deutscher Zentralverwaltungen. Bereits in Potsdam hatten Stalin und Molotow den sowjetischen Anspruch auf Beteiligung an der Kontrolle über das Ruhrgebiet angemeldet [32]. Großbritannien und die USA waren den sowjetischen Wünschen ausgewichen, und dann hatte die Reparationsvereinbarung den auf die Ruhr gerichteten Ambitionen Moskaus einen weiteren Riegel vorgeschoben. Wenn nun eine westeuropäische Regierung die Internationalisierung des Ruhrgebiets forderte, so bot sich der Sowjetunion zumindest die Chance, eine der für sie negativsten Konsequenzen der Reparationsvereinbarung aus der Welt zu schaffen und sowjetischen Vertretern doch noch Sitz und Stimme in internationalen Ruhrbehörden zu erhandeln. Angesichts einer solchen Möglichkeit kam für Stalin und Molotow weder ein sofortiges und hartes »Nein« zur Gesamtheit der in Bidaults Memorandum formulierten französischen Ideen in Frage noch eine Beteiligung an dem von Clay verlangten Manöver im Kontrollrat, das Frankreichs schärfste Waffe, das Vetorecht, stumpf machen mußte. Beides hätte die französische Regierung allzu rasch zum Einlenken genötigt, und dabei konnte auch die Ruhrfrage wieder in der Versenkung verschwinden. Gewiß war die Sowjetunion, schon im Hinblick auf ihre Reparationsansprüche, am Verbleib des Rheinlands und des Saarlands bei Deutschland interessiert. Aber von der Londoner Konferenz des Rats der Außenminister bis zum Ende der direkten französisch-sowjetischen Gespräche, die im Dezember 1945 in Moskau stattfanden, hat Molotow die französischen Abtrennungspläne nie abgelehnt, sondern sich stets nur mehr Zeit zu ihrem Studium ausgebeten. Im übrigen versuchte er hartnäckig, die Internationalisierung des Ruhrgebiets im Zentrum der Diskussion zu halten, wobei er betonte, daß die Sowjetunion sich nicht mit der Mitgliedschaft in Aufsichtsgremien abspeisen lassen werde, die irgendwo in den Wolken thronten; sowjetisches Ziel sei vielmehr die Beteiligung an der unmittelbaren Verwaltung des Ruhrgebiets [33].

Freilich hatten vermutlich auch die Sowjets ein zusätzliches Motiv, wenn sie die französische Obstruktion im Kontrollrat – von rhetorischer Kritik abgesehen – passiv hinnahmen und Clay die Solidarität mit einem recht formalistischen Argument verweigerten. Als Robert Murphy am 11. September das State Department darüber informierte, daß sowjetische Vertreter im Kontrollrat erklärt hatten, für eine von amerikanischer Seite vorgeschlagene – im Potsdamer Protokoll nicht vorgesehene – deutsche Zentralbehörde für Ernährung und Landwirtschaft sei »die Zeit noch nicht reif«, warf er die sehr berechtigte Frage auf, ob die negative sowjetische Reaktion wohl etwas mit der Bodenreform zu tun habe, die in der sowjetischen Besatzungszone gerade angelaufen sei[34]; zwischen dem 3. und 12. September wurden in den fünf Ländern und Provinzen der sowjetischen Zone die entsprechenden Dekrete verkündet. Eine solche Maßnahme, die tief und revolutionierend in das deutsche Gesellschaftsgefüge und das deutsche Wirtschaftssystem eingriff, mußte der Sowjetischen Militäradministration (SMAD) in der Tat wesentlich leichter fallen, wenn sie selbständig und ohne den Zwang zur Anpassung an die Vorstellungen der übrigen Besatzungsmächte operieren konnte; eine deutsche Zentralverwaltung, unter einem als Regierung Gesamtdeutschlands effektiven Kontrollrat arbeitend, hätte aber unweigerlich zur Anpassung genötigt. Nicht daß die Bodenreform selbst auf größeren Widerstand etwa der Amerikaner gestoßen wäre; Murphy hat am 5. September gesagt, daß die Bodenreform sowohl im Hinblick auf die langfristigen Ziele der amerikanischen Politik in Deutschland wie angesichts der Wünsche der demokratischen Deutschen »höchst erstrebenswert« sei[35]. Doch hätten Briten und Amerikaner sicherlich – wie auch die nicht zu den sozialistischen Parteien gehörenden Deutschen in der sowjetischen Zone – das Tempo zu bremsen, den Umfang zu begrenzen und die sonstigen Modalitäten zu mildern versucht. Für andere Bereiche von Wirtschaft und Gesellschaft galt das natürlich erst recht. Manches wäre dort bei institutionell gesichertem Mitspracherecht der Westmächte wahrscheinlich ganz unterblieben. Daß jedenfalls die Amerikaner gegen bestimmte Dinge opponiert hätten, zeigt ein Telegramm Murphys an das State Department vom 14. September. Nachdem Clays politischer Berater zunächst konstatiert hatte, daß die Bodenreform als einseitiger und ohne jede Konsultation mit den drei alliierten Mächten erfolgter sowjetischer Akt eigentlich nicht mit dem Potsdamer Gebot zu vereinbaren sei, Deutschland als Wirtschaftseinheit zu behandeln, nachdem er ferner darauf hingewiesen hatte, daß die Reform zu einem zumindest vorübergehenden Rückgang der landwirtschaftlichen Produktion führen werde, der ja die in Potsdam zugesagten Lebensmittellieferungen in die westlichen Zonen gefährden mochte, schlug er vor, die Sowjets im Kontrollrat wenigstens zur Rede zu stellen: »Wenn es ihnen gelingt, dies jetzt durchzuziehen, ohne daß die drei anderen Besatzungsmächte auch nur einen Laut von sich geben, kann es gut sein, daß sie mit weiteren derartigen ›Reformen‹ beginnen, etwa mit der Verstaatlichung von Banken, Versicherungsgesellschaften, großen Industriebetrieben usw.«[36] Tatsächlich war es zur Zeit von Murphys Bericht auch außerhalb der Landwirtschaft bereits zu Enteignungen gekommen, wenngleich eine einheitliche Regelung für die gesamte sowjetische Zone noch ein knappes Jahr auf sich warten ließ.

Gesamtdeutsche Zentralbehörden, von den vier Besatzungsmächten gemeinsam besetzt und kontrolliert, hätten außerdem die in der sowjetischen Zone praktizierte Personalpolitik behindert, schob doch die SMAD bereits im ersten halben Jahr ihrer Tätigkeit deutsche Kommunisten oder im sowjetischen Sinne zuverlässige Nichtkommunisten mit oft recht grober Hand in zahlreiche Schlüsselpositionen der Kommunen, der Bürokratie der Länder und Provinzen, der Justiz und nicht zuletzt der Polizei[37]. Selbst die bürgerlichen Parteien stellten fest, daß sie bei ihren führenden Funktionären nicht allein auf antinationalsozialistische Gesinnung, demokratische Legitimation und persönliche Integrität zu achten hatten; im Dezember 1945 wurden sogar die Vorsitzenden der CDU der Zone, Hermes und Schreiber, von der SMAD abgesetzt, weil sie die Durchführung der Bodenreform kritisiert, eigentlich aber weil sie für ihre Partei wenigstens annähernde Gleichberechtigung mit der KPD zu verlangen gewagt hatten. Auch die Politik des Zusammenschlusses der in der sowjetischen Zone zugelassenen Parteien in einer paritätisch besetzten Dachorganisation war leichter zu verfolgen, wenn der Einfluß der Westmächte und der nicht dem Zugriff der SMAD ausgesetzten deutschen Kräfte an der Grenze der sowjetischen Zone aufhörte. Wahrscheinlich hätten Briten und Amerikaner schon dem Blockprinzip widersprochen, da es die Erosion der normalen politischen Funktionen von Parteien einleitete und damit der Entwicklung des politischen Systems in der sowjetischen Zone eine Richtung gab, die vom Parlamentarismus im westlichen Verständnis wegführen mußte. Mit Sicherheit hätten sie es jedoch der KPD und der SMAD nach Kräften erschwert, den Antifaschistischen Block, wie es tatsächlich geschah, vor allem als Vehikel zur Befestigung der kommunistischen Vorherrschaft und zur Entmachtung der bürgerlichen Parteien zu benutzen. Im Herbst 1945 setzte ferner die Kampagne für die Vereinigung von KPD und SPD ein, ein Ergebnis der Schwäche der Kommunisten, die in der ersten Zeit nach der deutschen Kapitulation gemeinsames Handeln mit den Sozialdemokraten noch schroff abgelehnt hatten, jetzt aber erkannten, daß sie in den kommenden Wahlen ohne vorherige Einverleibung der sozialdemokratischen Anhängerschaft die demokratische Fundierung ihres Machtanspruchs einbüßen würden. Bei dieser Kampagne sämtliche Formen sozialdemokratischer Opposition als irgendwie faschistische Sünden wider die Demokratie zu verteufeln, wäre der KPD und ihren sowjetischen Protektoren nicht so leicht geworden, wenn als Appellationsinstanz ein mit deutscher Exekutive ausgerüsteter und daher als Regierung des ganzen Okkupationsgebiets funktionsfähiger Kontrollrat existiert hätte.

Jedenfalls wird es weder der SMAD noch ihren Chefs in Moskau entgangen sein, daß das Fehlen einer Zentralgewalt in Deutschland prächtige Möglichkeiten bot, der politischen Entwicklung der sowjetischen Zone durch vielfältige Maßnahmen und Aktivitäten die nach sowjetischer Ansicht richtige Direktion zu geben. Vielleicht konnte die Zone durch eine Politik der vollendeten Tatsachen sogar so stark geprägt werden, daß sie auch nach der Schaffung deutscher Zentralbehörden und der Wiederbelebung des Kontrollrats als Brückenkopf sowjetischer Interessenpolitik in Deutschland – und als Sperrfort für die sowjetische Dominanz in Polen – verwendbar blieb. Also durfte der Zustand, den Frankreichs Obstruktion im Kontrollrat schuf, ruhig eine Weile dauern. Im übrigen hatte die SMAD schon vor Beginn der französischen Vetopolitik gezeigt, daß sie der Entstehung einer »neuen künstlichen politischen Einheit«, wie Clay das nannte, weniger abhold war als die amerikanische Militärregierung: Am 27. Juli 1945 hatte die Sowjetische Militäradministration – wiederum ohne die drei anderen Besatzungsmächte zu konsultieren oder auch nur offiziell zu informieren [38] – mit einer Verordnung die Errichtung von 11 deutschen Zentralverwaltungen für die sowjetische Zone angekündigt, und im September nahmen diese Zentralverwaltungen ihre Arbeit auf. Die Frage, ob die Sowjets die zonale deutsche Exekutive der SMAD bereits als Vorform einer ausgewachsenen Zonenregierung betrachteten und folglich überhaupt nicht mehr mit einer künftigen deutschen Zentralregierung rechneten oder ob sie ihre deutsche Zonenverwaltung eher als Kern bzw. als Rivalin – in der Tradition des alten Dualismus Preußen – Reich – einer kommenden gesamtdeutschen Regierung ansahen, muß offenbleiben. Jedoch wurde damals immerhin deutlich, daß die SMAD ihrem Geschöpf eine längere Lebenserwartung zusprach. Als Robert Murphy sich am 11. September mit Arkadi Sobolew, dem politischen Berater der SMAD, inoffiziell über die zonalen Zentralverwaltungen unterhielt, begründete Sobolew die neue Einrichtung mit administrativen Notwendigkeiten und meinte im Laufe des Gesprächs, bis zur Etablierung einer gesamtdeutschen Regierung würden ja wohl noch Jahre vergehen [39].

Im Grunde hat allerdings auch das State Department nur wenig getan, um Frankreich zu einer konstruktiven Deutschlandpolitik zu bewegen und Clay bei seinen entsprechenden Versuchen im Kontrollrat zu unterstützen. Die Vorhaltungen, die das State Department der französischen Regierung machte, ermangelten zwar nicht der Feierlichkeit, doch fehlte die offensichtlich erforderliche Androhung von Pressionen. Die Frankreichpolitik der amerikanischen Regierung verfolgte ebenfalls – wie die des britischen Kabinetts – das Ziel, die internationale Position eines wichtigen Verbündeten auf dem europäischen Kontinent zu restaurieren; daher war auch das State Department nicht bereit, Frankreich politisch zu demütigen. Außerdem schien die innenpolitische Situation Frankreichs sehr labil zu sein. So lag es nach Byrnes' und seines Stellvertreters Dean Acheson Meinung nicht im amerikanischen Interesse, durch erkennbar kräftigen Druck auf die französische Regierung eine anti-amerikanische Stimmung in Frankreich zu provozieren, von der dort nur die ohnehin starke Kommunistische Partei profitieren konnte. Wenn das State Department dem Drängen des Kriegsministeriums nachgab und sich damit einverstanden erklärte, daß Clay im Kontrollrat eine Politik der trizonalen Zusammenschlüsse vorschlug, dann geschah das wahrscheinlich in der auf gute Information gestützten Annahme, das Manöver werde auf Grund britischer und sowjetischer Ablehnung schon im Vorschlagsstadium steckenbleiben. Als das State Department selbst in Aktion trat und den amerikanischen Botschafter in Paris am 6. Dezember ermächtigte, Bidault mit der Politik Clays zu drohen, handelte das amerikanische Außenministerium jedenfalls bereits in sicherer Kenntnis der negativen sowjetischen Haltung und brauchte nicht zu befürchten, seiner Ankündigung Taten folgen lassen zu müssen. Am 10. Dezember forderte Kriegsminister Patterson das State Department erneut auf, alle Möglichkeiten zur Ausübung politischen und wirtschaftlichen Drucks auf Frankreich auszuschöpfen und die französische Kooperation bei der Schaffung deutscher Zentralverwaltungen zu erzwingen[40]. In seiner – bezeichnenderweise mehr als vier Wochen später erfolgenden – Antwort wußte das State Department nur eine praktische Anregung zu geben: das Kriegsministerium möge den amerikanischen Vertreter im Kontrollrat erneut anweisen, auf die Verwirklichung der Potsdamer Beschlüsse über deutsche Zentralverwaltungen zu dringen, »mit oder ohne die Beteiligung der Franzosen«[41]. Da zu diesem Zeitpunkt nun wirklich feststand, daß mit der sowjetischen und britischen Zustimmung zu einer Taktik im Sinne Clays nicht zu rechnen war, hatte das State Department den Wunsch des Kriegsministeriums nach Druck auf Frankreich damit schon nicht mehr ausweichend behandelt, sondern abschlägig beschieden. Außerdem hat das State Department Frankreichs Territorialprogramm für Deutschland nicht viel anders aufgenommen als die britische und die sowjetische Regierung. Die französische Delegation, die sich unter der Leitung Couve de Murvilles vom 13. bis 20. November zu direkten französisch-amerikanischen Besprechungen in Washington aufhielt, begegnete keineswegs hartem amerikanischen Widerstand. Mit großem Ernst suchten die Gastgeber den Franzosen lediglich auseinanderzusetzen, daß allen Beteiligten aus einer Abtrennung des Rheinlands und des Ruhrgebiets von Deutschland schwerwiegende wirtschaftliche Nachteile entstehen würden; dabei widerlegten sie überaus höflich und unendlich geduldig die abenteuerlichen Zahlenspielereien, mit denen die französische Delegation die wirtschaftliche Lebensfähigkeit eines abermals verkleinerten Deutschland – und seine Fähigkeit zur Zahlung unverändert hoher Reparationen – beweisen wollte. Ein definitives amerikanisches »Nein« zu den französischen Wünschen wurde jedoch nicht ausgesprochen, und im Laufe der Gespräche konnten die Gäste sogar den Eindruck gewinnen, daß die amerikanische Regierung zumindest über den wirtschaftlichen Anschluß des Saarlands an Frankreich und über irgendeine Form der Internationalisierung des Ruhrgebiets schon noch mit sich reden lassen werde [42].

3. Die Spaltung des Okkupationsgebiets in SBZ und Westzonen

In dem Bewußtsein, straflos zu bleiben, weil die übrigen Besatzungsmächte doch andere Prioritäten kannten als die beständige Sorge um die Einheit des besetzten Deutschland, und in der Hoffnung, nur lange genug aushalten zu müssen, um wenigstens eine partielle Erfüllung der Ansprüche Frankreichs zu erreichen, setzte also die französische Regierung ihre Obstruktionspolitik im Kontrollrat unbeirrt fort; noch im Dezember 1945 verhinderte das Veto des Vertreters Frankreichs ein deutsches Patentamt und eine gesamtdeutsche Postverwaltung [43]. Als Folge der französischen Haltung bewahrheiteten sich die Befürchtungen jener Briten, die im Sommer 1945 die Potsdamer Reparationsvereinbarung so skeptisch beurteilt hatten, noch wesentlich rascher, als es sonst wohl der Fall gewesen wäre. Bereits im November 1945 konstatierte ein Berater Präsident Trumans, Deutschland werde nicht als Wirtschaftseinheit behandelt: »Was geschieht, läuft vielmehr, um ganz offen zu sprechen, auf die wirtschaftliche Zerstückelung Deutschlands hinaus.« [44] Im Mai 1946 berichtete General Clay nach Washington, daß jede der vier Besatzungszonen nach einem Jahr alliierter Herrschaft einen fast hermetisch abgeschlossenen Wirtschaftsraum darstelle und daß sich dies sowohl für die Wirtschaft jeder einzelnen Zone wie für die wirtschaftliche Entwicklung ganz Deutschlands katastrophal auswirke [45]. Daß Frankreich den Kontrollrat als politische Institution ausschaltete, hat aber vor allem auch dem – in London ebenfalls prognostizierten – Zerfall der politischen Einheit des deutschen Okkupationsgebiets ein geradezu atemberaubendes Tempo gegeben. Mit dem Versagen der zentralen Gewalt verschwand ja keineswegs der Zwang zu politischem Handeln in Deutschland, der sich einfach aus der Existenz der Deutschen ergab; außerdem war in Potsdam das Gebot zur Demokratisierung der Deutschen und zum Aufbau einer demokratischen deutschen Gesellschaft formuliert worden. Da nun der Kontrollrat von der ihm verliehenen Macht keinen Gebrauch machen konnte, ging die Ausübung der politischen Gewalt notwendig vom Gremium der Militärgouverneure auf den einzelnen Militärgouverneur in seiner Zone über. Jeder Militärgouverneur interpretierte danach jedoch die vagen Aufträge des Potsdamer Protokolls – in Verbindung mit der ihm vorgesetzten Regierung seines Landes – zwangsläufig in seinem Sinne und wirkte damit, ob willentlich oder unwillentlich, an einer Regionalisierung der Politik in Deutschland mit, die tatsächlich nahezu sofort in die Sonderentwicklung der einzelnen Zonen mündete. Ob es sich um die Struktur der Wirtschaft, die Ordnung der Gesellschaft oder die Gestalt der politischen Institutionen handelte, ob es um die Verfolgung der Kriegsverbrecher oder um die Entnazifizierung ging – in allen Dingen folgten die vier Zonen von Anfang an unterschiedlichen Impulsen und unterschiedlichen Entwicklungsprinzipien.

Die meisten Gemeinsamkeiten bewahrten die britische und die amerikanische Zone. Auf fast alle Besatzungsoffiziere, die der britischen und der amerikanischen Armee angehörten, machten, als sie ihren Fuß auf deutschen Boden setzten, die Verheerungen einen tiefen Eindruck, die der Krieg, namentlich der Luftkrieg, in Deutschland angerichtet hatte. Walter Millis verglich Berlin mit einer Mondlandschaft[46], und der Militärgouverneur von Hessen sprach in seinen Berichten eindringlich von der Atmosphäre des Todes und der Zerstörung, die in den deutschen Städten herrsche[47]. Offiziere wie Clay verarbeiteten derartige Eindrücke sogleich zu dem Schluß, daß das vom Sicherheitsbedürfnis diktierte wichtigste Kriegsziel der Alliierten, nämlich die Vernichtung des deutschen Rüstungspotentials, »durch die Entwicklung des Krieges selbst erreicht« worden sei, wie Clay bereits am 26. April 1945 an John McCloy schrieb, damals an führender Stelle im amerikanischen Kriegsministerium tätig[48]. Zwar sahen sich die britischen und amerikanischen Besatzungsoffiziere an den in Jalta und Potsdam von den Alliierten aufgestellten Grundsatz gebunden, daß Deutschlands Industrie rigoros verkleinert werden müsse; speziell die Amerikaner hatten eine solche Weisung auch mit der Direktive JCS 1067 erhalten, jener schriftlichen Anleitung für die amerikanische Besatzungspolitik, die von Präsident Truman am 11. Mai 1945 genehmigt worden war[49]. Noch am 26. März 1946 verabschiedete der Kontrollrat – als eines seiner wenigen gemeinsamen Produkte – einen »Industrieplan«, der die industrielle Produktion Deutschlands auf 50 bis 55 Prozent des Standes von 1938 begrenzte, was etwa dem Niveau des trostlosen Krisenjahres 1932 entsprach[50]. Auf der anderen Seite wußten die angloamerikanischen Prokonsuln sehr genau, daß ihre Regierungen, wie sie mit ihrer Haltung in der Reparationsfrage demonstrierten, die Politik der oktroyierten Wirtschaftsdepression schon zu verlassen begonnen. Wenn etwa Clay nach seinen ersten Erfahrungen in Deutschland alsbald wieder normale politische Überlegungen anstellte und dabei zu der Ansicht kam, daß seine Politik in der amerikanischen Zone auf die Entlastung der Steuerzahler in den USA bedacht sein, die Wichtigkeit Deutschlands als eines künftigen Wirtschaftspartners im Auge behalten und auch die deutsche Bevölkerung gegen kommunistische und sowjetische Einflüsse immunisieren müsse, so durfte er sich sagen, daß er parallel zu Tendenzen dachte, wie sie in Washington ebenfalls allmählich die Oberhand gewannen. Während dieser Wandlung konnte sich dann sogar Aufbaustimmung ausbreiten, die Lust zu konstruktiver Arbeit im eigenen Besatzungsgebiet. Jedenfalls bildeten sich die britischen und amerikanischen Besatzungsoffiziere die Überzeugung, daß sie unverzüglich darangehen müßten, den Deutschen ihrer Zonen die Sicherung des Existenzminimums aus eigener Kraft zu ermöglichen und wenigstens eine begrenzte wirtschaftliche Erholung zu fördern. Es ist bezeichnend, daß Lewis Douglas, ein Berater Clays, die wirtschaftlichen Richtlinien der Direktive JCS 1067 schon vor der Kapitulation das Werk »ökonomischer Idioten« nannte[51], und Clay selbst erklärte in dem erwähnten Schreiben an McCloy dezidiert: »Wenn die Deutschen auch nur einen minimalen Lebensstandard erhalten sollen, müssen wir hier die Freiheit haben, die Produktion der Industrie wieder anzukurbeln.«

Der Augenschein in Deutschland bestätigte ferner, daß die Deutschen zur Sicherung des Existenzminimums auf Einfuhren angewiesen waren, daß also gerade auch die deutschen Exportindustrien angekurbelt und mit ihren Produkten in erster Linie die notwendigen Importe – nicht etwa Reparationen – finanziert werden mußten. General William H. Draper, der – im Zivilberuf Bankier – als Clays Wirtschaftsberater fungierte, hat darauf bereits am 8. August 1945 nachdrücklich hingewiesen[52]. Daß sie sich mit dieser Erkenntnis ebenfalls im Einklang mit der in Washington und London herrschenden Auffassung befanden, wurde den Chefs der amerikanischen und der britischen Militärregierung spätestens gegen Ende 1945 zur Gewißheit. So erhob der Leiter der Abteilung für zivile Angelegenheiten im amerikanischen Kriegsministerium, General Hilldring, die erkannte Notwendigkeit am 8. Dezember 1945 zur Devise amerikanischer Besatzungspolitik und teilte Clay – im Einvernehmen mit dem State Department – mit, die Vereinigten Staaten hätten nicht die Absicht, der deutschen Wirtschaft für alle Zeiten Grenzen zu setzen, und Deutschland müsse die zur Bezahlung seines Imports erforderliche Exportkapazität zugestanden werden[53]. Norwegische und schwedische Interventionen zugunsten einer größeren Bewegungsfreiheit der deutschen Wirtschaft brachten General Clay überdies bald zu der Einsicht, daß ein enger Zusammenhang zwischen der wirtschaftlichen Regeneration ganz Europas und der Entfaltung der deutschen Wirtschaftskraft bestand. Aus eigenem Antrieb wie auf Weisung ihrer Regierungen schickten sich also die britischen und amerikanischen Besatzungsbehörden in Deutschland an, in ihren Zonen genau die Wirtschaftspolitik zu verfolgen, für die die angloamerikanische Politiker mit der Potsdamer Reparationsvereinbarung die notwendige Freiheit erhandelt hatten.

Sicherlich stellten solche Einsichten und Richtlinien längere Zeit nicht viel mehr dar als Absichtserklärungen, die auf die praktische Wirtschaftspolitik der Besatzungsbehörden – gerade etwa in der Exportfrage – und erst recht auf die Lage der deutschen Wirtschaft noch kaum Einfluß auszuüben vermochten. Aber die Intention, der deutschen Wirtschaft im wohlverstandenen Interesse der Nachbarn Deutschlands und der Besatzungsmächte selbst wieder auf die Beine zu helfen, hatte doch auch sofortige positive Konsequenzen. Als General Hilldring am 8. Dezember Clay informierte, daß der deutschen Industrie bald eine gewisse Entwicklungsmöglichkeit geöffnet werden müsse, schrieb er, die Vereinigten Staaten betrachteten den – offiziell noch gar nicht verabschiedeten – Industrieplan mit seinen sehr engen Produktionsbegrenzungen lediglich als Provisorium, und er setzte hinzu, die USA hätten auch nicht die Absicht, friedlichen Zwecken dienende deutsche Industriebetriebe zu zerstören, selbst dann nicht, wenn es um den Schutz amerikanischer Märkte gehe[54]. Dieser Standpunkt – den sich die Briten freilich nur zögernd und nie ganz zu eigen machten – hat viele deutsche Unternehmen vor der Demontage bewahrt, sogar gegen direkte Intervention amerikanischer Konkurrenten. Amerikanische Textilproduzenten, Uhrenfabrikanten, Hersteller optischer Instrumente und sonstige Interessenten unternahmen erhebliche Anstrengungen, ihre deutsche Konkurrenz auf die Liste der Kriegsbetriebe und damit auf die Demontageliste setzen zu lassen. Hätten sich die Militärregierung und die Administration in Washington tatsächlich noch am Morgenthau-Plan oder an JCS 1067 orientiert, wäre derartigen Anstrengungen der Erfolg kaum versagt geblieben. So aber konnte sich die Intervention im allgemeinen nicht gegen den Widerstand Clays durchsetzen[55].

Auch bei der Organisation oder doch der steuernden Ermunterung des politischen Neuaufbaus in Deutschland folgten britische und amerikanische Besatzungsverwaltung nahezu gleichen Prinzipien. Zwar haben, entsprechend den unterschiedlichen Traditionen in den eigenen Ländern und auf Grund der unterschiedlichen deutschlandpolitischen Konzeptionen bei Kriegsende, die Amerikaner zunächst den in ihrer – in Süddeutschland gelegenen – Zone ohnehin kräftig entwickelten Föderalismus und die Exekutive begünstigt, die Briten dagegen Zentralismus und die Entstehung freier Institutionen der Gesellschaft wie Parteien, Gewerkschaften, Presse und Rundfunk. Aber dabei handelte es sich im Grunde nur um kurzfristige Prioritäten, im Ergebnis nur um Nuancen sekundärer Ordnung. In beiden Zonen entstanden und festigten sich jedenfalls, von der Mehrheit der deutschen Bevölkerung durchaus begrüßt, politische Strukturen, die vom angelsächsischen Liberalismus und vom angelsächsischen Demokratieverständnis geprägt waren.

Die Konzentration auf wirtschaftliche Leistungssteigerung, die Tendenz zur Verpflanzung westlicher Verfassungsformen und eine selbstverständliche Präferenz für eine den heimischen Zuständen verwandte Gesellschaftsstruktur haben in beiden Zonen auch dem alliierten Straf- und Umerziehungsprogramm ein fast gleichartiges Schicksal bereitet und zu fast gleichartigen Reaktionen auf gesellschaftspolitische Reformbewegungen in der deutschen Bevölkerung geführt. Britische Besatzungsmanager fragten bei deutschen Partnern bald mehr nach technischen oder organisatorischen Fähigkeiten als nach der etwaigen politischen Belastung, und die Entnazifizierung hat denn auch einen entsprechenden Verlauf genommen. Dem in der deutschen Bevölkerung weitverbreiteten – wenn auch nicht sonderlich tief verwurzelten – Wunsch nach zumindest partieller Sozialisierung der Produktionsmittel begegneten die meist konservativen britischen Besatzungsoffiziere kühl und oft sogar ablehnend. Die im Sommer 1945 gewählte britische Labour-Regierung, die damals selbst ein Verstaatlichungsprogramm exekutierte, scheint die britische Militärregierung allerdings nicht gerade zur Unterstützung reformwilliger Gruppen in der deutschen Zone gedrängt zu haben. Das hing gewiß mit der schon früh und deutlich gezeigten amerikanischen Mißbilligung einer sozialistisch gefärbten Gesellschaftspolitik zusammen, auf die jede britische Regierung angesichts der finanziellen und außenpolitischen Abhängigkeit von Washington Rücksicht zu nehmen hatte, zumindest in Deutschland, wo die Briten ihr Vorgehen mit der amerikanischen Besatzungspolitik abstimmen mußten. Jedoch dürfte auch eine Rolle gespielt haben, daß gerade die britische Regierung sich die im Rahmen der Demontagen mögliche Liquidierung einzelner deutscher Werke nicht erschweren wollte, indem sie half, diese Werke aus dem Besitz von – vielleicht noch politisch belasteten – Privatpersonen in das Eigentum eines immerhin bereits als politisch förderungswürdig erklärten neuen deutschen Staatswesens zu überführen, und daß gerade die britischen Anhänger der Sozialisierung, überzeugt von der höheren Effizienz einer verstaatlichten Industrie, ihrer eigenen Wirtschaft einen gewissen Vorsprung vor der bald wieder zu erwartenden deutschen Konkurrenz wahren wollten[56].

Die amerikanischen Besatzungsbehörden hielten zwar zäher an einer umfassenden Entnazifizierung fest, da sie stärker und länger an einer zumindest personellen Umschichtung in der deutschen Gesellschaft interessiert waren, an einer Ablösung der während der NS-Zeit herrschenden Gruppen durch vertrauenswürdige Kräfte; in diesem Sinne verstanden sie die Entnazifizierung durchaus als Instrument einer »politischen und sozialen Revolution«. Aber die Feststellung und Ahndung individueller politischer Schuld erwies sich doch als unlösbare Aufgabe, zumal es die Tribunale mit einem zu hohen Prozentsatz der Bevölkerung zu tun hatten, und die erwies sich vor allem als untaugliches Mittel zur revolutionären Ablösung ganzer Gruppen der Gesellschaft [57]. Die Folge war Resignation, und so setzten sich auch in den amerikanischen Besatzungsbehörden allmählich Gesichtspunkte der Effizienz – im Hinblick auf Wirtschaft und namentlich Verwaltung – durch, die dann wiederum von jenen Gruppen der deutschen Gesellschaft mit großem Geschick ausgebeutet wurden, die durch die Entnazifizierung als Gruppen bedroht, jedoch stets nur mit Einzelpersonen betroffen waren. Jedenfalls versickerte die Entnazifizierung wie in der britischen so auch in der amerikanischen Zone, und die überkommene Eigentumsordnung und die bestehende Gesellschaftsstruktur ließ die amerikanische Militärregierung erst recht nicht antasten. Wohl wußten die Spitzenfunktionäre des amerikanischen Besatzungsapparats, daß sie in einem Deutschland, dessen Wirtschaft unter verheerenden Kriegsfolgen ebenso litt wie unter der künstlichen Begrenzung der produktiven Kraft durch die Siegermächte und der erzwungenen Isolierung vom normalen internationalen Handel, nicht ohne die – großenteils vom NS-Regime geerbten – Instrumente der Zwangsbewirtschaftung auskommen konnten. Jedoch waren sie, die häufig selbst der Leitung großer amerikanischer Industriebetriebe, Handelsunternehmen oder Banken angehört hatten, ehe sie als Experten die Uniform eines Generals oder Colonels anzogen, nicht von Zweifeln an der grundsätzlichen Richtigkeit und Überlegenheit von »free enterprise« angekränkelt. Die gewaltigen Leistungen der amerikanischen Wirtschaft im eben zu Ende gegangenen Krieg hatten die Depression der dreißiger Jahre zwar nicht aus dem Gedächtnis gelöscht, aber doch zu einer fast unwirklichen Erscheinung aus einem Alptraum gestempelt. So haben Clay und Berater wie Draper, ohne die Äußerung sozialistischer Überzeugungen und die Propagierung sozialistischer Ziele zu unterdrücken, gegen Ansätze der Deutschen zur Realisierung sozialistischer Programmpunkte zumindest hinhaltenden Widerstand geleistet und außerdem sozialistischen Ideen den Wind aus den Segeln zu nehmen versucht. Clay untersagte z. B. die Anwendung der Sozialisierungsbestimmung in der hessischen Verfassung, weil über eine so wichtige Frage das ganze deutsche Volk entscheiden können müsse, und er ist auch dann bei seiner Ablehnung geblieben, als ihm aus Washington mitgeteilt wurde, die amerikanische Regierung habe gegen demokratisch beschlossene Sozialisierungsmaßnahmen in Deutschland nichts einzuwenden. General Clay machte ferner kein Hehl daraus, daß er selbst die schon aus Gründen der Effizienz nur halbherzig verfolgte Dekartellisierung mittlerweile vor allem als Mittel betrachte, die Forderung nach Sozialisierung zu unterlaufen[58].

Kurz gesagt: die amerikanische und britische Besatzungspolitik brachte durch Umerziehung und bewußte Förderung westliches Denken und westliche politische Leitbilder in zwei der vier Besatzungszonen und leistete dort zugleich einen wesentlichen Beitrag sowohl zur keineswegs selbstverständlichen Behauptung der traditionellen deutschen Führungsschichten wie zur erstaunlich raschen Stabilisierung einer bürgerlich-kapitalistischen Ordnung von Wirtschaft und Gesellschaft.

Schon zur französischen Zone ergaben sich daraus leichte Unterschiede. Frankreich, auf wirtschaftlichem Felde vornehmlich an der Ausbeutung seiner Besatzungszone interessiert, betrieb im übrigen eine Politik, die – nur notdürftig mit einem Schleier liberaler und demokratischer Phrasen bedeckt – an der extremen Föderalisierung Südwestdeutschlands arbeitete und den Besatzungsbehörden möglichst viele politische wie administrative Kompetenzen vorbehielt[59]. Alle drei Elemente wirkten naturgemäß retardierend auf die Entwicklung des deutschen politischen Lebens. Jedoch ergab sich daraus – im Vergleich zur britischen und zur amerikanischen Zone – lediglich eine gewisse politische Zurückgebliebenheit des französisch besetzten Gebiets. Weder in verfassungspolitischer noch in gesellschaftspolitischer Hinsicht wurde die französische Zone auf einen eigenen Weg gezwungen, ihre Fähigkeit zur Vereinigung mit den beiden Westzonen zu keiner Zeit in Frage gestellt.

Indes entstand ein tiefer Graben zwischen den westlichen Zonen und dem sowjetischen Besatzungsgebiet. Da der funktionsunfähige Kontrollrat nicht in der Lage war, eine Kette von politischen Richtlinien zu schmieden, die für alle vier Zonen verbindlich gewesen wäre, folgte auch die sowjetische Besatzungspolitik ungehemmt der ohnehin vorhandenen Tendenz, die Verhältnisse in ihrer Zone einfach nach dem Vorbild der Zustände im eigenen Land zu formen. Der Bodenreform von 1945, die den agrarischen Großgrundbesitz entschädigungslos enteignete und zugleich auf dem Lande weithin so ungünstige Besitzverhältnisse schuf, daß die Kollektivierung als eines Tages einzig möglicher Ausweg schon zu ahnen war, schlossen sich bald weitere tiefe Eingriffe in das deutsche Gesellschaftsgefüge an[60]. Derartige Maßnahmen mochten mit dem Potsdamer Demokratisierungsgebot vereinbar sein und in der Grundrichtung – nicht in der Art der Durchführung – auch die Zustimmung großer Teile der deutschen Bevölkerung finden. Aber einseitige Aktionen in so entscheidenden Fragen der gesellschaftspolitischen Orientierung standen in klarem Gegensatz zum Geiste des Potsdamer Einheitsgebots. Sie isolierten die sowjetische Zone vom übrigen Deutschland effektiver als eine Staatsgrenze, wenngleich die Isolierung bereits früh auch darin zum Ausdruck kam, daß die westliche Grenze der Zone sowohl von den sowjetischen Besatzungsbehörden wie von ihren deutschen Organen in der Tat als Staatsgrenze behandelt wurde, und zwar als die nur schwer überschreitbare Grenze eines Staates mit feindlichen Nachbarn. Jedoch begnügten sich die sowjetischen Besatzungsbehörden nicht mit der gesellschaftspolitischen Revolution, sondern suchten auch das politische System in ihrer Zone dem sowjetischen Muster anzupassen. Schon im April 1946 erzwangen sie die Vereinigung von KPD und SPD, wobei sie dafür sorgten, daß in der so geschaffenen Sozialistischen Einheitspartei Deutschlands die tatsächlich einflußreichen Positionen von Kommunisten besetzt wurden, und dieser SED schoben sie dann ohne Rücksicht auf die Mehrheitsverhältnisse in der Bevölkerung alle politische Macht zu, die sie nicht selbst beanspruchten; die noch geduldeten bürgerlichen Parteien sahen sich zu einer bloßen Statistenrolle verurteilt. Die sowjetische Besatzungspolitik legte also das Fundament einer Einparteiendiktatur, und das war mit dem Potsdamer Demokratisierungsauftrag natürlich nur dann vereinbar, wenn man den sowjetischen Demokratiebegriff für maßgebend hielt. Eine deutliche Mehrheit der Bevölkerung tat das nicht, hätte vielmehr lieber das westliche Demokratieverständnis praktiziert gesehen[61].

Auch die Westmächte gerieten mit der Niederhaltung gesellschaftspolitischer Reformen in ihren Besatzungszonen in einen gewissen Gegensatz zu Potsdam und zur deutschen Bevölkerung. Doch war der Gegensatz zu Potsdam nicht unüberbrückbar, und die Distanz zu den Deutschen verringerte sich ständig, bis sie sich vorerst fast ganz schloß. Die neuerliche Verpflanzung westlicher Verfassungsprinzipien wirkte für Deutschland, das eine erfolgreiche politische bürgerliche Revolution bislang nur als Episode erlebt hatte, revolutionär genug, und sie wirkte außerdem, da in scharfem Kontrast zu den Anfängen der Weimarer Republik diesmal begrüßt, als ein Element der Versöhnung zwischen Siegern und Besetzten. Gleichzeitig verloren die gesellschaftspolitischen Reformideen an Überzeugungskraft, nicht zuletzt unter dem Einfluß eines allmählich breiter werdenden Überdrusses an Bewirtschaftung und staatlichen Zwängen aller Art. Nicht nur im Hinblick auf Wirtschaft und Gesellschaft breitete sich unter der noch straff gespannten Decke staatlicher Lenkung, Erfassung und Verteilung bereits der Triumph liberaler Grundsätze vor, kündigte sich die Ablösung sozialistischer Politik durch Sozialpolitik an. Die sowjetische Besatzungsmacht manövrierte sich hingegen mit dem Oktroi

eines überwiegend abgelehnten politischen Systems in einen schwer kor-
rigierbaren Gegensatz zu Potsdam und in einen noch schwerer korrigier-
baren Gegensatz zur Bevölkerung sowohl der eigenen Zone wie der drei
anderen Zonen. Daß die sowjetischen Besatzungsbehörden parallel zu
ihrer politischen Aufbauarbeit mit der rücksichtslosen Exekution eines
umfassenden Reparations- und Demontageprogramms fortfuhren, hat
die Attraktivität ihrer politischen Exportware auch nicht gerade erhöht[62].
Die einzige Nutznießerin der sowjetischen Politik, die SED, wurde naturgemäß in den gleichen Gegensatz zu Potsdam und zur deutschen Bevölkerung gezogen. Seit Beginn ihrer Existenz von der Sowjetunion abhängig,
band sie sich durch den erzwungenen Erfolg noch fester an ihre Protektoren, und am Ende trennte der tiefe Graben, der zwischen der sowjetisch
besetzten Zone und den drei Westzonen entstand, vor allem auch die
mächtigste deutsche politische Gruppe der SBZ von den westlichen Besatzungsmächten und vom übrigen Deutschland. Die schroffe Feindselig-
keit, die führende deutsche Kommunisten wie Ulbricht und Pieck schon
1945 und erst recht 1946 stets an den Tag legten, wenn sie Unterhaltungen
mit westlichen Repräsentanten in Berlin einmal nicht vermeiden konnten, hat dieses Verhältnis gelegentlich eindrucksvoll illustriert[63].

4. Zielkonflikte in der amerikanischen Deutschlandpolitik: Erste Ansätze der Weststaatskonzeption

Daß die alliierten Besatzungsbehörden westlich der Elbe die Struktur
einer bürgerlich-kapitalistischen Gesellschaftsordnung fixierten und als
energische Gärtner das Wachsen der Institutionen einer parlamentarischen Demokratie förderten, hingegen östlich der Elbe das Fundament
einer sozialistischen Gesellschaftsordnung legten und mit grober Gewalt-
samkeit den Weg in eine Einparteiendiktatur freiboxten, schuf also Unterschiede, die bereits Stationen eines politischen Spaltungsprozesses
darstellten und im Grunde schon eine revolutionäre Umwälzung in einer
der beiden voneinander wegdriftenden Hälften Deutschlands zur Voraussetzung einer Wiedervereinigung machten. Auch begründeten die Siegermächte mit ihren Interventionen ein natürliches Interesse am Erfolg ihrer
Politik in Deutschland und eine Verpflichtung zum Schutz sowohl der
mitgeschaffenen Zustände wie der jeweils protegierten deutschen Kräfte.
Träger dieses Engagements und seiner keineswegs im voraus kalkulierten
Konsequenzen waren in erster Linie die Besatzungsbehörden selbst, die
nun die heimischen Regierungen in solchem Sinne zu beeinflussen suchten; für die amerikanische Seite ist denn auch unverkennbar, daß die in
Deutschland amtierende Militärregierung, die ja überdies von einer star-

ken Persönlichkeit mit guten Verbindungen in Washington geleitet wurde, in allen deutschlandpolitischen Fragen ein von Monat zu Monat gewichtigeres Wort mitsprach. Doch konnte in London, Washington und Moskau auch ohne derartigen Druck nicht lange übersehen werden, daß in Deutschland neue britische, amerikanische und sowjetische Interessenfelder entstanden, die nicht mehr einfach preisgegeben werden durften. Die Sowjetunion tat noch ein übriges, indem sie sich in ihrer Besatzungszone auch wirtschaftlich festsetzte: Am 30. Oktober 1945 beschlagnahmte die SMAD das gesamte Eigentum des deutschen Staates, der NSDAP, ihrer Amtsleiter und der Wehrmacht, wonach sie einen beträchtlichen Teil der konfiszierten Betriebe, darunter die Leunawerke und die Bunawerke, zu »Sowjetischen Aktiengesellschaften« (SAG) und zum Eigentum der UdSSR erklärte; noch 1948 betrug der Anteil der SAG an der industriellen Bruttoproduktion der SBZ rund 20 Prozent. Die Folge war unvermeidlich: in Ost und West faßte die von der Entwicklung der wechselseitigen Beziehungen und der größeren politischen Lage völlig unabhängige Überzeugung Fuß, daß die als Voraussetzung der Rückkehr zu gesamtdeutscher Politik notwendige Umwälzung jedenfalls nicht im eigenen, sondern jeweils im anderen Besatzungsgebiet stattzufinden habe. Gleichwohl haben zumindest die damaligen amerikanischen und sowjetischen Akteure eine gemeinsame Deutschland- und Besatzungspolitik nicht nur für wünschenswert, sondern auch noch geraume Zeit für möglich gehalten. In einer Situation, in der zahllose Alltagsprobleme die Aufmerksamkeit beanspruchten und die Sicherung der nackten Existenz der deutschen Bevölkerung die Energien absorbierte, vermochten gerade die Besatzungsbehörden kein klares Bild von der bereits wirksamen Grundtendenz der Entwicklung in Deutschland zu gewinnen. Offensichtlich bemerkten sie kaum, daß sie selbst einen wesentlichen Beitrag zur beginnenden Spaltung Deutschlands leisteten, schon gar nicht interpretierten sie den Vorgang sofort als einen von der anderen Seite bewußt gesteuerten Prozeß [64]. Für die deutsche politische Szenerie und als Gefahr für die Erhaltung der deutschen Einheit besaß z. B. der erzwungene Zusammenschluß von KPD und SPD eine kaum zu überschätzende Bedeutung, weil er die deutsche Linke in einen östlichen und einen westlichen Teil trennte, die lange Jahre zu keiner politischen Zusammenarbeit mehr fähig sein konnten und sogar in ihrer Aktivität auf verschiedene Regionen Deutschlands beschränkt waren. Die deutschen Politiker begriffen denn auch sogleich die Wichtigkeit dieses Akts und reagierten entsprechend. Hingegen wurde das Verhältnis zwischen SMAD und amerikanischer Militärregierung durch die Gründung der SED zunächst nicht beeinträchtigt. General Clay nahm die Zwangsvereinigung gelassen auf und erklärte während einer Konferenz mit seinen Mitarbeitern, solche Dinge in der sowjetischen Besatzungszone gingen ihn nichts an, da jeder Zonenbefehlshaber für seinen Bereich allein verantwortlich sei[65]. Wie wenig Clay sich veranlaßt sah, das Vorgehen seiner sowjetischen Kollegen in Deutschland kritisch zu bewerten, geht auch daraus hervor, daß es bis zum 1. Juni 1946 dauerte, ehe er die Beziehungen zu den Sowjets erstmals intern als problematisch erwähnte[66].

Clay hielt sich an das, was er im Kontrollrat ständig erlebte; der Bösewicht in der alliierten Deutschlandpolitik war daher in seinen Augen Frankreich. Weil ihm nicht einleuchten wollte, daß der französische Widerstand gegen eine vernünftige Arbeit der Alliierten in Deutschland unüberwindlich sein sollte, reagierte er aber auf die von Frankreich verursachte Funktionsunfähigkeit des Kontrollrats und auf die Folgen für die deutsche Einheit zunächst keineswegs mit Resignation oder gar mit dankbarer Konzentration auf die separate politische Organisation der Westzonen, sondern mit wachsender Ungeduld. Selbstverständlich beobachteten auch die amerikanischen Repräsentanten in Berlin – dafür schließlich am besten postiert –, daß die Sowjetunion, wie Murphy am 24. Februar 1946 feststellte, »sich die französische Obstruktion voll zunutze gemacht hat, um die sowjetische Position in Ostdeutschland zu konsolidieren«[67]. Clay und Murphy nahmen ferner zur Kenntnis, daß andere Amerikaner, so die leitenden Angehörigen der amerikanischen Botschaft in Moskau, aus der sowjetischen Konsolidierungspolitik bereits den Schluß zogen, die Sowjetunion wolle ebenfalls keine deutschen Zentralverwaltungen, sondern vorerst einen von Moskau abhängigen separaten ostdeutschen Staat, weshalb sie sich hinter den französischen Vetos lediglich versteckt habe und bei einer konstruktiven Haltung Frankreichs selbst eine obstruktive Taktik praktiziert hätte. George Kennan suchte das amerikanische Außenministerium am 22. Februar einmal mehr vom grundsätzlichen Expansionismus der sowjetischen Politik zu überzeugen, und zwar in einer umfänglichen Depesche, die als Kennans »langes Telegramm« in die Geschichte des State Department einging[68]. Am 6. März sandte er ein weiteres Telegramm, in dem er aus seinem Urteil über die sowjetische Deutschlandpolitik schon die Folgerung ableitete, daß nun auch die Vereinigten Staaten kein Interesse an deutschen Zentralverwaltungen mehr haben könnten und sich auf die politische Organisation der Westzonen konzentrieren müßten; wenn die Sowjetunion eines Tages deutschen Zentralverwaltungen zustimmen werde, dann nur, um – ohne ihre solide Herrschaft in Ostdeutschland gefährden zu lassen – über solche zentrale deutsche Behörden Einfluß auf Westdeutschland zu gewinnen[69]. Walter Bedell Smith, vor kurzem noch Stabschef Eisenhowers und jetzt als Nachfolger Harrimans Botschafter in Moskau, schloß sich der Meinung seines Stellvertreters an und schrieb am 2. April, wie Kennan glaube er, daß die

Sowjetunion »in Ostdeutschland eine antifaschistische Republik als Vor-
stufe eines sowjetisch-sozialistischen Staates oder wenigstens eines direkt
Moskau zugeordneten Staates schaffen« werde. »Unerwünscht, wie das
von unserem Standpunkt aus ist, werden wir es vielleicht nicht verhindern
können und sollten für unser Handeln einen Kurs wählen, der zwar auf
unser Ideal einer Zentralregierung zuführt, unterwegs aber ein an der
westlichen Demokratie orientiertes Westdeutschland hervorbringt.« Zunächst sei, nach der Bildung zentraler Regierungsapparate in jeder der
drei Westzonen, eine temporäre Regierung für die drei Westzonen ins
Leben zu rufen, natürlich mit dem letzten Ziel, diese westdeutsche Regierung mit der unter sowjetischem Protektorat stehenden Regierung der
Ostzone zur gesamtdeutschen Zentralregierung zu vereinigen. »Meine
persönliche Überzeugung ist, daß jener letzte Schritt vielleicht nie getan
wird.«[70]
Jedoch pflichteten weder Clay und Murphy noch die Spitzen des State
Department den Schlüssen der in Moskau stationierten Kollegen bei. Zu
diesem Zeitpunkt hielten sie es noch immer für möglich, den in Ostdeutschland beobachteten Prozeß anzuhalten und zumindest partiell
rückgängig zu machen, falls der französische Widerstand gegen die
deutsche Einheit rasch gebrochen werde. In ihren Augen war auch die
Sowjetunion nach wie vor zu gesamtdeutschen Lösungen der ständig be-
drängender werdenden wirtschaftlichen Probleme und folglich zu gesamtdeutscher Politik bereit. Sie konstatierten sogar mit zunehmender
Besorgnis, daß die SMAD den deutschen Kommunisten markige Proteste
gegen die französischen Zerstückelungspläne gestattete und daß damit die
Sowjetunion als die große Schirmherrin der deutschen Einheit den Westmächten bei der deutschen Bevölkerung den Rang abzulaufen drohte[71].
Das mahnte einerseits ebenfalls zu höchster Eile, durfte aber andererseits
als Indiz dafür verstanden werden, daß eine Beteiligung der Sowjetunion
an energischen anglo-amerikanischen Schritten gegen Frankreich noch
durchaus erreichbar sei. So appellierte Murphy – und zwar wie bisher zur
Überwindung einer französischen Sicherheitskonzeption, die »veraltet
und ohne Bezug zur derzeitigen Situation« sei – Ende Februar erneut an
das State Department: »Hier herrscht die wachsende Überzeugung, daß
hinsichtlich eines der grundlegenden Elemente der Potsdamer Entscheidung, nämlich der deutschen Zentralverwaltungen, die Zeit überreif ist,
eine härtere und aggressivere Haltung einzunehmen.«[72] In solcher Lage
und Stimmung konnten die Argumente Kennans und seines Botschafters
auf Clay und Murphy nur als Sporenstiche wirken. Nachdem der Versuch
einer trizonalen Kooperation mit Briten und Sowjets bereits gescheitert
war und da die in den ersten Monaten des Jahres 1946 immerhin tatsächlich intensivierten Demarchen des State Department in Paris abermals

nicht den geringsten Effekt zeitigten, nahm Clay zu anderen Mitteln Zuflucht. Als er Anfang Mai 1946 die Demontagen in der amerikanischen Zone stoppte und nahezu alle Reparationslieferungen aus seiner Zone untersagte, handelte er in der Hoffnung, mit seiner Maßnahme das stark betroffene Frankreich zu einer konzessionswilligen Politik im Kontrollrat zwingen und die ebenfalls betroffene Sowjetunion endlich zu aktiver Bundesgenossenschaft gegen die französische Obstruktion nötigen zu können[73].

Das Manöver schlug allerdings völlig fehl. Die tatsächliche Folge bestand darin, daß die Pariser Politiker, die gar nicht daran dachten, ihre Sicherheitspolitik kurzfristigen und relativ bescheidenen reparationspolitischen Vorteilen zu opfern, eine noch größere Intransigenz an den Tag legten und daß die Sowjetunion erst recht eine separate Besatzungspolitik betrieb; für die wirtschaftliche Abschließung der sowjetischen Zone gab es nun sogar eine Art Rechtfertigung. Aus Clays Fehlschlag mußte vielmehr die Lehre gezogen werden, daß dem rapiden Zerfall der deutschen Einheit weder von den Besatzungsbehörden noch überhaupt in Deutschland beizukommen war. Auch eine weitere Idee Clays zeigte, wie notwendig es wurde, die Ebene des Kontrollrats und der Zonenbefehlshaber zu verlassen. Nach dem Versagen seines reparationspolitischen Hebels griff der frustrierte General sein ursprüngliches Konzept der Zonenvereinigung wieder auf, jetzt freilich ohne eine sofortige sowjetische Mitwirkung vorzusehen. Am 26. Mai 1946 schlug er dem Kriegsministerium und dem State Department als Ausweg aus der wirtschaftlich und politisch unerträglich gewordenen Situation vor, die Wiederherstellung der deutschen Wirtschaftseinheit durch den Zusammenschluß zunächst allein der amerikanischen und der britischen Besatzungszone einzuleiten[74]. Daß ein derartiger Akt, im Augenblick Ausdruck schierer Verzweiflung und Ratlosigkeit, statt zu der gewünschten Überwindung des seltsamen Patts im Kontrollrat und zum Anschluß der beiden übrigen Zonen zu führen, am Ende die Besiegelung und Vertiefung der faktisch gegebenen Teilung Deutschlands bescheren mochte, war nicht zu übersehen. Daher verbot es sich, eine so gefährliche Bahn zu betreten, ohne vorher alle Möglichkeiten der Rückkehr zu einer gemeinsamen Deutschlandpolitik der Alliierten auf höherer Ebene getestet zu haben. Jedenfalls schien evident zu sein, daß die einzige Chance, das außer Kontrolle geratene Deutschlandproblem doch noch erfolgreich zu behandeln, in einem neuen Anlauf zur direkten Verständigung zwischen den Regierungen der vier Besatzungsmächte lag. Schließlich hatten in Potsdam die »Großen Drei« mit dem Rat der Außenminister eine zur Bewältigung solcher Aufgaben prädestinierte Institution geschaffen.

5. Krisen im Rat der Außenminister als Stufen der Anerkennung des europäischen Status quo durch die Weltmächte

Freilich standen auch für einen Erfolg des Rats der Außenminister die Zeichen alles andere als günstig. Der Rat sollte ja zunächst die Friedensverträge mit Italien, Finnland, Ungarn, Rumänien und Bulgarien vorbereiten. So kam die Beschäftigung mit deutschen Problemen noch zu früh, im Grunde als Störung, zumal der Rat bei seiner Arbeit an jenen Friedensverträgen nur mühsam Fortschritte erzielte. Die erste Konferenz der Außenminister, die vom 11. September bis zum 2. Oktober 1945 in London stattfand, produzierte weit mehr Meinungsverschiedenheiten und Streitereien als brauchbare Ergebnisse und endete dann sogar mit einem beschämenden Fehlschlag. Schon die Erörterung des Vertrags mit Italien brachte – wie die Potsdamer Konferenz – muntere und vorerst gänzlich unproduktive Auseinandersetzungen über den sowjetischen Anspruch auf eine der italienischen Kolonien in Nordafrika, über den von Moskau wiederum unterstützten jugoslawischen Anspruch auf Triest und über den Anspruch der Sowjetunion auf italienische Reparationen[75]. Der eigentliche Konflikt drehte sich aber um Südosteuropa. Molotow versuchte anfänglich, Byrnes, Bevin, Bidault und dem chinesischen Außenminister Wang einzureden, mit einigen leichten und am besten allein von sowjetischen Redakteuren vorzunehmenden Retuschen seien die mit Ungarn, Rumänien und Bulgarien getroffenen Kapitulationsvereinbarungen als Friedensverträge brauchbar; das hätte in der Tat Dokumente ergeben, mit denen die sowjetische Dominanz in jenen Ländern international anerkannt und völkerrechtlich garantiert worden wäre[76]. Auf ein so plumpes Manöver fielen die Vertreter der Westmächte jedoch nicht herein. Sie bestanden selbstverständlich auf der Aushandlung neuer und eigenständiger Verträge, erstens um durch die bloße Tatsache von Verhandlungen ihr Mitspracherecht zu demonstrieren und zweitens um in den Friedensverträgen selbst sowohl die politischen wie namentlich die wirtschaftlichen Interessen der Westmächte in Südosteuropa für die Zukunft zu sichern. Indes lag Molotow nichts ferner, als in dieser Hinsicht irgendwelche Konzessionen zu machen. Ebenso unzugänglich zeigte sich der sowjetische Außenminister, als ihm Bevin und Byrnes in konsequenter Fortsetzung der in Jalta und Potsdam verfochtenen Politik erklärten, daß die Westmächte nach wie vor entschlossen seien, von der Sowjetunion die Respektierung des politischen Pluralismus in Südosteuropa zu verlangen. Hier konzentrierte sich der Streit, nachdem die Polenfrage durch den kurz vor der Potsdamer Konferenz erreichten Kompromiß vorübergehend entschärft worden war, auf Rumänien. Das hing auch damit zusammen, daß die Sowjetunion ein halbes Jahr zuvor eine keineswegs repräsentative Regierung mit einer unbestreitbar groben Intervention in Bukarest installiert hatte und daß sowohl die sowjetischen Besatzungsbehörden wie ihre rumänischen Gehilfen westliche Journalisten ungewöhnlich schlecht behandelten; meist wurde ihnen die Einreise verwehrt, und wenn die beharrlichen Proteste westlicher Diplomaten doch einmal dem einen oder anderen Pressevertreter ein Visum verschafften, dann verhinderte eine ebenso rüde wie kleinliche Zensur jede vernünftige Arbeit und erzwang eine baldige Abreise. Beides bot Byrnes in der Debatte mit Molotow gute taktische Angriffspunkte, die der amerikanische Außenminister denn auch geschickt ausnutzte. Schließlich stellte Byrnes dezidiert fest, die Vereinigten Staaten könnten einen Friedensvertrag mit der amtierenden rumänischen Regierung nicht unterzeichnen; sie müsse erst durch eine gewisse Umbildung einen repräsentativeren Charakter erhalten[77].

In die fruchtlosen Wortwechsel drang allmählich Bitterkeit und ätzende Schärfe ein, nicht zuletzt deshalb, weil Molotow, der seine Ablehnung der ja lediglich auf die Herstellung von Normalität hinauslaufenden westlichen Forderung überhaupt nicht honorig oder irgendwie einleuchtend zu begründen vermochte, mehr und mehr zu völlig unsinnigen Argumenten und auch zu recht aufreizenden Lügen Zuflucht nahm. Bevin, temperamentvoll und direkt, ließ sich gelegentlich zu heftigen Ausbrüchen hinreißen; als ehemaliger Dockarbeiter und alter Gewerkschafter, der während des Bürgerkriegs in Rußland zur Unterstützung der Bolschewiki Streiks britischer Hafenarbeiter organisiert hatte, reagierte er auch auf die Unterstellung schlicht antisowjetischer Motive sehr empfindlich und revanchierte sich ab und an mit einem Vergleich zwischen sowjetischer und nationalsozialistischer Politik[78]. Byrnes, Veteran zahlloser zäher Verhandlungen im amerikanischen Kongreß und noch keineswegs gewillt, ein Ende der amerikanisch-sowjetischen Zusammenarbeit zu riskieren, blieb meist gelassen. Geduldig beschäftigte er sich mit Molotows Behauptung, Regierungen, die sich – wie die rumänische – zwar nicht der Zuneigung anglo-amerikanischer Korrespondenten, wohl aber der Liebe ihres Volkes erfreuten, seien doch besser als Regierungen, die – wie etwa die italienische – offenbar die Sympathie westlicher Journalisten genössen, dafür jedoch der Liebe ihrer Nation ermangelten[79], und ebenso geduldig widerlegte er, mit nachsichtigem Bedauern über die anscheinend nicht immer ganz zuverlässige Berichterstattung der sowjetischen Vertreter in Bukarest, Molotows dreiste Erklärung, in Rumänien gingen nicht weniger als 17 anglo-amerikanische Korrespondenten ungestört ihrer Arbeit nach[80]. Byrnes machte auch mehrmals den Versuch, die erstarrten Fronten durch inoffizielle Unterhaltungen mit Molotow aufzubrechen. So setzte er dem sowjetischen Außenminister am 16. September auseinander, daß die Vereinigten Staaten durchaus daran interessiert seien, in den Nachbarstaaten der UdSSR sowjetfreundliche Regierungen amtieren zu sehen. Aber in den derzeitigen provisorischen Kabinetten müßten, bis zu freien Wahlen und der Bildung dann wirklich demokratisch legitimierter Regierungen, alle wichtigeren Kräfte des jeweiligen Landes repräsentiert sein; sonst könnten ja schon die Freiheit und der demokratische Charakter der kommenden Wahlen nicht gesichert werden. Er, Byrnes, vermöge einfach nicht zu glauben, daß »sowjetfreundlich« und »repräsentativ« unversöhnliche Gegensätze seien. Danach flehte er Molotow geradezu an, für Rumänien wenigstens eine Lösung nach dem polnischen Muster zuzulassen[81]. Bevin ergänzte das am 21. September in offizieller Sitzung mit der Frage, ob denn Molotow unter einer sowjetfreundlichen Regierung tatsächlich nur eine »ausschließlich Rußland willfährige Regierung« verstehe[82].

Molotow gewann allmählich den Eindruck, daß er die Forderung der Westmächte nach Beteiligung an den Friedensverträgen mit den ehemaligen Satellitenstaaten Deutschlands in Südosteuropa fürs erste nicht abschütteln und daß er die sowjetisch-jugoslawischen Ansprüche gegen Italien nicht durchsetzen konnte. Auch begann sein Mangel an Argumenten geradezu peinlich zu werden. Mit wachsendem Verdruß mußte er schließlich noch zur Kenntnis nehmen, daß er vor allem in den südosteuropäischen Fragen keineswegs auf die anfänglich offensichtlich erhoffte Unterstützung durch Frankreich zählen durfte. Außenminister Bidault ließ sich bei seinem Verhalten mitnichten von der Rücksicht auf die kommunistischen Mitglieder der französischen Regierung bestimmen, vielmehr leitete ihn das traditionelle Interesse Frankreichs an politischem Einfluß auf dem Balkan; außerdem wußte er sehr gut, daß über die Erfüllung der deutschlandpolitischen Wünsche Frankreichs am Ende nicht die Sowjets entschieden, sondern die in Westdeutschland präsenten Briten und Amerikaner. Daher hat sich Bidault an Molotows Versuch, die Westmächte vom Balkan auszusperren, natürlich nicht beteiligt. In dieser Situation heckte Molotow ein taktisches Rezept aus, mit dem er den Rat der Außenminister in einen pfadlosen Sumpf prozeduraler Probleme locken, eine dann völlig ergebnislose Konferenz provozieren und so einen Aufschub der Verhandlungen bis zu einem günstigeren Zeitpunkt erreichen wollte; zugleich sollte Frankreich mit einem demütigenden Denkzettel bestraft werden. Am 22. September 1945 sagte der sowjetische Außenminister die für den Vormittag angesetzte offizielle Sitzung des Rats ab und bat Bevin und Byrnes zu sich[83]. Er müsse, so erklärte Molotow seinen mit zunehmender Konsternation lauschenden Zuhörern, eine Reorganisation des Rats der Außenminister vorschlagen. Daß zu Beginn der Konfe-

renz – fast zwei Wochen zuvor und mit seiner Zustimmung, wie er ein-
räumte – beschlossen worden sei, die Außenminister Frankreichs und
Chinas an den Diskussionen über die Friedensverträge mit den südosteuropäischen Staaten und womöglich mit Finnland teilnehmen zu lassen,
wenn auch ohne Stimmrecht, habe sich als Fehler erwiesen und stehe in
klarem Gegensatz zur Potsdamer Vereinbarung über den Rat der Außenminister. Laut Potsdamer Protokoll dürften über Finnland nur die Außenminister der Sowjetunion und Großbritanniens reden, über Ungarn,
Rumänien und Bulgarien lediglich die Außenminister der UdSSR, Großbritanniens und der USA; Frankreich sei allein bei Gesprächen über Italien zuzuziehen, und China habe bei der Erörterung europäischer Dinge
überhaupt nichts verloren. Werde künftig, so fügte er, seinen Vorschlag
zu einem Ultimatum steigernd, hinzu, nicht nach dem sowjetischen Verständnis von Potsdam verfahren, werde er sich an der weiteren Arbeit des
Rats nicht mehr beteiligen.
Wer sich – wie ohne Zweifel die Angehörigen der französischen Delegation – an die große Rolle erinnerte, die Frankreich während der Zwischenkriegszeit in Südosteuropa gespielt hatte, namentlich in Rumänien,
der mußte Molotows Verlangen, den französischen Vertreter schon von
der Besprechung südosteuropäischer Probleme auszuschließen, als unge-
heuerlich empfinden; Bevin hat das auch sofort zum Ausdruck gebracht.
Wer daran dachte, wie die Weltöffentlichkeit reagieren und wie die Zukunft des Rats aussehen würde, wenn mitten in einer Konferenz dieser
Institution die Entscheidung getroffen werden sollte, ein Ratsmitglied
aus den meisten Sitzungen zu verbannen und ein zweites Ratsmitglied
ganz nach Hause zu schicken, der mußte den sowjetischen Vorschlag bestenfalls als stupide Manifestation der Arroganz einer Weltmacht und
schlimmstenfalls als plumpes Manöver zur Zerstörung des Rats auffas-
sen; Bevin und Byrnes haben Molotow unverzüglich mit beiden Möglichkeiten der Interpretation konfrontiert[84]. Am sowjetischen Außenminister prallte solche Kritik ab. Bevin und Byrnes gaben zu, daß das
Potsdamer Protokoll bei der Ausarbeitung von Friedensverträgen nur jenen Siegerstaaten ein Stimmrecht zubillige, deren Unterschrift auf der
Kapitulationsurkunde des gerade behandelten Landes stehe, doch wiesen
sie darauf hin, daß das Protokoll keineswegs auch die Mitwirkung an der
Beratung verbiete; jedenfalls habe der Rat, wie ja mit seinem zu Konfe-
renzbeginn gefaßten Beschluß bewiesen, die Freiheit, das Potsdamer
Protokoll in diesem Sinne auszulegen. Bevin regte zudem an, zwar wie
bisher im Kreise von fünf Außenministern zu debattieren, jedoch die Un-
terausschüsse des Rats jeweils in der von Molotow geforderten Zusammensetzung tagen zu lassen[85]. Aber Molotow blieb für rationale Argumentation ebenso unempfindlich wie für das Angebot von Konzessionen.

Wohl machte er mit seinem Ultimatum nicht Ernst. Noch am Abend des 22. September erschien er zu einer offiziellen Sitzung des Rats, und in den folgenden zwei Wochen stellte er sich ebenfalls Tag für Tag pünktlich ein, freilich nicht ohne Bevin und Byrnes wieder und wieder in endlose Wortgefechte über die Frage zu verstricken, ob die Kollegen Bidault und Wang weiterhin anwesend sein dürften oder zu verabschieden seien. Bidault sollte bald Gelegenheit bekommen, Molotow die Serie persönlicher Kränkungen und die Demütigung Frankreichs heimzuzahlen[86]. Schließlich verwandelte der sowjetische Außenminister die Farce in absurdes Theater, indem er Bevin und Byrnes zur Erörterung des Ansinnens zwang, den Eröffnungsbeschluß der Konferenz über das Diskussionsrecht der Außenminister Frankreichs und Chinas nicht einfach zu revidieren, sondern für nie erfolgt zu erklären; in gleicher Weise, so behauptete er, müßten sämtliche vom 11. bis 22. September entstandenen Protokolle und sonstigen Konferenzdokumente aus der Geschichte gelöscht werden, die »unrechtmäßig« die Unterschrift Bidaults und Wangs trügen; dabei störte sich Molotow auch nicht daran, daß Wang bereits als Vorsitzender fungiert und deshalb von ihm persönlich unterzeichnete Konferenzdokumente im Namen des Rats der Außenminister an zahlreiche Regierungen versandt hatte[87].

Von den Zinnen einer Burg herab, die er Potsdam getauft hatte, schaute Molotow unbewegt auf das nervöse Gehabe der Repräsentanten zweier Weltmächte, wie sie ihn tagelang – bald von Beschwörungen, bald von Verwünschungen begleitet – anflehten, endlich aus seiner Veste herauszukommen und mit ihnen wieder vernünftig über die Nöte Europas zu reden. Byrnes erbat sich eine Botschaft Trumans an Stalin, die auch prompt noch am 22. September in Moskau übermittelt wurde. Unter anderem sagte der amerikanische Präsident: »Können wir uns nicht darauf verständigen, den einstimmigen Beschluß des Rats am Eröffnungstag als Einladung an Frankreich und China zur Teilnahme unter der Potsdamer Vereinbarung zu betrachten? Dies ist doch eine zu geringfügige Angelegenheit, um die Arbeit des Rats zu unterbrechen und den Fortschritt zum Frieden und zu einem besseren Verständnis zu verzögern.«[88]

Premierminister Attlee telegrafierte an Stalin: »Nach meiner Meinung steht der Erfolg der Konferenz und sogar die Zukunft des Rats wie auch des Vertrauens in einen gerechten Frieden auf dem Spiel. Daher hoffe ich ernstlich, daß Sie Ihre Delegation autorisieren werden, an der am 11. September getroffenen Entscheidung festzuhalten. Schließlich ist es der Frieden, den zu schaffen wir uns bemühen, und der Friede ist wichtiger als eine Verfahrensfrage.«[89] Stalin antwortete unbeeindruckt, sein Außenminister sei im Recht[90], und am 2. Oktober 1945 ging die erste Konferenz des Rats der Außenminister zu Ende, ohne brauchbare Ergebnisse erzielt oder auch nur Klarheit über den Fortgang der Dinge geschaffen zu haben.

Aber Byrnes, den die geringe Empfindlichkeit des geborenen Unterhändlers gegen unbefriedigend verlaufene Konferenzen auszeichnete, ließ sich durch den wenig verheißungsvollen Auftakt nicht entmutigen. Wieder in Washington, machte er sich sogleich daran, Mittel und Wege zur Überwindung des nun auch im Rat der Außenminister gegebenen Patts zu finden. Schließlich verfiel er auf die Idee, Stalin und Molotow eine nicht als offizielle Zusammenkunft des Rats zu wertende Konferenz vorzuschlagen, auf der – möglichst in Moskau – allein die Außenminister Großbritanniens, der Sowjetunion und der USA über Südosteuropa verhandeln sollten. So wollte er die sowjetische Forderung nach dem Ausschluß Frankreichs und Chinas faktisch erfüllen, ohne daß diese beiden Staaten und der Rat der Außenminister allzu böse und formal bloßgestellt wurden. Am 23. November übermittelte er sein Angebot an Molotow[91], und schon zwei Tage später hielt er die Zustimmung der mit einer solchen Lösung offenbar zufriedenen Sowjets in Händen[92]. Naturgemäß nahm die französische Regierung Byrnes' Einfall mit etwas säuerlicher Miene zur Kenntnis[93], und da es der amerikanische Außenminister für richtig gehalten hatte, seinen britischen Kollegen erst wenige Stunden vor dem Eingang der sowjetischen Antwort über die Angelegenheit zu informieren, mußte Byrnes in stürmischen transatlantischen Auseinandersetzungen sein ganzes diplomatisches Geschick aufbieten, um dem ob der amerikanischen Eigenmächtigkeit arg verstimmten Bevin das Einverständnis mit der Reise nach Moskau abzuringen[94].

Trotz der zwiespältigen Gefühle in Westeuropa erwies sich aber Byrnes' Schachzug in der Tat als hilfreich. Zwar konnte es Molotow, Byrnes und Bevin auch in Moskau, wo sie vom 16. bis zum 26. Dezember 1945 konferierten, nicht gelingen, ihre Differenzen beizulegen. Doch hatten sowohl die sowjetischen wie die anglo-amerikanischen Politiker die vom Londoner Mißerfolg erzwungene Pause genutzt, um zu der Einsicht zu kommen, daß wenigstens einige konziliante Gesten erforderlich waren, wenn die Bemühung um eine vereinbarte Friedensregelung für Europa nicht durch die offene Konfrontation zwischen Ost und West abgelöst werden sollte – und das Moskauer Treffen bot die noch immer willkommene Gelegenheit, solche Gesten zu machen. Byrnes war nicht mit leeren Händen gekommen. Während der quälenden Londoner Verhandlungen hatte Molotow zu verstehen gegeben, daß die sowjetische Obstruktionstaktik nicht allein auf die evidente Motive, sondern auch auf eine in Moskau herrschende Verärgerung über den Ausschluß der Sowjetunion von der Kontrolle Japans zurückgehe. Byrnes war einer Erörterung der sowjetischen Forderung zunächst ausgewichen, und zwar mit der Begründung, daß die

Lage in Japan nicht auf die Tagesordnung der Londoner Konferenz gesetzt worden und er deshalb auf eine Diskussion nicht vorbereitet sei[95]. Nach Moskau hatte er indes die Zustimmung der amerikanischen Regierung zur Delegierung eines sowjetischen Vertreters in einen Alliierten Kontrollrat für Japan mitgebracht[96]. Nicht daß das viel bedeutet hätte, die politische Gewalt in Japan blieb natürlich bei der einzigen Besatzungsmacht, den Vereinigten Staaten. Immerhin sah Byrnes' Geschenk wie eine Konzession aus und wurde von seinen sowjetischen Gesprächspartnern auch so aufgefaßt[97]. Andererseits hatten Stalin und Molotow inzwischen begriffen, daß sie das anglo-amerikanische Interesse an Südosteuropa irgendwie befriedigen mußten, wenn sie die britische und amerikanische Signatur auf den Friedensverträgen mit den dortigen Satellitenstaaten Deutschlands haben wollten; ein sowjetischer Sonderfrieden mit den Balkanstaaten hätte außerdem mit einem dann ohne Berücksichtigung sowjetischer Wünsche abgeschlossenen Sonderfrieden der Westmächte mit Italien quittiert werden können. So verstanden sie sich jetzt, nach immer noch zähem Widerstand, zu einer Übertragung des polnischen Modells auf Rumänien und Bulgarien; die Situation in Ungarn war von den Westmächten schon zuvor für einigermaßen befriedigend erklärt worden. Am Ende wurde eine gemeinsame Aufforderung der drei Mächte an Bukarest formuliert, je einen Repräsentanten der Nationalen Bauernpartei und der Liberalen in die Regierung aufzunehmen und danach bald freie Wahlen abzuhalten, ferner eine allein von der Sowjetunion an Sofia zu richtende Aufforderung zu einem ähnlichen Revirement in Bulgarien[98]. Als Gegenleistung verpflichteten sich die Westmächte zur Anerkennung der umgebildeten Regierungen. Auch Stalin und Molotow gaben nichts Konkretes preis. Einem Telegramm zufolge, das von der bulgarischen Mission in der UdSSR an das Sofioter Außenministerium geschickt und dort vom amerikanischen Geheimdienst erbeutet worden war, hatte der bulgarische Botschafter in Moskau sich bereits einige Monate zuvor besorgt im sowjetischen Außenministerium erkundigt, ob es den Westmächten wohl gelingen werde, Bulgarien »einen Mikolajczyk« aufzudrängen, und darauf die Replik erhalten: »Was soll dann schon sein? In Polen hat es ihnen auch nicht viel genützt, nicht wahr?«[99]

Den eigentlichen Gewinn strich also in jedem der beiden Fälle gerade die Seite ein, die sich zu einem Zugeständnis durchgerungen zu haben schien. Wenn Byrnes seine sowjetischen Partner im Fernen Osten mit einem politisch belanglosen Aufsichtsratsposten abspeisen durfte, gewannen in Wahrheit die USA, nämlich an Sicherheit für ihre Position in Japan und im pazifischen Raum. Wenn Stalin und Molotow auf dem Balkan mit einer Pseudokonzession davonkamen, gewann in Wahrheit die UdSSR, nämlich an Sicherheit für ihre alleinige Herrschaft in Sofia und Bukarest.

Beide Seiten hatten denn auch das unbehagliche Gefühl, in den Dezembertagen des Jahres 1945 wider Willen einen langen Schritt zur Anerkennung und Festigung des durch den Kriegsverlauf geschaffenen und als höchst unbefriedigend empfundenen machtpolitischen Status quo getan zu haben. Dazu kündigten sich auf dem Moskauer Treffen neue Konflikte an. Die sowjetische Regierung traf offensichtlich keine Anstalten, ihre feierliche Zusage einzuhalten und die in Persien stationierten Einheiten der Roten Armee wieder abzuziehen; Byrnes, der für seine Haltung gewiß auch macht- und wirtschaftspolitische Gründe hatte, in erster Linie aber eine schwere politische Niederlage der Vereinten Nationen verhindern und dieser jungen Institution das Schicksal des Völkerbundes ersparen wollte, sah sich genötigt, Stalin zu sagen, daß die Vereinigten Staaten die Herausforderung der Vereinten Nationen, die mit der nicht länger zu rechtfertigenden Verletzung der Souveränität eines UN-Mitglieds gegeben sei, ebensowenig wie den unbestreitbaren Bruch eines sowjetischen Versprechens stillschweigend hinnehmen und dabei auch einen öffentlichen Zusammenstoß mit der UdSSR – eben in den UN – nicht scheuen würden[100]. Umgekehrt merkten Stalin und Molotow kritisch an, daß die USA sich anschickten, in China die Kuomintang-Regierung unter Tschiang-Kai-schek gegen die chinesischen Kommunisten unter Mao-Tse-tung zu unterstützen; Stalin machte aus seiner Geringschätzung der chinesischen Genossen kein Hehl, doch gab er zu verstehen, daß die Sowjetunion hier Verpflichtungen habe, die sie nicht ignorieren werde[101]. Gleichwohl war bei den Sowjets wie bei den Vertretern der Westmächte die Abneigung gegen ein offenes Eingeständnis ihrer Unfähigkeit, den Frieden gemeinsam zu organisieren, noch so stark, daß schon der Anschein von Konzessionsbereitschaft, den die eine Seite in der Balkanfrage, die andere im Hinblick auf Japan erweckt hatte, im Augenblick genügte, um wenigstens eine Verlängerung des Versuchs zur politischen Zusammenarbeit zu ermöglichen. So bestand das diplomatische Ergebnis der Moskauer Konferenz darin, daß sich die Sowjetunion und die beiden Westmächte auf der erreichten Basis immerhin über eine Fortsetzung der Tätigkeit des Rats der Außenminister verständigten: Für Frühjahr 1946 wurde eine weitere Session des Rats in Aussicht genommen, auf der – diesmal in Paris – die in London abgebrochene Diskussion über die Friedensverträge fortgeführt und zugleich eine Friedenskonferenz jener 21 Länder, die aktiv am Krieg gegen Deutschland und seine Satellitenstaaten beteiligt gewesen waren, vorbereitet werden sollte; die – ebenfalls noch für Frühjahr 1946 einzuberufende – Friedenskonferenz erhielt von Molotow, Bevin und Byrnes freilich nur die bescheidene Aufgabe zugewiesen, die Resultate der Verhandlungen des Rats zu erörtern und eventuell ergänzende Empfehlungen zu geben. Um diese Vereinbarung zustande zu bringen, hatten Bevin und Byrnes allerdings auch noch mit einer Konzession im Verfahrensstreit nachhelfen müssen. Die Mitglieder des Rats der Außenminister mußten, so wurde in Moskau beschlossen, sofort Stellvertreter benennen und mit der unverzüglichen Aufnahme der Arbeit an den Entwürfen der Friedensverträge beauftragen; die nach der Friedenskonferenz zu leistende Endreaktion sei dann wieder Sache der Ratsmitglieder. Angesichts eines unverändert hartnäckigen Molotow erklärten sich Bevin und Byrnes schließlich damit einverstanden, daß sowohl die Stellvertreter wie dann die als Redakteure tätigen Außenminister sich mit jedem Friedensvertrag nur in der Zusammensetzung beschäftigen sollten, die der sowjetische Außenminister in London gefordert hatte. Molotow räumte lediglich ein, daß die Zuziehung der jeweils Ausgesperrten dann nicht ausgeschlossen sei, wenn Probleme auftauchten, an denen sie ein unmittelbares Interesse hätten [102].

6. Die Neutralisierung Deutschlands als Instrument zur Rettung einer offensiven amerikanischen Europa- und Deutschlandpolitik

In Byrnes reifte nun schon während der Moskauer Gespräche die Überzeugung, daß die jetzt verabredete Konferenz des Rats der Außenminister trotz einer voll besetzten und an sich ausreichend konfliktträchtigen Tagesordnung auch zur inoffiziellen Diskussion und zur Überwindung der in Deutschland aufgetretenen Schwierigkeiten benützt werden müsse. Zu diesem Zeitpunkt rechnete er noch durchaus mit einer einvernehmlichen Regelung der deutschen Frage. Er gab sich sogar der Hoffnung hin, die deutsche Frage und das alliierte Einvernehmen bei ihrer Lösung ähnlich wie in Potsdam als Kitt der zerbröckelnden Allianz verwenden und damit eine glattere Bereinigung anderer Probleme erreichen zu können. Zur Erleichterung und als wesentlichen Bestandteil einer solchen alliierten Verständigung über Deutschland konzipierte er einen Vertrag, dessen Grundgedanke in der Neutralisierung Deutschlands für ein Menschenalter bestand. Nach Byrnes' Vorstellung sollten sich die vier Besatzungsmächte verpflichten, Deutschland nach dem Ende der Okkupationszeit noch 25 Jahre entwaffnet, entmilitarisiert und zu beiden Zwecken unter scharfer gemeinsamer Kontrolle zu halten. Byrnes nahm das französische und britische wie das sowjetische Bedürfnis nach Sicherheit vor Deutschland sehr wohl ernst. Eben deshalb erwartete er, daß die Realisierung seiner Idee in London, Paris und Moskau tatsächlich beruhigend wirken werde, zumal sie für einen langen Zeitraum die politische und auch eine gewisse militärische Präsenz der USA in Mitteleuropa garantierte; nicht

nur Briten und Franzosen, sondern auch die Sowjets mußten das, so
dachte Byrnes in all jener Unschuld, zu der damals selbst kluge und ansonsten gerissene amerikanische Politiker fähig waren, lebhaft begrüßen.
War die Beruhigung erst einmal eingetreten, spekulierte Byrnes weiter,
dann mußten eine vernünftige Reduzierung der deutschlandpolitischen
Ansprüche Frankreichs und zugleich das Ende des französischen Widerstands gegen die deutsche Wirtschaftseinheit ebenso erreichbar werden
wie die Zustimmung Moskaus zu einer mit den anglo-amerikanischen
Interessen und Grundsätzen zu vereinbarenden rationalen Reparations-
und Wirtschaftspolitik in Deutschland. Daß der Prozeß der Einigung
über seinen Vertrag, der Vertrag selbst und die unterstellten Folgen in
Deutschland zu einer generellen Entspannung beitragen und damit für
die Bewältigung der übrigen Streitfragen bessere Voraussetzungen schaffen würden, stand für Byrnes ebenfalls fest. Aber der amerikanische Außenminister griff mit seinem Kalkül noch höher. War mit dem Abschluß
des Vertrags das berechtigte Sicherheitsgedürfnis der Sowjetunion befriedigt und – ebenso wichtig – der ja unverkennbare Mißbrauch mit dem
Sicherheitsargument, den die sowjetischen Politiker fortwährend trieben, unmöglich geworden oder doch erschwert, dann mußte, wie Byrnes
glaubte, auch die Moskauer Tendenz zur Liquidierung des politischen
Pluralismus im sowjetischen Machtbereich, ob in der sowjetischen Besatzungszone in Deutschland oder in Ost- und Südosteuropa, von selbst
schwächer werden und erfolgreicher bekämpft werden können. In diesem
Sinne verstand Byrnes das von ihm entwickelte Vertragskonzept, das zunächst die vier Besatzungsmächte über den toten Punkt in der Deutschlandpolitik reißen sollte, nicht zuletzt auch als Spitze einer politischen
Offensive gegen den »Eisernen Vorhang«[103].

Die Grundidee hatte Byrnes bereits kurz nach der Potsdamer Konferenz
gehabt und damals seinen Plan auch sogleich Präsident Truman auseinandergesetzt. Ausgerüstet mit der mühelos erreichten Zustimmung des
Präsidenten[104], hatte er dann während der Londoner Konferenz der Außenminister einen ersten Versuch unternommen, die Reaktion der Sowjetunion kennenzulernen. Am 20. September 1945 war er bei Molotow
erschienen, um mit dem sowjetischen Kollegen »eine Angelegenheit zu
besprechen, die ihm seit einiger Zeit im Kopf herumgehe«: In Jalta habe
Marschall Stalin gesagt, daß Polen zweimal in 25 Jahren den Deutschen
als Korridor für einen Angriff auf Rußland gedient habe, ferner sei von
Stalin bemerkt worden, es bestehe die Gefahr, daß sich die USA wie nach
dem Ersten Weltkrieg von Europa wieder zurückzögen und daß in einem
solchen Falle ein erneuter Ausbruch der deutschen Aggression eine reale
Möglichkeit darstelle. Beide Erklärungen Stalins hätten ihn, Byrnes, tief
beeindruckt, weshalb er, obwohl die Vereinigten Staaten, wie Molotow

wisse, aus einer historisch gewachsenen Scheu ungern politische Verträge mit anderen Staaten eingingen, fragen wolle, ob es die sowjetische Regierung für eine gute Sache halten würde, wenn die vier Besatzungsmächte einen Vertrag zur Entmilitarisierung Deutschlands schlössen, der eine Laufzeit von 20 oder 25 Jahren haben könne. Falls die sowjetische Regierung den Gedanken für gut finde, sei er bereit, einen solchen Vertrag dem Präsidenten und zusammen mit Truman dem Kongreß zu empfehlen. Die Details müßten natürlich später genau ausgearbeitet werden, im Augenblick gehe es ihm nur darum, zu erfahren, ob ein Vertrag, wie er ihm vorschwebe, von Molotow als wirklicher Beitrag zur Überwindung der Furcht vor einer Wiedergeburt der deutschen Aggression angesehen werde. Vor der Abreise nach London habe er die Sache noch mit Präsident Truman besprochen; trotz der Neuartigkeit der Idee sei der Präsident interessiert und seine erste Reaktion positiv gewesen. Molotow hatte lediglich geantwortet, daß ihm persönlich der Vorschlag des amerikanischen Außenministers als interessant erscheine und daß er seine Regierung unterrichten werde; in einigen Tagen könne man die Frage nochmals erörtern[105]. Allerdings war Molotow in den folgenden zwei Wochen der Londoner Konferenz doch nicht mehr darauf zurückgekommen, und auch danach blieb eine irgendwie geartete Stellungnahme der sowjetischen Regierung aus. In Moskau nahm nun Byrnes am 24. Dezember während eines Dinners im Kreml die Gelegenheit wahr, Stalin selbst mit dem Vertragsplan vertraut zu machen. Der sowjetische Diktator äußerte sich wesentlich positiver als Molotow in London: Er heiße den Gedanken von Herzen gut, so sagte er, und Byrnes dürfe auf seine Unterstützung zählen[106]. Derart ermutigt, ließ der amerikanische Außenminister, nach Washington zurückgekehrt, im State Department einen Vertragsentwurf ausarbeiten, und diesen Entwurf übersandte er am 14. Februar 1946 Molotow, Bevin und Bidault[107]. Durchaus optimistisch gestimmt, rechnete Byrnes bei allen drei Regierungen offensichtlich mit einer günstigen Aufnahme, jedenfalls nicht mit ernsthaften Widerständen.

Um so härter traf es Byrnes, daß die Pariser Konferenz des Rats der Außenminister, die am 25. April 1946 begann, seiner Vertragsidee eine vernichtende Niederlage bescherte. Wie es seiner Konzeption entsprach, wollte Byrnes in Paris über kein Problem der alliierten Deutschlandpolitik reden, ehe er nicht in inoffiziellen Besprechungen seinen Deutschlandvertrag unter Dach und Fach gebracht hatte; noch am 22. März stellte er nachdrücklich fest, daß auf den offiziellen Sitzungen der Konferenz, entgegen den Wünschen der französischen Regierung, nur über die schon in London diskutierten Friedensverträge verhandelt werden dürfe[108]. Aber bereits zwischen Februar und April deuteten etliche Signale darauf hin, daß Byrnes' Kalkulation wohl kaum aufgehen werde. Zunächst mußte bedenklich stimmen, daß nach der Übersendung des Vertragsentwurfs weder aus Paris und London noch aus Moskau das leiseste Echo zu vernehmen war; nicht einmal eine Empfangsbestätigung langte in Washington ein. Als der amerikanische Botschafter in Paris bei Bidault auf eine Antwort drängte, raffte sich der französische Außenminister am 15. April endlich zu einer Note auf, in der er zwar den Grundgedanken des amerikanischen Vorschlags und einer inoffiziellen Erörterung des Entwurfs in Paris zustimmte, jedoch andererseits erklärte, die Lösung des Problems der langfristigen Entwaffnung Deutschlands sei »in die Gesamtheit der Entscheidungen einzuschließen, die den künftigen Status Deutschlands bestimmen und durch territoriale, militärische oder wirtschaftliche Klauseln die Sicherheit der Alliierten Nationen gewährleisten werden«[109]. Damit sagten die Franzosen, daß sie gar nicht daran dachten, sich durch Byrnes' Vertrag ihre sonstigen deutschlandpolitischen Forderungen abkaufen oder sich durch eine separate Behandlung des Vertragsentwurfs auch nur auf den Weg zu einem in ihren Augen so schlechten Geschäft locken zu lassen. Am 16. April wurde auch Molotow von Byrnes gemahnt, der dabei nicht versäumte, an die positive Reaktion Stalins auf seine Idee zu erinnern; die Arbeit an dem übermittelten Vertragsentwurf sei schließlich vor allem auf Grund der Stalinschen Ermunterung aufgenommen worden[110]. Vier Tage später rührte sich Molotow: Er sei bereit, in Paris in einen »Meinungsaustausch« über den amerikanischen Vertragsentwurf einzutreten, so ließ er Byrnes wissen. Das klang kühl genug. Aber Molotow teilte dem amerikanischen Kollegen überdies vorsorglich mit, die sowjetische Regierung habe gegen den Entwurf »ernste Bedenken«[111].

Allein aus London hörte Byrnes, nachdem er auch dort eine Antwort hatte urgieren müssen, angenehmere Töne. Am 19. April überbrachte Lord Halifax, der britische Botschafter in Washington, eine Nachricht Bevins, in der es hieß, das Kabinett habe den britischen Außenminister ermächtigt, »Ihnen zu sagen, daß Seiner Majestät Regierung Ihren Vorschlag zur deutschen Entwaffnung warm begrüßt und Ihren Entwurf als eine überaus nützliche Basis für weitere Diskussionen ansieht«; Bevin stehe zu informellen Gesprächen in Paris gerne zur Verfügung[112]. Aber war die französische Replik enttäuschend und die sowjetische unheilverkündend, so die britische trügerisch. Zwar fanden die Briten einen bestimmten Aspekt der Gedankengänge des amerikanischen Außenministers in der Tat erfreulich: Byrnes' Vertragsidee ließ auf eine Zunahme der amerikanischen Bereitschaft zu einem längerfristigen politischen Engagement auf dem europäischen Kontinent schließen, und daran waren die Londoner Politiker – wie auch die Pariser – im Hinblick auf die sowjetische Präsenz in Mitteleuropa in steigendem Maße interessiert. Indes deckten sich die Ziele der britischen Deutschlandpolitik zu diesem Zeitpunkt schon nicht mehr mit den Zielen, die Byrnes durch seinen Vertrag erreichen wollte. Gerade in den Wochen nach Eingang des amerikanischen Vertragsentwurfs setzten sich nämlich in London jene deutschlandpolitischen Vorstellungen durch, die mit Schatzkanzler Andersons Memorandum vom März 1945 aktenkundig geworden waren und seither stets als eines Tages vielleicht unvermeidliche Alternative zu dem auf eine gemeinsame Deutschlandpolitik der vier Besatzungsmächte gerichteten offiziellen Kurs gegolten hatten. Nach der schweren Erschütterung, die der Glaube an die Möglichkeit oder auch an die Wünschbarkeit alliierten Einvernehmens in der deutschen Frage und damit auch die Hoffnung auf die Bewahrung der deutschen Einheit während des reparationspolitischen Konflikts mit der Sowjetunion erfahren hatten, kam die britische Regierung im Frühjahr 1946 endgültig zu der – seit Herbst 1945 ja auch von den Franzosen kräftig genährten – Überzeugung, daß alliiertes Einvernehmen und die Bewahrung der deutschen Einheit allenfalls noch unter für Westeuropa und Großbritannien höchst gefährlichen Bedingungen zu realisieren seien[113].

Vom Sommer 1945 bis zum Frühjahr 1946 festigte sich in London nicht nur die Ansicht, daß Ost- und Südosteuropa definitiv an die sowjetische Herrschaft verloren seien, vielmehr gewannen die britischen Politiker nach den sowjetischen Eingriffen in die deutsche Wirtschafts- und Gesellschaftsstruktur zugleich den Eindruck, daß dies auch für die sowjetische Besatzungszone in Deutschland zutreffe; Sir William Strang, der vom Foreign Office gestellte politische Berater des britischen Militärgouverneurs, hat jene Eingriffe genau beobachtet und in ausführlichen Berichten ständig auf sie aufmerksam gemacht[114]. Bereits im Februar 1946 wurde daher im Foreign Office und vom britischen Militärgouverneur, Feldmarschall Montgomery, erwogen, von der bisher verfolgten Politik abzugehen und bewußt die separate wirtschaftliche und politische Entwicklung der drei Westzonen zu fördern[115]. Den Ausschlag gab dann die oktroyierte Verschmelzung von KPD und SPD zur SED, die jedermann schon einige Zeit vor dem Vereinigungsparteitag vom 21. und 22. April 1946 kommen sah. Nun schien den Briten, anders als den Amerikanern, bewiesen, daß die jetzt auch in ihrem politischen System auf den Weg der Sowjetisierung gebrachte SBZ abzuschreiben und für absehbare Zukunft als Teil des sowjetischen Imperiums zu betrachten sei. Gleichzeitig interpretierten die britischen Politiker die Gründung der SED aber als deutliches Symptom einer nach wie vor gegebenen Dynamik der sowjetischen Politik. Wo immer, so folgerten sie angesichts der Vorgänge in der SBZ, Moskau Macht oder Einfluß erhalte, werde es versuchen, mit ähnlichen Methoden an der Expansion des Kommunismus und der Sowjetunion zu arbeiten. Nach solcher Erkenntnis wandelte sich die Lustlosigkeit, mit der man in London die Errichtung deutscher Zentralverwaltungen behandelte, seit die Franzosen ihre Obstruktion im Kontrollrat auch mit der Furcht vor »den Russen am Rhein« begründet hatten, unvermeidlich zu ausgesprochener Abneigung, und zwar sowohl bei den konservativen Beamten des Foreign Office und anderer Ämter wie bei den aus der Labour Party kommenden Mitgliedern des Kabinetts. Würde die Sowjetunion deutsche Zentralverwaltungen oder eine deutsche Zentralregierung nicht benutzen wollen und können, um, gestützt auf die zwischen Elbe und Oder geschaffene Machtbasis, die in der SBZ praktizierte Taktik nach Westdeutschland exportieren? Am 3. April 1946 fand im Foreign Office eine Besprechung statt, auf der Außenminister Bevin, Deutschlandminister Hynd und ihre engsten Mitarbeiter die künftige Richtung der britischen Deutschlandpolitik erörterten. Die Konferenz stand ganz im Zeichen der Annahme, daß das Schlagwort »die Russen am Rhein« eben kein Schlagwort sei, sondern eine sehr reale Gefahr bezeichne, und so siegte denn auch in der Debatte die Auffassung, daß deutsche Zentralverwaltungen und die deutsche Einheit überhaupt allein noch im sowjetischen und nicht länger im britischen bzw. westlichen Interesse lägen. An ihrer Stelle müßten deshalb die Westmächte den wirtschaftlichen Aufbau und die politische Organisation der drei Westzonen anstreben. Daß ein solcher Kurs eine harte Konfrontation mit der Sowjetunion zu bringen versprach, war klar, schreckte jedoch nicht. Bevin meinte, die westliche Blockbildung, die in der anvisierten Politik impliziert sei, könne selbst »Krieg bedeuten«[116]. Gleichwohl bemühte er sich in den folgenden Wochen mit Erfolg darum, das gesamte Kabinett für die neue Linie zu gewinnen. Als Bevin seine Bereitschaft zu Gesprächen über den amerikanischen Vertragsentwurf erklärte und kurz darauf zur Außenministerkonferenz nach Paris abreiste, dachte er also im Gegensatz zu Byrnes in der deutschen Frage nicht mehr in den Kategorien einer politischen Offensive; er orientierte seine Marschroute bereits an einer nur noch der Sicherung des Status quo dienenden Defensivstrategie, zu der – aus Angst vor sowjetischer Expansion und nicht etwa aus einer plötzlich wiedererwachten Gegnerschaft zur deutschen Einheit – auch die Teilung Deutschlands gehörte.

Schon früh unternahm das Foreign Office vorsichtige Versuche, die amerikanischen Freunde allmählich an den Gedanken zu gewöhnen, daß die sowjetischen Maßnahmen in der SBZ eine Änderung der anglo-amerikanischen Deutschlandpolitik notwendig machen könnten. So sagte Sir Oliver Harvey, im britischen Außenministerium für deutsche Angelegenheiten zuständig, am 27. Februar 1946 zum amerikanischen Geschäftsträger in London, Waldemar J. Gallman, für ihn gebe es keinen Zweifel, daß

Moskaus Endziel ein kommunistisches Deutschland sei, weshalb über zwei Fragen gründlich nachgedacht werden müsse, nämlich über die Zentralisierung des deutschen Verwaltungsapparats und über das Niveau der deutschen Industrieproduktion. Wie sehr würde die Zentralisierung jetzt Rußland in die Hände spielen? Wird die vereinbarte industrielle Kapazität ein ausreichendes Maß an wirtschaftlicher Stabilität gewährleisten und eine allgemeine Not verhindern? Diese beiden Fragen dürften nicht leichthin abgetan werden[117]. Aber noch ging das Foreign Office mit einer Behutsamkeit vor, die es den Amerikanern erschwerte, die Bedeutung der britischen Sondierungen zu erkennen. Als die Konferenz des Rats der Außenminister am 25. April 1946 in Paris begann, ahnte jedenfalls Byrnes nicht, daß sich die britische Deutschlandpolitik grundlegend gewandelt hatte. Die freundlichen Sätze, mit denen Bevin sechs Tage vor der Eröffnung der Konferenz den amerikanischen Vertragsentwurf begrüßt hatte, verstand der amerikanische Außenminister offensichtlich als Ausdruck einer nach wie vor gegebenen anglo-amerikanischen Übereinstimmung, und sie verleiteten ihn begreiflicherweise zu der Erwartung, daß ihm die britische Unterstützung sicher sei, wenn er nun in Paris den Vertrag über die Neutralisierung Deutschlands zur Debatte stellte und damit von den vier Besatzungsmächten eine neue Anstrengung zur Verständigung über Deutschland verlangte. Byrnes war offenbar ferner der Meinung, daß er angesichts der britischen Hilfe die wenig befriedigende französische Reaktion auf seinen Vertragsentwurf nicht allzu schwer zu nehmen brauche. Als mögliches Hindernis blieb in seinen Augen wohl nur die ominöse Mitteilung Molotows über die »ernsten Einwände« der sowjetischen Regierung, doch scheint er darin eher eine Ankündigung jenes lediglich aufschiebenden Obstruktionismus gesehen zu haben, dem die sowjetischen Politiker nach den Erfahrungen der Londoner Konferenz von Zeit zu Zeit frönten, ohne daß ein einleuchtendes Motiv dahinterstand. Eine irritierende Gewohnheit, gewiß, indes eine Gewohnheit, die den Abschluß von Geschäften, wie die Moskauer Erfahrung vom Dezember lehrte, keineswegs verhinderte, sondern bloß auf ärgerliche Weise verzögerte. Zumal im Hinblick auf seinen Vertragsentwurf vermochte Byrnes die sowjetische Haltung nicht anders zu deuten, da es doch gegen einen Vertrag zur langfristigen Entmilitarisierung Deutschlands, vom Standpunkt der Alliierten und von den Potsdamer Vereinbarungen her gedacht, tatsächlich keine stichhaltigen Einwände geben konnte, auch keine plausiblen Bedenken Moskaus.

Byrnes ignorierte dabei nicht, daß sich die Beziehungen zwischen der Sowjetunion und den Westmächten seit dem Moskauer Kompromiß vom Dezember wieder laufend verschlechtert hatten. Im Januar 1946 waren die gemäß den Moskauer Beschlüssen vom Rat der Außenminister eingesetzten Stellvertreter in London an die Arbeit gegangen, nur um sich sofort in endlose Diskussionen über die altbekannten Streitfragen zu verbeißen. Als James C. Dunn, der im Kreise der Stellvertreter die USA repräsentierte, am 27. Februar in einem Bericht an den Leiter der Europa-Abteilung im State Department, H. Freeman Matthews, Zwischenbilanz zog, charakterisierte er den erneut aufgebrochenen west-östlichen Gegensatz in einer Weise, die deutlich den Zuwachs an Mißtrauen erkennen läßt, den jene Verhandlungen über die Friedensverträge mit den Satellitenstaaten Deutschlands ständig produzierten: »Leider hängt dies [die Fertigstellung von Vertragsentwürfen] nicht von unserem Fleiß und unserem Willen ab, sondern fast ausschließlich vom Willen der Sowjetunion, bei den Diskussionen bis zum Abschluß zu gehen, und es läuft wirklich auf die fundamentale Frage hinaus, ob die sowjetische Regierung, unter taktischen Gesichtspunkten, derzeit überhaupt Anstalten für den Abschluß von Verträgen mit Italien und den Balkanstaaten treffen will. Wir müssen bedenken ..., daß unser Ziel darin besteht, im Falle Italiens und im Falle der Balkanstaaten Regelungen zu erreichen, die eine Wiederherstellung sowohl wirtschaftlicher wie politischer Stabilität erlauben und die in diesen Ländern die Entstehung von Regierungen zulassen, die von fremder Hilfe und fremden Einflüssen unabhängig sind. Ich glaube nicht eine Minute, daß die sowjetische Regierung jene Ziele teilt. Ich komme allmählich zu der Überzeugung, daß ihre Ziele völlig entgegengesetzt sind und daß sie nicht das geringste Interesse daran hat, bei der Wiederkehr von Stabilität zu helfen, gewiß nicht in Italien, und was die drei Balkanregierungen betrifft, so scheint sie natürlich nichts anderes zu beabsichtigen, als in den betreffenden Ländern Marionettenregierungen zu haben.« Die diplomatische Auseinandersetzung, die sich daraus ergab, nannte Dunn »Schattenboxen«: »Wir haben buchstäblich Tage fortlaufender Sitzungen mit Gerede über den gleichen Gegenstand in der gleichen Form verbracht, stets unveränderte Positionen wiederholend, ohne jeden Fortschritt zu einer wirklichen Entwicklung des jeweiligen Themas.«[118] Keine der über 50 Sitzungen, die zunächst in London und im April dann noch in Paris stattfanden, brachte den Durchbruch zu einem schnelleren Tempo, und als die Außenminister selbst in Paris erschienen, lagen gerade die wichtigsten Probleme der Verträge nach wie vor ungelöst auf dem Tisch. Kurz vor Beginn der Pariser Konferenz war es außerdem in der iranischen Frage zu jenem amerikanisch-sowjetischen Zusammenstoß in den Vereinten Nationen gekommen, den Byrnes in Moskau prophezeit hatte, falls die Sowjetunion auf der Verletzung der persischen Souveränität beharren sollte, und der Zusammenstoß hinterließ in Moskau um so mehr Bitterkeit, als es die sowjetische Regierung angesichts weltweiter Indignation am Ende für klüger halten mußte, nachzugeben und den Abzug der sowjetischen Truppen wenigstens für September 1946 zuzusagen.

In den ersten Tagen der Pariser Konferenz, als der Friedensvertrag mit Italien zur Debatte stand, saßen daher die Außenminister der Westmächte einem Molotow gegenüber, der sich grimmig entschlossen zeigte, alle nur denkbaren Schwierigkeiten zu machen. Ob es um Triest ging, um 100 Millionen Dollar Reparationen für die Sowjetunion oder um die grundsätzlich gar nicht strittige Rückgabe des Dodekanes an Griechenland – in jeder diskutierten Frage vertrat Molotow einen für die Westmächte unangenehmen oder Beschlüsse sabotierenden Standpunkt mit einer Hartnäckigkeit, als stehe die Existenz der UdSSR auf dem Spiel, und so drohte die Konferenz zu der gleichen nahezu fruchtlosen diplomatischen Plackerei zu entarten, wie sie die Stellvertreter der Außenminister eben erlebt hatten. Die Repräsentanten der Westmächte registrierten dabei mit zunehmender Irritation die im Vergleich zu Potsdam eher noch gewachsene Neigung ihres sowjetischen Kollegen, sich in griechische, türkische und italienische Angelegenheiten einzumischen und Moskauer Ansprüche im westlichen Nordafrika zu verfechten. Mochte man diese Neigung als den natürlichen Ausdruck eines unersättlichen sowjetischen Expansionismus verstehen oder – wohl mit mehr Berechtigung – als taktisches Manöver begreifen, dazu bestimmt, die Westmächte in eine Serie von Scharmützeln auf Nebenschauplätzen zu verstricken und ihnen dadurch die Zeit und die Energie für eine erneute Anfechtung der sowjetischen Position in Ost- und Südosteuropa zu nehmen, jedenfalls stellte sich als Folge der nach wenigen Sitzungen entstandenen Konferenzsituation eine Verschlechterung des Klimas ein, die wieder einmal das baldige Ende der politischen Zusammenarbeit zwischen Ost und West anzukündigen schien[119].

Wenn der amerikanische Außenminister all das auch nicht ignorierte, so ließ er sich davon doch nicht entmutigen. Im Gegenteil. Es lag ja geradezu in der Logik der Konzeption, die Byrnes mit dem Vertrag zur Neutralisierung Deutschlands verwirklichen wollte, daß er den Vertrag für um so notwendiger hielt, je zähflüssiger die Diskussionen verliefen und je mehr Gereiztheit die Diskutanten an den Tag legten. Deshalb hat er kurz nach Beginn der Konferenz sogar seine ursprüngliche Absicht aufgegeben, die Erörterung des amerikanischen Vertragsentwurfs auf informelle Gespräche am Rande der Pariser Verhandlungen zu beschränken. Offensichtlich in der Hoffnung, die ständig stickiger werdende Atmosphäre reinigen zu können, entschloß er sich vielmehr, seinen Entwurf dem Rat der Außenminister als offizielles Konferenzdokument vorzulegen und auf diesem Wege eine frühzeitige Behandlung der Vertragsidee im Rahmen der ordentlichen Tagesordnung zu erzwingen. Daß sein Manöver die Türe zu einer breiteren Diskussion der deutschen Frage öffnete, weil es dem französischen Außenminister die Gelegenheit verschaffen mußte, die Gesamtheit der deutschlandpolitischen Wünsche Frankreichs darzulegen, war Byrnes durchaus klar. Daß er mit seinem Schritt überdies die amerikanische Bereitschaft zu einer wenigstens partiellen Erfüllung der französischen Forderungen signalisierte, weil er die französische Unterstützung brauchte, wenn er seinen Vertrag im Rat der Außenminister formell zur Debatte stellte, war Byrnes ebenfalls bewußt. Doch schien ihm ein solcher Preis für die Durchsetzung des Vertrags und damit zugleich, so meinte er, für die Rettung der Arbeit an den Friedensverträgen nicht zu hoch.

7. Sowjetische Wendung zu Status-quo-Politik und das Scheitern des amerikanischen Neutralisierungsprojekts auf der Pariser Außenministerkonferenz von 1946

Allerdings glaubte Byrnes jetzt, und zwar im Hinblick auf die Sowjetunion, nicht mehr mit der gleichen Sicherheit wie vor und noch am Anfang der Konferenz an die Realisierbarkeit seiner Idee. Hatte er seine politische Strategie und seine taktischen Rezepte sowohl in Potsdam wie auf der Londoner Außenministerkonferenz und während seiner letzten Unterhaltungen mit Stalin stets an der Vorstellung orientiert, daß die sowjetische Politik in Europa primär vom Sicherheitsbedürfnis der Sowjetunion diktiert werde und nicht den Gesetzen eines dynamischen Expansionismus folge, so waren ihm mittlerweile, unter dem Eindruck der Molotowschen Verhandlungsmethoden in der ersten Phase des Pariser Treffens, doch Zweifel an der Richtigkeit seiner Überzeugung gekommen. Noch betrachtete er die Warnungen vor dem sowjetischen Imperialismus und die Mahnungen zu einer – Europas und Deutschlands Teilung in Kauf nehmenden – Politik der Eindämmung der sowjetischen Expansion, wie sie ihn aus der amerikanischen Botschaft in Moskau erreichten, mit großer Skepsis. Aber er schob sie nicht länger einfach beiseite. Gewissermaßen in Form einer Frage bezog er sie nun in seine politische Konzeption ein, d. h. in der gegebenen Situation faßte er sein Vertragsangebot auch als Test der sowjetischen Absichten auf: Bei einer positiven Reaktion Molotows werde der Chef des State Department, so sah Byrnes selbst die Dinge, die Freiheit behalten, jene Warnungen und Mahnungen wie bisher zu den Akten zu legen; wenn jedoch Molotow die »ernsten Einwände« der sowjetischen Regierung zur definitiven Ablehnung steigern sollte, werde der amerikanische Außenminister daraus den Schluß zu ziehen haben, daß er sich dem von Smith und Kennan befürworteten Kurs zumindest ein gutes Stück nähern müsse. Gelang es tatsächlich, Frankreich mit der langfristigen Neutralisierung Deutschlands und mit Konzessionen in der Saarfrage – vielleicht auch hinsichtlich der Internationalisierung des Ruhrgebiets – auf die amerikanische Seite zu ziehen und zum Verzicht auf seine Obstruktionspolitik im Kontrollrat zu bewegen, verlor die sowjetische Regierung außerdem die Möglichkeit, sich hinter den französischen Vetos zu verstecken, wie ihr das Kennan und Smith unterstellten. Es bleibe ihr dann nichts anderes übrig, kalkulierte Byrnes, als Farbe zu bekennen und dem amerikanischen Test ein deutliches Ergebnis zu liefern.

Daß Byrnes die Motive seines Vertragsangebots in diesem Sinne ergänzt hatte, konnte Molotow feststellen, noch ehe der Rat der Außenminister den amerikanischen Entwurf offiziell zur Kenntnis nahm und erörterte. Am 28. April suchte Byrnes den sowjetischen Außenminister auf, um die Einwände, die Molotow erwähnt hatte, erst einmal in einer inoffiziellen Unterhaltung kennenzulernen und – wenn möglich – gleich zu entkräften [120]. Als er dabei abermals die Gründe darlegte, die ihn zu seinem Vorschlag bewogen, wiederholte er aber nicht nur all das, was er Molotow bereits in London und Stalin in Moskau auseinandergesetzt hatte. Zusätzlich sagte er jetzt, daß viele Leute in den Vereinigten Staaten nicht mehr verstehen könnten, welche Ziele die Sowjetunion eigentlich anstrebe, ob es sich bei ihrer Politik »um eine Suche nach Sicherheit oder um Expansionismus« handle; der Vertrag, den er für Deutschland und im übrigen auch für Japan anbiete, sei jedenfalls, wie er glaube, geeignet, das Problem der Sicherheit effektiv zu lösen. Byrnes' Bemerkung ließ an Deutlichkeit nichts zu wünschen übrig, zumal für einen so erfahrenen Unterhändler wie Molotow. Um so betroffener war Byrnes, als der sowjetische Außenminister, gänzlich unbeeindruckt, im Grunde schon jede Verhandlung über den amerikanischen Entwurf rundweg ablehnte, und das überdies mit einer wahrlich grotesken Begründung. Anstatt diskutable Einwände in Detailfragen vorzubringen, erklärte nämlich Molotow, die sowjetische Regierung sei gegen den vorgeschlagenen Vertrag, weil er »das Problem der deutschen Entwaffnung in die Zeit nach dem Ende der Okkupation zu vertagen scheine« [121], obwohl Deutschland nach den bestehenden Vereinbarungen doch sofort entwaffnet werden solle. Da der Text des Entwurfs, den Molotow immerhin seit mehr als zwei Monaten in Händen hielt, ganz eindeutig besagte, daß der »Vertrag zur Entwaffnung und Entmilitarisierung Deutschlands« dazu diene, einen während der Besatzungszeit zu schaffenden Zustand noch für 25 Jahre nach dem Abzug der Okkupationsarmeen aufrechtzuerhalten, lag es auf der Hand, daß Molotow nicht im Ernst Opfer eines Mißverständnisses geworden sein konnte, sondern seine absurde Fehlinterpretation wider besseres Wissen gab; offensichtlich war ihm selbst nach monatelangem Grübeln kein halbwegs vorzeigbares Argument gegen die amerikanische Vertragsidee eingefallen. Byrnes und die beiden anderen Vertreter des State Department, die an der Unterredung teilnahmen, Benjamin V. Cohen und Charles Bohlen, durften sich allerdings nicht die Freiheit nehmen, Molotow so grob zu antworten, wie er es verdient hätte. Vielmehr bemühten sie sich geduldig und ernsthaft, den sowjetischen Außenminister in einer langen Diskussion darüber aufzuklären, daß der Vertrag, den sie entworfen hatten, »die Entwaffnung Deutschlands nicht vertagen werde, sondern im Gegenteil ihren Abschluß in der unmittelbaren Zukunft unterstelle und diese Entmilitarisierung lediglich um 25 Jahre verlängere«. Ebenso eindringlich suchten sie Molotow vor Augen zu führen, »daß eine solche Fortdauer der Kontrollen einen stabilisierenden Einfluß auf die europäische Situation ausüben werde und alle Ängste vor einem Wiederaufleben des deutschen Militarismus verschwinden lassen müsse«. Molotow weigerte sich jedoch, sich seinen Irrtum ausreden zu lassen, und machte damit nur noch klarer, daß er das Mißverständnis lediglich spielte und als Vorwand benutzte. Schließlich zog er sich auf die Forderung zurück, daß zunächst eine Kommission zur Prüfung des derzeitigen Stands der deutschen Entwaffnung einzusetzen sei; erst wenn die Resultate einer solchen Untersuchung vorlägen, könne wieder über den von Byrnes angeregten Vertrag gesprochen werden. Danach blieb allein der Schluß, daß die Sowjetunion im Augenblick und für die absehbare Zukunft einer ernsthaften Behandlung des amerikanischen Vertragsentwurfs aus dem Wege zu gehen wünschte.

Schon am folgenden Tag lieferte Molotow weitere Indizien. Als der Rat der Außenminister sich am 29. April erstmals offiziell mit dem amerikanischen Vorschlag beschäftigte, mußte Byrnes zwar auch die für ihn offenbar ebenso überraschende wie enttäuschende Erfahrung machen, daß nicht nur sein französischer, sondern sogar sein britischer Kollege den rechten Enthusiasmus für seinen Vertrag vermissen ließen. Bidault und Bevin erklärten jedoch immerhin ihre grundsätzliche Zustimmung und zeigten sich gewillt, mit Verhandlungen über den Entwurf des State Department sofort zu beginnen[122]. Molotow hingegen genierte sich keineswegs, das Schauspiel vom Vortag zu wiederholen und selbst in einer Plenarsitzung des Rats der Außenminister in der Rolle eines begriffsstutzigen Hilfsschülers aufzutreten. »Wie ist es möglich«, so fragte er, »das Problem der deutschen Entwaffnung zu vertagen, bis ein neuer Vertrag geschlossen worden ist, wo doch schon eine Vereinbarung über die Entwaffnung Deutschlands existiert?«[123] Da der Vorschlag der Vereinigten Staaten die Entmilitarisierung Deutschlands verschieben werde, sei er mit dem längst gefaßten Beschluß, diese Entmilitarisierung bis zu einem bestimmten Zeitpunkt durchzuführen, nicht zu vereinbaren[124]. Statt dessen sollten die vier Außenminister jetzt eine Weisung an den Alliierten Kontrollrat in Berlin beschließen, eine Sonderkommission zur Untersuchung des erreichten Stands der Entwaffnung einzusetzen. Byrnes sah sich danach erneut in die Rolle eines Lehrers gezwungen, der dem Schlußlicht der Klasse nachsichtig beizubringen sucht, daß er etwas falsch verstanden habe; dabei las er auch einige Sätze aus der Präambel des amerikanischen Entwurfs laut und deutlich vor[125]. Molotow ließ sich indes abermals nicht auf die Sprünge helfen. Bevin, weniger geduldig als Byrnes und mittlerweile eher daran interessiert, amerikanisch-sowjetische Differenzen hervorzuheben als zu versöhnen, sprach schließlich offen aus, was in der Tat evident war: Für ihn sei ganz klar, daß hier versucht werde, den Rat der Außenminister an einer Erörterung des amerikanischen Vertragsentwurfs zu hindern; deshalb sei es wohl wirklich besser, die Diskussion zu beenden. Byrnes schloß sich dem resigniert an und stellte selbst den Antrag auf Vertagung[126].

Im Grunde hätte der amerikanische Außenminister seine Testfrage schon jetzt als beantwortet ansehen können. Aber noch schwankte Byrnes. Trotz seiner Enttäuschung ließ er den Entwurf seines Vertrags nun tatsächlich unter die offiziellen Konferenzdokumente aufnehmen und einen formellen Antrag der amerikanischen Delegation protokollieren, den Entwurf zu einem späteren Zeitpunkt wieder auf die Tagesordnung zu setzen[127]. Als er am 1. Mai eine vertrauliche Unterredung mit Bidault hatte, legte er, nach wie vor unentschieden, dem französischen Außenminister die Frage vor, was er denn von der sowjetischen Politik halte: »Strebt sie nach Sicherheit oder nach Expansion?« Bidault erwiderte: »Wahrscheinlich nach Sicherheit durch Expansion.« Anschließend gab sich der Chef des Quai d'Orsay größte Mühe, den Amerikaner in seinem Mißtrauen gegen die sowjetischen Absichten zu bestärken, indem er die Gefährlichkeit des Moskauer Expansionismus in grellen Farben ausmalte; ohne energischen Widerstand vor allem der USA werde man wohl bald, so sagte er mehrmals, »die Kosaken auf der Place de la Concorde« sehen[128]. Bidaults Furcht vor einem sowjetischen Ausgreifen nach Westeuropa war sicherlich nicht nur gespielt. In erster Linie verfolgte er mit seinen Schreckensbildern aber doch den Zweck, Byrnes von weiteren Versuchen zu einer deutschlandpolitischen Verständigung mit der UdSSR abzuhalten. Hatten solche Versuche Erfolg, was man ja noch nicht ausschließen durfte, so konnte das sehr leicht auf Kosten der französischen Deutschlandpolitik geschehen; jedenfalls mußte die Berücksichtigung französischer Forderungen eher erreichbar sein, wenn zwischen den Weltmächten Streit herrschte und daher Frankreichs Bundesgenossenschaft einen erheblichen Wert besaß. Vermutlich war Bidault auch nicht frei von persönlichen Motiven. Er hat damals sicherlich noch angenommen, daß die Sowjetunion die Konstellation in Deutschland in der Tat zumindest zur Erweiterung ihres Einflusses bis zum Rhein ausnutzen wolle und deshalb durchaus an einem interalliierten Akkord über die Behandlung Deutschlands als Einheit interessiert sei. Daß er also sowjetische Kreise störte, wenn er die Amerikaner gegen Moskau aufputschte, dürfte ihm in Erinnerung an die Demütigung, die er auf der Londoner Außenministerkonferenz erlebt hatte, auch ein gewisses Vergnügen bereitet haben. In einigen seiner Bemerkungen ist indes schon der Ansatz zu der Erkenntnis sichtbar, daß die »unmögliche Situation«, in der sich, wie er sagte, Europa befinde, und das klägliche Theater, das der Rat der Außenminister eben aufführte, vielleicht gerade daher rührten, daß die Weltmächte, die Unvereinbarkeit ihrer Interessen und Ordnungsprinzipien ignorierend, noch immer um eine geschlossene und einvernehmlich zu exekutierende Friedenskonzeption für den ganzen Kontinent und für ganz Deutschland rangen. In einem solchen Ansatz steckte zugleich der Keim zu einem Appell an die Vereinigten Staaten, die faktische Spaltung Europas und Deutschlands endlich anzuerkennen und den Osten Moskau zu überlassen, dafür aber die Führung bei der wirtschaftlichen und politischen Sicherung jener Region zu übernehmen, die westlich der 1945 entstandenen Demarkationslinie lag. Bidaults Verhalten war mithin ein Signal, daß die französischen Politiker, der deutschen Einheit ohnehin von Anfang an abhold, die gleichen Konsequenzen aus der Lage zu ziehen begannen wie die britische Regierung. In Demarchen, die zur Zeit der Pariser Konferenz etwa die belgische und die holländische Regierung in London und Washington unternahmen, wurden ähnliche Tendenzen bereits deutlicher artikuliert. In Umrissen zeichnete sich hier eine Allianz zwischen den in Westeuropa dominierenden Kräften und der von George Kennan repräsentierten amerikanischen Schule ab.

Die Zweifel, die Byrnes plagten, wenn er über das eigentliche Antriebsmoment sowjetischer Politik nachdachte, sind durch Bidaults Warnungen freilich nicht behoben worden, und die offenkundige Neigung des amerikanischen Außenministers, die Deutschlandpolitik des Kreml ein weiteres Mal auf die Probe zu stellen, wurde durch den Appell, den Bidaults Vision von »den Kosaken auf der Place de la Concorde« enthielt, nicht merklich geschwächt; angesichts der Übertreibungen, mit denen Bidault arbeitete, nahm Byrnes den französischen Kollegen anscheinend nicht mehr ganz ernst. So hat Byrnes die Unterredung vornehmlich dazu benutzt, die deutschlandpolitischen Forderungen der französischen Regierung auf den wirtschaftlichen Anschluß des Saarlands an Frankreich und die Internationalisierung der Ruhrindustrie – ohne politische Separierung des Ruhrgebiets von Deutschland – herunterzuhandeln und damit das

Fundament für einen amerikanisch-französischen Kompromiß in der deutschen Frage zu legen, wie er ihn brauchte, wenn er neben Bidaults Zustimmung zu seinem Vertragsvorschlag auch die Überwindung des französischen Widerstands gegen die Behandlung Deutschlands als Einheit erreichen und solchermaßen Molotow das Versteckspiel hinter der französischen Obstruktion endgültig unmöglich machen wollte. Das ist ihm weitgehend gelungen, wenngleich sich Bidault natürlich noch nicht definitiv auf ein bescheideneres Programm einschwören ließ [129].

Acht Tage danach, am 9. Mai, bekam Byrnes dann aus Washington ein Memorandum zugesandt, in dem Dean Acheson, der in Abwesenheit des Ministers daheim die Geschäfte führte, und der vom Kriegsministerium ins State Department gewechselte John H. Hilldring anregten, Molotow nicht nur mit dem Vertrag zur Neutralisierung Deutschlands im Nacken zu bleiben, sondern ihn durch die Konfrontation mit einem entsprechenden Fragenkatalog schon jetzt zur Offenlegung der sowjetischen Haltung in allen Grundproblemen der alliierten Deutschlandpolitik zu zwingen, von der deutschen Westgrenze über die Zentralverwaltungen – und seien es zunächst alliierte Zentralverwaltungen mit deutschem Personal – bis zu einer gemeinsamen Wirtschaftspolitik der vier Besatzungsmächte, namentlich einem Export-Import-Programm für das ganze Okkupationsgebiet; auch sollten Verhandlungen über gemeinsame gesellschaftspolitische Maßnahmen, etwa über eine gesamtdeutsche Bodenreform und über die Enteignung verurteilter Nazis und Kriegsverbrecher, angeboten werden. Ergriffen die Vereinigten Staaten in diesem Sinne die Initiative, so könnten sie, meinten Acheson und Hilldring, vielleicht die Rückkehr der Alliierten zu einer einheitlichen Besatzungspolitik durchsetzen und die Einheit Deutschlands retten, sicherlich aber – namentlich wenn sie mit gesellschaftspolitischen Reformen und mit der Aufhebung des eben erst von Clay verfügten Reparationsstopps lockten – in einem »final test« die sowjetische Treue zu Potsdam prüfen. Hilldring machte Byrnes außerdem darauf aufmerksam, daß die USA die von Molotow verlangte Untersuchung des gegenwärtigen Stands der Entwaffnung Deutschlands keineswegs zu scheuen brauchten; schon gar nicht, wenn es um die Unterbindung der deutschen Rüstungsproduktion gehe: Zwar tolerierten alle Besatzungsmächte die Erzeugung bestimmter Rüstungsgüter in ihren Zonen, für experimentelle Zwecke selbst die Vereinigten Staaten, doch seien als Hauptsünder wohl die Sowjets anzusehen, die ihre Luftwaffe mit in der SBZ hergestellten Düsenflugzeugen und ihre Flotte mit ebenfalls dort produzierten Schnorchel-Unterseebooten bereicherten. Daß die beiden Verfasser des Memorandums allerdings nur noch wenig Hoffnung auf ein positives Ergebnis des »final test« hatten und der Meinung waren, bei einem negativen Ausgang erhielten die USA Handlungsfreiheit für die eigene Abkehr von Potsdam, zeigt die Bemerkung in ihrem Begleitschreiben, die Sowjets müßten, falls sie die Probe nicht bestünden, eindeutig mit der »Schuld für den Bruch von Potsdam« belastet werden [130]; vermutlich dachten sie bereits an Schritte, wie sie dann zwei Wochen später General Clay mit dem Vorschlag zur Vereinigung der amerikanischen und der britischen Zone empfahl.

Byrnes scheint das Memorandum aus Washington vornehmlich als Bestätigung seiner Ansicht gewertet zu haben, daß es richtig sei, noch einen zweiten Test der sowjetischen Deutschlandpolitik anzustreben. Nachdem Bidault, gestützt auf den von Byrnes erwirkten Protokollvermerk vom 29. April, seine Kollegen am 8. Mai daran erinnert hatte [131], daß sie demnächst auch die deutschen Probleme diskutieren müßten – auf Grund seiner Unterhaltung mit Byrnes glaubte er offensichtlich, die Lage im Rat der Außenminister wenigstens zur Absegnung der französischen Ansprüche im Saarland ausnutzen zu können –, begann Byrnes für eine baldige Beherzigung der Mahnung Bidaults zu arbeiten, und als der Rat, wiederum nicht ohne amerikanisches Drängen, fünf Tage später tatsächlich beschloß, die für den 15. Mai vorgesehene Sitzung der deutschen Frage zu widmen, überraschte der Chef des State Department die drei anderen Außenminister mit der Information, daß er General Clay gebeten habe, im Koordinierungsausschuß des Kontrollrats die Einsetzung einer Vier-Mächte-Kommission zur Untersuchung des Stands der Entwaffnung Deutschlands zu beantragen. Er gab dabei zu verstehen, daß er dies als Konzession an den Standpunkt auffasse, den Molotow am 29. April vertreten hatte, und daß er nun erwarte, der sowjetische Außenminister werde das amerikanische Entgegenkommen mit der Bereitschaft zu sofortigen Verhandlungen über den Vertrag zur Neutralisierung Deutschlands honorieren [132]. Am 15. Mai zog er dann, kaum hatte Bidault sein die Sitzung eröffnendes und die Gesamtheit der bekannten französischen Forderungen wiederholendes Referat beendet, eine weitere Überraschung aus der Tasche. Ganz unabhängig von seinem Vertragsentwurf stellte er jetzt außerdem nicht mehr und nicht weniger zur Debatte als einen amerikanischen »Vorschlag zur Vorbereitung einer Friedensregelung für Deutschland« [133]. Jedes Mitglied des Rats der Außenminister, so hieß es in dem Vorschlag, den Byrnes nun verlas, solle einen Stellvertreter benennen, der zur ausschließlichen Beschäftigung mit den deutschen Problemen abzuordnen sei. Dem Gremium dieser Sonderbeauftragten müsse ein halbes Jahr für das intensive Studium der Probleme und für die Ausarbeitung des Entwurfs einer Friedensregelung zugebilligt werden. Ein solcher Entwurf sei einer speziellen Friedenskonferenz vorzulegen, die am 12. November 1946 beginnen könne – anderthalb Jahre nach der deutschen Kapitulation. Zugleich aber sei der Kreis der Stellvertreter anzuweisen, schon bis zum 15. Juni – die Außenminister hatten sich in den Tagen zuvor darauf verständigt, ihre Konferenz Mitte Mai zu unterbrechen und erst am 15. Juni fortzusetzen – die folgenden besonders dringlichen Fragen zu erörtern und die Resultate dem Rat der Außenminister zu unterbreiten: 1. Die Zukunft der Ruhr und des Rheinlands; 2. Verfügbarkeit der deutschen Ressourcen für ganz Deutschland, Verwendung der den deutschen Minimalbedarf übersteigenden Produktion für den Export, Nutzung des Exports in erster Linie zur Finanzierung notwendiger Einfuhren für ganz Deutschland; 3. Schaffung eines deutschen Verwaltungsapparats, und zwar in 90 Tagen, der die Behandlung Deutschlands als Wirtschaftseinheit ermöglicht; 4. Aufhebung der Zonengrenzen als künstliche Barrieren eines freien Güterverkehrs in Deutschland; 5. die endgültige Gestalt der deutschen Westgrenze. Als Köder für die Franzosen baute Byrnes in sein Memorandum einen deutlichen Wink ein, daß sie in der Tat mit amerikanischer Unterstützung ihrer Saarpolitik rechnen dürften, wenn sie auf den Vorschlag zur Einsetzung von Sonderbeauftragten eingingen, und für Molotow war die Erklärung bestimmt, daß die Vereinigten Staaten, falls das Gremium der Sonderbeauftragten bestellt und über die fünf formulierten Fragen wenigstens gesprochen werde, bereit seien, Clays Reparationsstopp sofort aufzuheben[134].

Dieser zweite Test der sowjetischen Deutschlandpolitik lieferte, nachdem Byrnes also die Versuchsanordnung verändert und das Programm im Sinne der Anregungen Achesons und Hilldrings erweitert hatte, tatsächlich einen noch deutlicheren Befund als das amerikanisch-sowjetische Gespräch vom 28. und 29. April. Auf der einen Seite gewann Byrnes den Eindruck, daß er der französischen und britischen Zustimmung sowohl zum Vertragsentwurf des State Department wie zu seiner Idee mit den Sonderbeauftragten sicher sei. Zwar hat Bidault am 15. und 16. Mai – an beiden Tagen diskutierte der Rat der Außenminister über die amerikanischen Vorschläge – mehrmals Mißvergnügen und selbst Bitterkeit an den Tag gelegt, weil seine drei Kollegen sich so fest in die Frage der speziellen Stellvertreter für die deutschen Probleme verbissen, daß sie das für ihn im Augenblick wichtigste deutsche Problem, nämlich den wirtschaftlichen Anschluß des Saarlands an Frankreich, den er sich ja jetzt endlich genehmigen lassen wollte, immer wieder aus den Augen verloren und jedenfalls zu keinem definitiven Votum fanden[135]. Bevin wiederum hat gegen das Stellvertreter-Projekt sogar einen Torpedo abgeschossen. Er kritisierte an dem amerikanischen Memorandum, daß es die vorgesehenen Sonderbeauftragten offenbar auf die Beschäftigung mit der deutschen Westgrenze beschränke, obwohl doch auch die deutsche Ostgrenze noch keineswegs endgültig fixiert sei und Schlesien schließlich eine ähnliche wirtschaftliche Bedeutung habe wie das Ruhrgebiet[136]. Da mittlerweile jedermann wußte, daß die Sowjets gar nicht daran dachten, durch ihr eigenes Verhalten Zweifel an der Oder-Neiße-Grenze für zulässig zu erklären, konnte Bevin mit der beharrlich vertretenen Forderung, in der Grenzfrage müsse der Auftrag an die einzusetzenden Stellvertreter der Außenminister erweitert werden, nur den Zweck verfolgen, Molotow ein Eingehen auf die amerikanische Idee zu verleiden. Vom sowjetischen »Drang nach Westen« überzeugt und von der Annahme ausgehend, daß für die Sonderentwicklung der Besatzungszonen in Deutschland allein die französische Politik verantwortlich zeichne, fürchtete Bevin anscheinend, daß es angesichts des Nachlassens der französischen Widerstände gegen die amerikanischen Verlockungen womöglich doch zu jener west-östlichen Verständigung über die deutsche Einheit kommen werde, die in London inzwischen als so gefährlich galt; sein Manöver sollte also sowjetischen Ersatz für die französische Obstruktion besorgen. Aber Bidault und Bevin, an wirtschaftlicher und politischer Hilfeleistung der USA brennend interessiert, vermieden direkten und prinzipiellen Widerspruch gegen die beiden amerikanischen Vorhaben. Sie stimmten grundsätzlich zu und hätten damit, wie sie sehr gut wußten, auch Ernst machen müssen, wären ihnen die Auswege durch eine sowjetische Billigung der Byrnesschen Vorschläge versperrt worden [137]. Bidault erhob nicht den geringsten Einwand, als ihm Byrnes im Laufe der Debatte ganz offen das Geschäft anbot, Frankreichs Verzicht auf den Widerstand gegen deutsche Zentralverwaltungen mit dem offiziellen amerikanischen Einverständnis zu den französischen Saarplänen zu honorieren [138], und daß Bevin ebenfalls gewillt war, jede erkennbare Abweichung von der amerikanischen Linie zu unterlassen, bewies er, als er Byrnes mit der Nachricht erfreute, er habe mittlerweile einen positiven Beschluß des britischen Kabinetts über den vom State Department präsentierten Vertragsentwurf herbeigeführt; noch heute, am 16. Mai, werde Premierminister Attlee die Initiative der Vereinigten Staaten öffentlich begrüßen [139].

Einen völlig anderen Eindruck gewann Byrnes vom sowjetischen Außenminister. An Molotow, der den bereits am 28. und 29. April getragenen Harnisch undurchdringlicher Negation offensichtlich noch verstärkt hatte, prallten die amerikanischen Vorschläge, ob Byrnes für sie nun mit Argumenten oder mit Appellen und Beschwörungen zu werben suchte, wirkungslos ab. Als ihm die amerikanisch-französische Annäherung, der Bevin offenbar den britischen Segen gab, nur noch die Wahl zu lassen schien, entweder den sich abzeichnenden Akkord der Besatzungsmächte komplett und damit den Weg zur Wiederherstellung der deutschen Einheit vollends gangbar zu machen oder aber an die Stelle Frankreichs zu treten und mit einer ähnlich obstruktiven Politik die Einheit Deutschlands zumindest vorerst zu verhindern, zögerte der sowjetische Außenmi-

nister nicht eine Sekunde: er übernahm den Part Frankreichs. Bevin hätte
sich die Mühe, die er sich zur Provozierung eines sowjetischen »Nein«
gab, sparen können. Ohne von dem britischen Manöver, das er am Schluß
der Gespräche mit einer einzigen wegwerfenden Bemerkung abtat[140], irgendwie beeinflußt zu sein, nahm Molotow vom Anfang bis zum Ende der
Debatte jener beiden Maitage des Jahres 1946 die gleiche Haltung ein:
Während er sein unverändert negatives Urteil über den Vertrag zur Neutralisierung Deutschlands zum Ausdruck brachte, indem er ihn – wiederum vom Schluß abgesehen, als er Verhandlungen über den Vertrag mit
einer Geste der Gleichgültigkeit und wenigen Sätzen in die Zeit nach der
Vereinbarung einer deutschen Friedensregelung verwies – einfach ignorierte, lehnte er die Einsetzung von Stellvertretern der Außenminister
zum Studium der deutschen Probleme und zur Vorbereitung eines Friedens mit Deutschland rundweg ab[141]. Sein Verhalten wirkte um so aufrei-
zender, als er seinem amerikanischen Gegenspieler jede noch so faden-
scheinige Erklärung schuldig blieb; er sagte schlicht »nein«. Mit diesem
Affront leugnete Molotow praktisch die bis dahin als existent geltende
Gemeinsamkeit der Alliierten, die ihn wenigstens zur Rechtfertigung der
Ablehnung verpflichtet hätte. Außerdem beraubte er Byrnes der
Chance, sich mit sowjetischen Gründen und Motiven argumentativ auseinanderzusetzen. Aber wenn der amerikanische Außenminister jetzt
auch rätseln mußte, welchen Reim er sich denn auf das seltsame sowjetische Gebaren machen solle, so hatte er angesichts der Attitüde Molotows
doch eine Folgerung als zwingend zu betrachten: Im Augenblick und für
die absehbare Zukunft wünschte die sowjetische Regierung weder eine
ernsthafte Behandlung des amerikanischen Vertragsvorschlags noch
überhaupt eine Erörterung deutscher Fragen.

Nur eine Aktion Byrnes' fand Gnade vor Molotows Augen, nämlich die
Weisung an Clay, im Koordinierungsausschuß des Kontrollrats die Bildung einer Sonderkommission zur Untersuchung des derzeitigen Stands
der Entwaffnung Deutschlands zu beantragen[142]; schließlich hatte der sowjetische Außenminister einen solchen Schritt vierzehn Tage zuvor selbst
angeregt. Indes hat das Los, das Clays Antrag widerfuhr, Molotows Anregung endgültig als simples Ausweichmanöver entlarvt und das negative
Ergebnis von Paris noch unterstrichen. Wohl beschloß der Koordinierungsausschuß am 17. Mai die Annahme des amerikanischen Antrags[143],
doch blieb dann die Realisierung hängen, und zwar an der Weigerung des
sowjetischen Vertreters, der Kommission auch die Inspizierung der deutschen Rüstungsindustrie in allen vier Zonen – neben einer Prüfung der
Auflösung der Wehrmacht und sonstiger militärischer Verbände – als
Aufgabe zuzuteilen. General Dratvin staffierte seine kategorische Weigerung mit der paradoxen Begründung aus, die Sowjetunion könne der von

Clay, Robertson und Koeltz verlangten Untersuchung der industriellen Abrüstung deshalb unter keinen Umständen zustimmen, weil ja die Westmächte in ihren Besatzungszonen bislang kaum etwas für die Entmilitarisierung der deutschen Industrie getan hätten[144]. In Wahrheit hatte das Kommissionsprojekt, von Molotow lediglich erfunden, um Byrnes' Drängen nach Gesprächen über den amerikanischen Vertragsentwurf zu parieren, in sowjetischen Augen seinen Sinn verloren, nachdem Molotow durch die drohende amerikanisch-französische Verständigung und durch Byrnes' Idee mit den Sonderbeauftragten gezwungen worden war, das sowjetische Desinteresse an deutschlandpolitischer Bewegung schon in Paris klarer und härter zu formulieren, als das vermutlich ursprünglich in seiner Absicht gelegen hatte.

Daß die Sowjetunion dem von Byrnes offerierten Vertrag zur Neutralisierung Deutschlands auswich, ist freilich durchaus erklärlich. Stalin, Molotow und ihre außenpolitischen Berater lebten damals in der Vorstellung, daß die USA ihre in Europa stationierten Truppen bald wieder abziehen würden, wie Roosevelt in Jalta gesagt hatte, und daß dann auch das politische Interesse Washingtons an den Vorgängen auf dem europäischen Kontinent nachlassen werde. Genau daran waren die sowjetischen Politiker und Diplomaten interessiert und nicht etwa, wie Byrnes meinte, an einem langfristigen Engagement der Vereinigten Staaten an den Grenzen des sowjetischen Herrschaftsraums, das der sowjetischen Politik, ob sie sich auf die Verteidigung des geschaffenen Imperiums beschränken oder ehrgeizigere Pläne verfolgen wollte, nur Schwierigkeiten bereiten konnte. So fanden die maßgebenden Leute im Kreml naturgemäß keinen Geschmack am Abschluß eines Vertrags, der die unangenehme politische und sogar eine gewisse militärische Präsenz der USA in Mitteleuropa auf Jahrzehnte hinaus zementieren mußte; ebenso naturgemäß sahen sie sich nicht in der Lage, bei ihrer kalten Aufnahme des Byrnesschen Werbens den wahren Beweggrund zu nennen. Auch dürften sie sehr wohl erkannt haben – Byrnes' Argumentation machte ja geradezu darauf aufmerksam –, daß sie das zur Rechtfertigung ihrer Machtpolitik in Ost- und Südosteuropa so bequeme Sicherheitsargument verlieren würden, falls die Realisierung des amerikanischen Vorschlags die stets als Grund des sowjetischen Sicherheitsbedürfnisses beschworene deutsche Gefahr für eine Generation eliminierte. Wie wenig die Annahme, ohne gewissermaßen artifizielle Bindungen werde es zu einem amerikanischen Rückzug aus Europa kommen, zu der von Stalin offenbar tatsächlich empfundenen Furcht vor einer grundsätzlich antikommunistischen und antisowjetischen Politik der USA paßte oder zu jener Angst vor einem global gefräßigen amerikanischen Imperialismus, der Molotow am 5. Mai in Paris während einer dramatischen Unterredung mit Byrnes beredt Ausdruck verlieh[145], scheint den sowjetischen Führern entgangen zu sein; Politiker neigen vielleicht noch stärker als andere Menschen dazu, mehreren einander logisch ausschließenden Überzeugungen anzuhängen bzw. einerseits in einer Welt des – jedenfalls vermeintlich – nüchternen Kalküls und gleichzeitig in einer Welt ideologisch bedingter Wunsch- oder Alpträume zu existieren. Erst recht ist Stalin und Molotow nicht klar gewesen, daß sie mit der Zurückweisung des von Byrnes gemachten Vorschlags und mit dem zähen Festhalten am Mißbrauch des Sicherheitsarguments eine Entwicklung in den USA und Westeuropa förderten, die schließlich zu einer weit mächtigeren amerikanischen Präsenz auf dem europäischen Kontinent führen sollte, als sie eine gemeinsame Kontrolle Deutschlands durch die vier Besatzungsmächte je gebracht hätte. Sie fielen solcher Kurzsichtigkeit, die an sich nicht besonders erstaunlich ist, aber doch um so eher anheim, als sie von den Meinungsbildungs- und Entscheidungsprozessen in den Vereinigten Staaten oder Westeuropa nur ein verschwommenes und weitgehend falsches Bild besaßen. Der Grund ist nicht allein in ihren ideologischen Vorurteilen zu suchen, sondern mehr noch im Mangel an eigener Anschauung und an Kenntnissen. Die Provinzialität und die Ignoranz der damaligen sowjetischen Elite – von Stalin selbst bis zur Mehrzahl der Funktionäre, denen das stalinistische System den Aufstieg in die höheren und höchsten Parteiränge erlaubt hatte – standen in einem krassen Mißverhältnis zu den Anforderungen, die sich aus der neuen Weltmachtrolle der UdSSR ergaben. In früheren Perioden der sowjetischen Geschichte war das anders gewesen, aber die Zeit, da welterfahrene und mit fundiertem Verständnis für westliche Verhältnisse ausgerüstete Männer wie Tschitscherin oder Litwinow bestimmenden Einfluß auf die Außenpolitik der Sowjetunion ausgeübt hatten, gehörte der Vergangenheit an, und die Bolschewiki, die sich in Westeuropa fast besser auskannten als in Rußland, waren von Stalin längst ermordet worden.

Schwerer ist die Frage zu beantworten, warum Molotow auch Byrnes' Vorschlag, zur Klärung der deutschen Probleme Sonderbeauftragte des Rats der Außenminister einzusetzen, ablehnte und damit seinen Kollegen notifizierte, daß die sowjetische Regierung derzeit nicht über Deutschland reden wolle. Eine gewisse Rolle mag die Befürchtung gespielt haben, daß die Amerikaner bei jeder Diskussion über die Situation in Deutschland versuchen würden, ihre Gesprächspartner erneut mit Byrnes' Vertragsentwurf zu belästigen. Doch kann das allenfalls eine Überlegung am Rande gewesen sein. Daß Molotow totale Unzugänglichkeit derart konsequent und rücksichtslos und demonstrativ praktizierte, obwohl ihm das hohe amerikanische Interesse an der Überwindung der Stagnation in Deutschland deutlich genug gemacht worden war und ihm zur Rechtfertigung seiner Haltung nicht ein einziges plausibles Argument zu Gebote stand, nötigt schon zu der Annahme, daß ihn wichtigere Motive bestimmten als ein vordergründiger diplomatisch-taktischer Gesichtspunkt. Außerdem wäre es dem sowjetischen Repräsentanten in dem von Byrnes gewünschten Kreis der Außenminister-Stellvertreter ein leichtes gewesen, einer Behandlung des amerikanischen Vertragsentwurfs mit der Begründung aus dem Wege zu gehen, Verhandlungen über eine so bedeutsame Vereinbarung seien natürlich Sache der Regierungen und nicht Aufgabe eines unterhalb der Ministerebene angesiedelten Gremiums; im übrigen hatte Byrnes bei den Themen, die er von den Sonderbeauftragten erörtert wissen wollte, seinen Vertragsentwurf gar nicht genannt.

Molotows Verhalten zwingt vielmehr zunächst zu dem simplen Schluß, daß er über Deutschland deshalb nicht reden wollte, weil er einer Änderung des politischen Status quo im Besatzungsgebiet, zu der die Besprechungen führen sollten, die den Amerikanern vorschwebten, abgeneigt war. Das ist auch umgekehrt auszudrücken: Wer keine Änderung des Status quo will, ist, jedenfalls im gegebenen Augenblick, an der Erhaltung des Status quo interessiert. Wenn aber die sowjetische Regierung im Frühjahr 1946 kein Interesse an alliierten Eingriffen in die deutschen Verhältnisse verspürte, obgleich der Zustand Deutschlands, in politischer Hinsicht unter gesamtdeutschen Aspekten und in wirtschaftlicher Hinsicht unter jedem denkbaren Aspekt, nach einer herkulischen Anstrengung der Besatzungsmächte geradezu schrie, so muß daraus gefolgert werden, daß die Deutschlandpolitik des Kreml zu diesem Zeitpunkt andere Prioritäten kannte als die Besserung der wirtschaftlichen Lage in den vier Besatzungszonen und als die Vereinigung der Zonen zu einer wirtschaftlichen und mithin auch politischen Einheit. Ihre Gleichgültigkeit gegenüber dem Lebensstandard der Deutschen wie ihre Mißachtung rationaler Prinzipien bei der Einschätzung und Ausschöpfung des deutschen Wirtschaftspotentials hatten die sowjetischen Politiker ja bereits früher oft genug bekundet und mit ihrer Reparationspolitik auch in der Praxis bewiesen. Neu war jedoch die Gleichgültigkeit, mit der sie jetzt offensichtlich die zentrifugalen Tendenzen betrachteten und weiterhin zu tolerieren gedachten, die das Besatzungsgebiet in vier separate wirtschaftliche und politische Gebilde auseinanderrissen.

Zur widerspruchsfreien Erklärung dieser Toleranz paßt eigentlich nur die Vermutung, daß die sowjetischen Führer, nachdem ihnen 1945 der Gewinn und die Ausübung von 25 Prozent Einfluß im gesamten Okkupationsgebiet noch als das Optimum sowjetischer Deutschlandpolitik erschienen sein mag, sich spätestens um die Jahreswende 1945/46 zur definitiven Befreundung mit der von der französischen Deutschlandpolitik bescherten Möglichkeit entschlossen hatten, in ihrer Besatzungszone kommunistische und sowjetische Macht dauerhaft zu etablieren und dort allmählich auf 100 Prozent auszubauen[146]. Zumindest waren sie nicht mehr gewillt, die in der SBZ auf solchen Wegen inzwischen erzielten Fortschritte in Frage stellen oder gar revidieren zu lassen. Beides – von der Verflüchtigung der 100 Prozent ganz zu schweigen – haben sie aber offenbar von einer Vereinigung der vier Besatzungszonen und der Schaffung gesamtdeutscher Institutionen erwarten müssen. Zweifellos ist die beginnende Durchsetzung und Verankerung anglo-amerikanischer politischer Prinzipien in den Westzonen von den Sowjets nicht weniger aufmerksam beobachtet worden als von den Westmächten der Anfang der Sowjetisierung in der SBZ. Es wäre überaus merkwürdig, hätten sie danach nicht damit gerechnet, daß das größere Gewicht dreier westlicher Besatzungsmächte – bei einer Wiederherstellung der deutschen Einheit – die Verwestlichung auch der sowjetischen Zone bringen werde; das brauchte nicht die Aufhebung von Maßnahmen wie der Bodenreform zu bedeuten, jedoch sicher – und das wird im Kreml als wesentlich wichtiger gegolten haben – das Ende des Machtmonopols von SMAD und SED. Wenn trotz der bestehenden Stärkeverhältnisse die Aussicht auf die deutsche Einheit erwiesenermaßen westliche Ängste vor einer Ausweitung der sowjetischen Macht bis zum Rhein weckte, so kann unbesorgt angenommen werden, daß die sowjetischen Führer nun bei der gleichen Aussicht eine noch heftigere Furcht ergriff, bis zur Oder zurückgeworfen zu werden. Daß Briten, Franzosen und bei den Amerikanern die Anhänger der Kennan-Schule es der Sowjetunion zutrauten, durch die Manipulation gesamtdeutscher Institutionen Westdeutschland politisch zu unterwerfen, hätte Stalin, wenn ihm die Dokumente bekannt geworden wären, in denen sich solche Sorgen niederschlugen, wahrscheinlich als eine von Komik nicht freie Hysterie belächelt. Die Vorstellung, womöglich den Rückzug zur Oder antreten zu müssen, dürfte indes in Moskau nicht allein deshalb erschreckend gewirkt haben, weil die sowjetischen Politiker die Gunst der Stunde genutzt und sich in der SBZ eine Position geschaffen hatten, deren Preisgabe sie nur noch mit äußerstem Widerwillen ins Auge fassen konnten. Vermutlich hatte Stalin sich mittlerweile überdies angewöhnt, die alleinige Kontrolle über die so günstig zwischen Tschechoslowakei und Ostsee gelegene SBZ auch als unverzichtbares Instrument zur politischen und militärischen Umklammerung des nach wie vor unruhigen und unsicheren Polen anzusehen. Das hieß nicht unbedingt, daß die sowjetischen Führer die deutsche Einheit schon für lange Zeit abgeschrieben hatten. Vorerst aber und für die absehbare Zukunft, da ihnen die Wiederherstellung der deutschen Einheit mit einer kaum abzuwehrenden Gefährdung der in der SBZ entstandenen sowjetischen Interessen gleichbedeutend schien, zogen sie allem Anschein nach die Protektion ihrer

deutschen Bastion vor. Daß Molotow in Paris jede gemeinsame deutschlandpolitische Aktivität der Alliierten blockierte, ist wohl als die erste
sichtbare Manifestation einer aus jenem Schutzbedürfnis folgenden Politik der Vorsicht und der – die Verfestigung der Teilung Deutschlands notgedrungen akzeptierenden – Abgrenzung nach Westen zu interpretieren.

V. Entscheidung für die Teilung

1. Washington im Übergang zur Weststaats-Konzeption

Hatte nach Frankreich und Großbritannien nun auch die Sowjetunion das Interesse an einer Wiederherstellung der wirtschaftlichen und politischen Einheit Deutschlands verloren, so blieben als Anwälte der deutschen Einheit nur noch die Amerikaner. Im Grunde war damit die Zusammenführung der vier Besatzungszonen bereits unmöglich geworden. Daß die USA auf verlorenem Posten standen, wenn sie bei der Verfechtung einer gesamtdeutschen Konzeption allein agieren mußten, zeigten die Pariser Vorgänge im April und Mai 1946 klar genug. Nach der bitteren Niederlage, die Byrnes mit seinen Plänen in Paris erlitten hatte, konnte es jedoch nicht ausbleiben, daß sich auch in Washington eine Abkehr von der bislang verfolgten Deutschlandpolitik vorbereitete. Wer, wie etwa George Kennan, seit langem zu den Kritikern der amtlichen amerikanischen Rußland- und Deutschlandpolitik gehörte, durfte sich zwar nicht – obwohl gerade das merkwürdigerweise geschah – in seiner Prämisse bestätigt fühlen, nämlich in der Annahme von einem grundsätzlichen sowjetischen Expansionismus, wohl aber in der Schlußfolgerung, daß die Vereinigten Staaten sich, namentlich in Europa, auf die wirtschaftliche wie politische Stabilisierung und die militärische Sicherung der nicht unter sowjetische Herrschaft geratenen Regionen konzentrieren sollten. Im April 1946 kehrte Kennan aus Moskau nach Washington zurück. War schon sein »langes Telegramm« vom Februar im State Department und im Weißen Haus sehr aufmerksam gelesen worden, so besaß er jetzt, obwohl er zunächst nicht im Außenministerium selbst, sondern im National War College arbeitete, noch bessere Möglichkeiten, in den politischen Kreisen der Hauptstadt für seine Auffassungen zu werben. Ein Zentrum des Widerstands gegen das von ihm propagierte Verständnis sowjetischer Politik stellte freilich in Deutschland das Büro des Politischen Beraters von General Clay dar, und am 9. Mai schickte er Carmel Offie, der zum Stab Robert Murphys zählte, ein für seinen Gedankengang typisches Memorandum, mit dem er dort ebenfalls Proselyten zu machen hoffte: Wie in den Monaten zuvor schrieb er der Sowjetunion die Absicht zu, von ihrer Basis in der SBZ, wenn sie erst einmal konsolidiert sei, bis zum Rhein vorzustoßen und ganz Deutschland in eine »Volksrepublik« nach dem Muster Polens oder Jugoslawiens zu verwandeln. Deshalb, so sagte er

noch deutlicher als bisher, gebe es für die Vereinigten Staaten keine befriedigende Lösung der deutschen Frage im Rahmen der Potsdamer Vereinbarung; die USA müßten ihre »Unabhängigkeit« von Potsdam erklären. Gleichzeitig solle die amerikanische Regierung, meinte Kennan in unbewußter, doch bezeichnender Übereinstimmung mit Ernest Bevin, die wirtschaftliche Vereinigung Deutschlands nicht nur bis zur Oder-Neiße-Linie, sondern bis zur deutschen Ostgrenze von 1937 – mit Ausnahme Ostpreußens – fordern. Mit einem solchen Zug könne der Schwarze Peter den Sowjets zurückgeschoben werden. Nähmen sie an, zögen sie den polnischen Kommunisten den Boden unter den Füßen weg. Lehnten sie ab, was Kennan offensichtlich für selbstverständlich hielt, verlören sie jede Chance, als Bannerträger der deutschen Einheit propagandistische Erfolge in Deutschland einzuheimsen: »Und wir wären dann frei, zur Organisierung Westdeutschlands, unabhängig von den Russen, überzugehen, ohne daß man uns als Gegner eines vereinten Deutschland brandmarken könnte.«[1] Wenn er und seine Freunde ähnliche Überlegungen in Washington entwickelten, fanden sie nach Byrnes' Pariser Erlebnissen mit Molotow naturgemäß offenere Ohren. Die führenden Männer des State Department, Byrnes, Acheson und Hilldring, hatten ihren Verhandlungsversuch als Test verstanden, und das Ergebnis war so eindeutig ausgefallen, daß selbst die unentwegtesten Befürworter der politischen Kooperation mit der Sowjetunion – namentlich der Verständigung in und über Deutschland – unsicher wurden und allmählich zumindest mit dem von Kennan verlangten Aktionskurs liebäugelten, ihm jedenfalls kaum noch opponierten[2]. Daß die Militärregierung in Deutschland – allerdings ohne Kennans Urteil über die Moskauer Zielsetzung zu übernehmen, sondern allein zur Überwindung der wirtschaftlichen und politischen Misere im Okkupationsgebiet und zur Erleichterung der Aufgaben der Besatzungsbehörden – mittlerweile gleichfalls auf die separate Organisation Westdeutschlands und auf eine wenigstens temporäre Unabhängigkeit von der sowjetischen Politik drängte, so als Clay am 26. Mai den Zusammenschluß der amerikanischen und der britischen Zone vorschlug, wirkte in die gleiche Richtung, zumal sich das War Department, etwa in einem Schreiben an Byrnes vom 11. Juni, hinter die Anregung Clays stellte[3].
Daß sich in Washington eine von Woche zu Woche mächtiger werdende Partei sammelte, die ihre Trommeln für eine westliche Deutschlandpolitik rührte, wie sie das britische Kabinett schon seit einiger Zeit anvisierte, ist in London mit Genugtuung vermerkt worden. Britische Politiker und Diplomaten setzten denn auch ihre Versuche, die amerikanische Umorientierung zu fördern und wieder Identität der amerikanischen mit der britischen Position zu erreichen, in gewohnt zurückhaltender Art beharrlich fort. Es hat gewiß weder die Sammlungsbewegung in Washington

noch den amerikanisch-britischen Annäherungsprozeß gebremst, daß zwischen Mitte Mai und Mitte Juni Signale aus Paris kamen, die für eine neue anglo-amerikanische Deutschlandpolitik die Gefolgschaft Frankreichs verhießen. So informierte Caffery, der amerikanische Botschafter in Paris, Außenminister Byrnes am 11. Juni über eine bemerkenswerte vertrauliche Unterredung mit Jean Chauvel, dem Generalsekretär des Quai d'Orsay[4]. Chauvel erklärte zunächst, nach französischer Meinung werde auch die zweite Runde der Konferenz des Rats der Außenminister – deren Beginn auf den 15. Juni festgesetzt war – in der deutschen Frage keine Verständigung zwischen der Sowjetunion und den Westmächten bringen. In diesem Falle, fuhr er fort, werde sich wohl eine politische und wirtschaftliche Teilung Deutschlands zwischen der russischen Zone auf der einen und den anglo-amerikanischen Zonen auf der anderen Seite ergeben. Er nehme an, daß unter solchen Umständen die USA und Großbritannien bei der Organisierung ihrer Zonen eng zusammenarbeiten würden. Frankreich werde sich dann, was die französische Besatzungszone angehe, nicht offen beteiligen; angesichts des Einflusses der französischen Kommunisten sei derzeit keine französische Regierung in der Lage, »sich für eine offizielle Unterstützung der angelsächsischen Mächte gegen die Sowjetunion in Deutschland zu entscheiden«. Daher hoffe er, daß die USA und Großbritannien, wenn es zur Teilung Deutschlands kommen sollte, darauf verzichten würden, Druck auf Frankreich auszuüben, um einen formellen und sofortigen Anschluß der französischen Zone an das anglo-amerikanische Besatzungsgebiet zu erreichen; bei derartigen Pressionen müßte die französische Regierung mit einer deutlichen Absage reagieren. »Andererseits werden die Franzosen bei einer Teilung Deutschlands in zwei Zonen aus sehr praktischen Gründen natürlich zur angelsächsischen Gruppe gezogen. Wenn wir, statt zur aktiven und offiziellen Vereinigung mit euch gedrängt zu werden, damit beginnen können, daß wir mit euch über einzelne die französische Zone und die angelsächsischen Zonen betreffende Fragen jeweils dann sprechen und Vereinbarungen abschließen, wenn sie eben auftauchen, dann wird, so glaube ich, eine allmähliche Evolution der französischen Position stattfinden und schließlich, sobald eine definitive französische Regierung gebildet sein wird, die Möglichkeit bestehen, die einzelnen Arrangements oder Vereinbarungen, die wir mit euch aus Gründen der Zweckmäßigkeit getroffen haben, in einem wirklichen Abkommen zu formalisieren.« Offensichtlich war man im Quai d'Orsay zu der Erkenntnis gelangt, daß es der französischen Deutschlandpolitik versagt bleiben werde, größere Territorien – vom Saarland abgesehen – aus Westdeutschland herauszuschneiden. Als logische Konsequenz ergab sich für das französische Außenministerium daraus der Entschluß, nun voll auf die zweitbeste Möglichkeit zur

Gewinnung der ersehnten Sicherheit vor Deutschland zu setzen und in Ausnutzung der gerade vom sowjetischen Verhalten geschaffenen Chance eine Entwicklung zu begünstigen, die unweigerlich zur Teilung Deutschlands an der Elbe führen mußte; die zweitbeste Lösung war das deshalb, weil sie nicht allein die Amerikaner, sondern für lange Zeit auch die Sowjets in Mitteldeutschland festhalten würde. Chauvels Mitteilung an Caffery und Byrnes stellte jedenfalls eine unverhohlene Ermunterung dar, getrost zu einer Politik des Zusammenschlusses der anglo-amerikanischen Zonen überzugehen; Frankreich werde sich an ihr zweifellos beteiligen, in der politischen Praxis sofort und in absehbarer Zeit auch formell. Knapp zwei Wochen später hat Chauvel das Versprechen französischer Mitwirkung – noch eindeutiger formuliert – wiederholt[5].

2. Scheitern des letzten Einigungsversuchs

Aber Byrnes war noch keineswegs überzeugt. Selbst jetzt weigerte er sich, das Resultat seines Pariser Tests als ausreichend anzuerkennen und Konsequenzen zu ziehen, wie sie die Kennan-Schule von ihm forderte und wie sie ihm von den Regierungen Großbritanniens und Frankreichs nahegelegt wurden. Vielmehr entschloß er sich dazu, die am 15. Juni beginnende zweite Phase der Pariser Außenministerkonferenz zu einem erneuten Einigungsversuch und, nun der Hauptzweck, zu einem weiteren Test der sowjetischen Deutschlandpolitik zu nutzen. Offenbar schöpfte er Zuversicht aus den Fortschritten, die bei der Arbeit an den Friedensverträgen mit den Satellitenstaaten Deutschlands immerhin gemacht worden waren, wenn auch quälend langsam und begleitet von enervierenden west-östlichen Streitereien; z. B. hatten sich die Mächte schließlich darauf verständigen können, das Problem Triest durch die Internationalisierung der Stadt zu lösen. Auch mochte die Nähe der inzwischen ebenfalls vereinbarten großen Friedenskonferenz – sie sollte Ende Juli in Paris eröffnet werden – die Sowjets etwas kooperationswilliger stimmen. Es kam ganz anders.

Als sich der Rat der Außenminister am 9. Juli wieder der deutschen Frage zuwandte, nahm Molotow, noch ehe Byrnes den ersten Zug seiner Partie machen konnte, das Wort und scheuchte mit Sätzen, die in der Tat wie Hammerschläge fielen, jede Hoffnung auf baldige interalliierte Verhandlungen über Deutschland – geschweige denn auf positive Ergebnisse solcher Verhandlungen – aus dem Konferenzraum. Der sowjetische Außenminister sprach nicht etwa aus dem Stegreif, sondern verlas einen sorgfältig präparierten Schriftsatz[6], der, ebenso wie eine zweite grundsätzliche Erklärung, die er am 10. Juli abgab[7], am folgenden Tag in der sowjeti-

schen Presse erschien. Der Schriftsatz präsentierte sich als Stellungnahme der sowjetischen Regierung zu dem Entwurf, den Byrnes für seinen Vertrag zur Entwaffnung und Entmilitarisierung Deutschlands vorgelegt hatte. Molotow kam dabei nicht mehr auf die ridikülen Argumente zurück, zu denen er im April und Mai Zuflucht genommen hatte. Jetzt behauptete er, der Entwurf des State Department sei unannehmbar und bedürfe einer »radikalen Revision«, weil die Verfasser den wichtigsten Problemen »ausgewichen« seien: Erstens vermeide es der Entwurf, die sofortige Entwaffnung und Entmilitarisierung Deutschlands, von der Wehrmacht bis zur deutschen Rüstungsindustrie, sicherzustellen[8]; Molotow versäumte es in diesem Zusammenhang nicht, scharfe Kritik daran zu üben, daß es die Inspektionskommission des Kontrollrats, deren Bildung gerade an sowjetischer Opposition gescheitert war, noch immer nicht gebe[9]. Zweitens umgehe der Entwurf die Frage der restlosen Liquidierung des deutschen Faschismus und der Demokratisierung Deutschlands. Hier ließ Molotow keinen Zweifel, daß die nach sowjetischer Meinung notwendige Revision natürlich nicht für die ohnehin selbstverständliche Unterdrückung der NSDAP und ihrer Gliederungen oder die Ausschaltung der Nationalsozialisten aus dem öffentlichen Leben sorgen solle, sondern für die revolutionäre Umgestaltung der deutschen Wirtschafts- und Gesellschaftsstruktur, wie sie in der SBZ mit der Bodenreform und verwandten Maßnahmen eingeleitet worden sei[10]. Anschließend gab der sowjetische Außenminister klar genug zu verstehen, daß die Westmächte für ihre Zustimmung zu der von ihm verlangten Änderung des Vertrags freilich nicht die Bereitschaft der Sowjetunion zu einer gemeinsamen Besatzungspolitik der Alliierten und zur Restauration der wirtschaftlichen und politischen Einheit des Okkupationsgebiets eintauschen könnten. Daran dürfe erst gedacht werden, wenn die in den Vertrag einzuarbeitenden Programme verwirklicht seien und außerdem ein befriedigender Fluß deutscher Reparationslieferungen in die UdSSR garantiert werde. Bis dahin, so sagte er nämlich, »halten wir die Anwesenheit von Besatzungstruppen in Deutschland und die Beibehaltung von Besatzungszonen für absolut notwendig«. Bei dieser Proklamierung einer unabsehbaren Separatexistenz der SBZ unterschied Molotow – ein Novum im offiziellen Sprachgebrauch der vier Besatzungsmächte – zwischen »alliierten« und »sowjetischen« Streitkräften in Deutschland[11].
Fast den wuchtigsten Schlag hatte sich Molotow jedoch für den Schluß aufgespart. Nachdem er Byrnes' Vertragsentwurf in Grund und Boden gestampft hatte, kam er im Ernst auf die Reparationen zu sprechen. Zunächst forderte er, die der Sowjetunion geschuldeten deutschen Reparationen auf 10 Milliarden Dollar festzusetzen; das war mit der Forderung nach einer deutschen Gesamtschuld in Höhe von rund 20 Milliarden Dol-

lar identisch. Sodann erklärte er, die sowjetischen Ansprüche müßten zu einem erheblichen Teil aus der laufenden Produktion ganz Deutschlands befriedigt werden. Dabei drückte er sich obendrein so aus, als könne die Anrechnung deutscher Lieferungen auf die Summe von 10 Milliarden Dollar erst nach dem Abschluß eines den jetzigen Wünschen entsprechenden Reparationsabkommens beginnen[12]; offenbar betrachtete die sowjetische Regierung die bisherigen Entnahmen aus der SBZ, die bereits eingestrichenen deutschen Guthaben und Anlagen in Ost- und Südosteuropa wie auch die sonst empfangenen deutschen Leistungen nicht als Reparationen, sondern als Kriegsbeute. Molotows Rede konfrontierte also die Westmächte mit dem hart, nahezu ultimativ formulierten Verlangen, die Reparationsvereinbarung von Potsdam wieder aufzuheben und die von der Sowjetunion in Jalta vertretene Reparationspolitik doch noch zu akzeptieren. Auch in diesem Zusammenhang fehlte nicht der Hinweis, daß die sowjetischen Besatzungstruppen in Deutschland erst nach der Erfüllung der Moskauer Reparationsansprüche aus der SBZ abgezogen würden[13]. In welchen Zeiträumen die Sowjets bei der Okkupation und Kontrolle Deutschlands dachten, hatte Molotow im übrigen schon zu Beginn seiner Bemerkungen dargetan, als er sagte, die Laufzeit eines nach den sowjetischen Vorstellungen redigierten Vertrags habe nicht 25, sondern 40 Jahre zu betragen[14].

Es ist gänzlich unmöglich, die rhetorische Übung des sowjetischen Außenministers als Ausdruck ernsthaften Verhandlungswillens zu begreifen. In konsequenter Fortsetzung des Kurses, den er während der ersten Runde der Konferenz verfolgt hatte, und lediglich in der Taktik von der namentlich propagandistisch unbefriedigenden Defensive zu einer Art Offensive übergehend, handhabe Molotow seine Erklärung offensichtlich als ein Instrument der diplomatischen Abschreckung, nämlich der Abschreckung des nach seinem Eindruck noch immer nicht völlig abgekühlten westlichen – vor allem amerikanischen – Drangs zu Verhandlungen über Deutschland. Nur ein politischer Naivling hätte die Erwartung hegen können, die drei westlichen Außenminister seien ohne weiteres bereit oder ohne langwierige Konsultationen mit ihren Kabinetten in der Lage, sich auf die Umwandlung eines simplen Vertrags zur langfristigen Entwaffnung Deutschlands in die Vorform eines Friedensvertrags und zugleich in ein Programm zur gesellschaftspolitischen Revolutionierung Westdeutschlands einzulassen. Molotow war aber keineswegs in diesem Sinne naiv. Man braucht ihm nicht einmal zu unterstellen, daß er auf eine schroff ablehnende Reaktion des schließlich die Vormacht des Kapitalismus repräsentierenden amerikanischen Außenministers spekulierte, obwohl eine solche Unterstellung durchaus plausibel wäre, da Molotow ja nicht wußte, daß zumindest im State Department Überlegungen kursierten, die Wiederherstellung der deutschen Wirtschaftseinheit auch mit einer gewissen Anpassung der Westzonen an die SBZ zu erkaufen. Doch muß er wenigstens damit gerechnet haben, daß er die Konferenz, wenn er den amerikanischen Vorschlag dermaßen überbot, in eine totale und jede vernünftige Verhandlung vorerst ausschließende Konfusion stürzen werde.

Hingegen ist nun wirklich evident, daß er mit seiner Forderung nach Liquidierung der Potsdamer Reparationsvereinbarung allein westliche Ablehnung provozieren wollte und nicht etwa ernstlich auf westdeutsche Lieferungen für die UdSSR zielte[15]. Die Sowjets hatten ihre Reparationspolitik weder in Jalta noch auf der Moskauer Konferenz der Reparationskommission und in Potsdam durchzusetzen vermocht, als die mit einer Realisierung verbundene finanzielle Belastung der Westmächte erst eine – allerdings gut begründete – Prognose gewesen war. Inzwischen verursachte die Okkupation Deutschlands den USA und Großbritannien tatsächlich erhebliche Kosten, obgleich die beiden Westmächte ihren Zonen die Bürde der sowjetischen Ansprüche weitestgehend erspart hatten. Repräsentanten der Westmächte hatten den Sowjets wieder und wieder gesagt, daß man in London und Washington nicht gewillt sei, diesen Zustand noch länger hinzunehmen, und daß die westlichen Bemühungen um die deutsche Wirtschaftseinheit, deren Verlust als Hauptgrund der elenden Lage in Deutschland gelten müsse, in erster Linie dem Zweck dienten, die Besatzungszonen aus finanziellen Zuschußgebieten in einen finanziell autonomen Raum zu verwandeln. Nicht minder eindringlich war den Sowjets dargelegt worden, daß auch nach einem wirtschaftlichen Zusammenschluß der Zonen die nicht für den inneren Bedarf benötigte deutsche Produktion vor der Befriedigung anderer Anforderungen – einschließlich der Reparationsansprüche – zur Bezahlung notwendiger Einfuhren verwendet werden müsse, weil sonst der angestrebte Zweck abermals verfehlt werde. Bevin hatte ein Memorandum, das die westliche Auffassung in aller wünschenswerten Deutlichkeit summierte, nach Paris mitgebracht und seinen Kollegen bereits zugeleitet[16]. Wenn aber den Sowjets bewußt war, daß die Westmächte mehr denn je nach ihrer finanziellen Entlastung und folglich, weit davon entfernt, eine zusätzliche wirtschaftliche Belastung des Okkupationsgebiets ins Auge zu fassen, nach einer gewissen wirtschaftlichen Erholung Deutschlands trachteten, wie hätten sie dann glauben können, mit einem Ansinnen Erfolg zu haben, das die von ihren Partnern als unerträglich empfundene Situation nicht einfach erhalten, sondern wesentlich verschlimmern mußte. Daß Molotow einen Tag später anbot, die Annahme seiner Reparationspolitik mit der sowjetischen Zustimmung zu einer Erhöhung der deutschen Produktion zu honorieren, änderte daran grundsätzlich gar nichts, zumal die deutsche Produktion, worauf er beiläufig selbst aufmerksam machte, noch eine Weile lang nicht einmal die Grenzen des sehr restriktiven ersten alliierten Industrieplans erreichen konnte[17]. So kann es den sowjetischen Außenminister gewiß nicht überrascht haben, daß die höchlichst erstaunten Bevin und Byrnes sogleich erklärten, in der Reparationsfrage habe die Übereinkunft von Potsdam gültig zu bleiben; die sowjetische Position von Jalta sei für die Westmächte indiskutabel[18].

Wenn es danach noch Zweifel an den sowjetischen Absichten gab, so wurden sie von Molotow am nächsten Tag endgültig zerstreut. Am 9. Juli hatte er vornehmlich den Außenministern der USA und Großbritanniens unverdauliche Brocken serviert, am 10. kam auch Bidault an die Reihe. Seine zweite grundsätzliche Erklärung eröffnete Molotow mit edel klingenden Bekenntnissen zur Verpflichtung der Alliierten, die besiegten Deutschen großmütig zu behandeln, den deutschen Staat zu erhalten und für die ungeschmälerte Bewahrung des deutschen Staatsgebiets zu sorgen. Damit wollte er freilich nicht sagen, daß die sowjetische Regierung ihre Reparationsforderung überdacht habe und sie nun selbst zu hart finde[19]; auch hatte er, als er von dem deutschen Staatsgebiet sprach, das es ungeschmälert zu erhalten gelte, keineswegs die Rückgabe der von der Sowjetunion und von Polen annektierten ostdeutschen Territorien im Auge. Mit seinen schönen Worten garnierte er lediglich eine scharfe und umfassende Ablehnung der französischen Ziele im Westen Deutschlands. Doch hat er auch an diesem Tag nicht die Briten und Amerikaner vergessen. Daß er in abrupter Abkehr vom bisherigen offiziellen Standpunkt Moskaus konstatierte, die Sowjetunion werde unter keinen Umständen irgendwelchen Formen der Föderalisierung Deutschlands zustimmen, weil jede Föderalisierung nur Bestandteil einer verwerflichen Aufteilungs- und Agrarisierungspolitik sei, baute nicht allein, wie er sehr gut wußte, eine für Bidault im Augenblick nicht verhandlungsfähige Gegenposition zur Praxis in der französischen Besatzungszone auf, sondern kam – wie ihm wiederum klar war – ebenso einer Kampfansage an die Ordnungsprinzipien amerikanischer Besatzungspolitik gleich. Daß er auf der anderen Seite eine straffe Vier-Mächte-Kontrolle des Ruhrgebiets verlangte, traf dann in erster Linie Bevin, indes erzwang er hier ebenfalls sogleich westliche Solidarität, indem er hinzufügte, unter eine solche Vier-Mächte-Kontrolle müsse die deutsche Industrie auch außerhalb des Ruhrgebiets gestellt werden[20]. Anschließend bot er eine weitere Prise Propaganda. Abermals in schroffem Gegensatz zur bislang vertretenen amtlichen Meinung Moskaus bezeichnete er nämlich die sofort zu schaffenden deutschen Zentralverwaltungen als Einrichtungen eines raschestens zu passierenden Durchgangsstadiums; was not tue, sei vielmehr die Bildung einer deutschen Regierung. Damit der Gedanke nicht womöglich auf Beifall stoße, setzte er allerdings flugs hinzu, eine deutsche Regierung werde vor allem das alliierte – d. h. sowjetische – Demokratisierungsprogramm und das alliierte – d. h. sowjetische – Reparationsprogramm zu exekutieren haben. Außerdem demaskierte er ausgerechnet während seiner Bemerkungen über die deutsche Regierungsbildung den Unernst seiner Kritik an Byrnes' Vertragsentwurf und benutzte er ausgerechnet diesen Zusammenhang zu einer erneuten Versicherung, daß die Sowjetunion, was immer in Deutschland geschehen möge, dort noch lange zu bleiben gedenke. Hatte er am Vortag seinen Kollegen angesonnen, den amerikanischen Entwurf stehenden Fußes zu einem Präliminarfrieden umzuschreiben, so erklärte er nämlich jetzt, grundsätzlich sei die Sowjetunion natürlich für den Abschluß eines Friedensvertrags mit Deutschland, aber damit habe es noch gute Weile. Zunächst sei eine deutsche Regierung einzusetzen. Dann seien der Wille und die Fähigkeit einer solchen Regierung zur Demokratisierung Deutschlands und zur reibungslosen Bezahlung der Reparationsschulden genau zu beobachten und zu kontrollieren. Erst wenn die Regierung die Reste des deutschen Faschismus mit Stumpf und Stiel ausgetilgt und ihre demokratische wie ihre reparationspolitische Bewährungszeit mit Erfolg absolviert habe, was fraglos »eine Anzahl von Jahren« dauern werde, sei es möglich, ernsthaft über einen Friedensvertrag mit Deutschland zu sprechen[21].

Im Laufe der folgenden Debatte tat Molotow noch ein übriges. Daß er Bevins Memorandum über einen alliierten Export-Import-Plan für Deutschland als indiskutabel verwarf, könnte, wenn man die sowjetische Forderung nach der Liquidierung der Potsdamer Reparationsvereinbarung als seriösen Verhandlungsvorschlag auffaßt, als eine vor dem Hintergrund der sowjetischen Ansprüche logische und verständliche Handlungsweise erscheinen[22]. Doch hat er ebenso gnadenlos jede Regung von Konzessionsbereitschaft zertreten, die trotz der niederschmetternden Wirkung seiner beiden Referate immer wieder bei Byrnes – in Anbetracht der Umstände gewiß nur schüchtern – aufkeimte. Byrnes hatte am 9. Juli, in der kurzen Zeit, die an jenem Tag für eine Diskussion über die sowjetische Erklärung noch zur Verfügung stand, zwar einige der Unrichtigkeiten und Widersprüche in den Bemerkungen Molotows mühelos aufgespießt[23] und das Verlangen nach Anerkennung der wieder im Sinne von Jalta formulierten sowjetischen Reparationsansprüche als unzumutbar abgelehnt. Auf der anderen Seite hatte er aber die von Molotow gewünschte Laufzeit für einen alliierten Deutschlandvertrag, also 40 statt der im Entwurf des State Department erwähnten 25 Jahre, sofort akzeptiert und sämtliche der vom sowjetischen Außenminister sonst genannten Punkte als durchaus diskussionsfähig bezeichnet; Molotow brauche nur dem schon im Mai gestellten Antrag auf Einsetzung von Sonderbeauftragten für die deutschen Probleme endlich zuzustimmen, den er, Byrnes, nun erneut dem Rat der Außenminister unterbreite, wobei er, anders als im Mai, nicht mehr auf einer engen zeitlichen Begrenzung der Arbeit dieser Außenminister-Stellvertreter bestehen wolle[24]. Als unmittelbare Replik hatte Molotow dann am 10. Juli allen drei westlichen Außenministern den Fehdehandschuh vor die Füße geworfen. Indes nahm Byrnes die Herausforderung noch nicht gleich an. Vielmehr erklärte er sich prompt mit Molotows These von der Notwendigkeit einer deutschen Regierung einverstanden[25]. Auch dies, so sagte er, sei eine Frage, deren praktische Lösung doch gut in einem Gremium von Sonderbeauftragten vorbereitet werden könne, wie er es angeregt habe. Außerdem wiederholte er seine Versicherung vom Vortag: Die Außenminister-Stellvertreter sollten sich mit allen Problemen befassen, »die von den vier Delegationen am Ratstisch aufgeführt worden sind«; selbst das amerikanische Föderalisierungskonzept sei dabei, so deutete er an, nicht sakrosankt[26]. Danach machte er darauf aufmerksam, daß die Idee der Sonderbeauftragten sowohl von der britischen wie von der französischen Delegation abermals gebilligt worden sei: Er frage also, ob nicht auch sein »Freund Molotow« einwilligen könne[27]. Freund Molotow freilich, der eben noch so stürmisch nach deutschlandpolitischer Aktivität und nach Reparationen für die UdSSR begehrt hatte, wies Byrnes' Angebot wiederum kühl zurück, obwohl ihm ein einfaches »Ja« die unverzügliche Aufnahme von Verhandlungen über das behauptete sowjetische Deutschlandprogramm und zugleich – nach Byrnes' schriftlicher Zusage vom Mai – die sofortige Aufhebung des von Clay verfügten Reparationsstopps eingebracht hätte. Anschließend meinte er, von Byrnes' lästiger Konzessionsbereitschaft zur totalen Desavouierung seiner zwei Reden verleitet, die sowjetische Delegation halte es für angemessener, der deutschen Frage – statt sie jetzt an Sonderbeauftragte zu überweisen – »während des nächsten Jahres mehr Zeit zu geben und den deutschen Angelegenheiten dann zu einem späteren Termin eine Sondersitzung des Rats der Außenminister zu widmen«[28].

3. Beschluß zur Gründung der Bizone

Die Worte Molotows hatten so gar nichts Dramatisches und Endgültiges an sich, doch machten sie eine ebenso dramatische wie endgültige Entscheidung über die Zukunft Deutschlands unausweichlich; sie lieferten gleichsam das letzte Quentchen Druck, das notwendig war, um die Weiche einklicken zu lassen und die deutsche Entwicklung auf ein Gleis zu dirigieren, das von der Vertiefung der faktisch gegebenen Teilung des Landes über die institutionelle Befestigung schließlich zur politischen Besiegelung führen mußte. Wenn der sowjetische Außenminister offensichtlich nach einer Moskauer Version jener Maxime handelte, die in Washington die Kennan-Schule für die amerikanische Deutschlandpolitik befolgt wissen wollte, also nach der Maxime, daß die Freiheit für die separate politische Organisation des eigenen Besatzungsgebiets gesichert werden müsse, diese Intention aber vor der Weltöffentlichkeit und namentlich vor den Deutschen durch ein aus gesamtdeutscher Rhetorik und Propaganda geknüpftes Tarnnetz nach Möglichkeit zu verbergen sei, wenn der sowjetische Außenminister die Vertreter der drei übrigen Besatzungsmächte zudem gelassen davon in Kenntnis setzte, daß sie nicht auf einen Kurswechsel Moskaus rechnen dürften, dann zwang er damit endlich auch die Vereinigten Staaten – Frankreich und Großbritannien waren dazu ja ohnehin schon bereit – zu einer ähnlichen Politik. Ein Jahr lang hatten nun die Amerikaner, erst bei den Franzosen und seit drei Monaten bei den Sowjets, ohne Erfolg um eine gemeinsame Deutschlandpolitik der Alliierten und um die Realisierung der in Potsdam vereinbarten deutschen Wirtschaftseinheit gebettelt. Während der ganzen Zeit waren sie gezwungen gewesen, die Dinge in Deutschland treiben zu lassen. Jetzt herrschten dort Zustände, die eine Beseitigung der Zonengrenzen, auch ohne die Bindung an Potsdam und an die hinter der Potsdamer Übereinkunft stehenden Motive, aus schierer finanzieller und wirtschaftlicher Notwendigkeit forderten – im Interesse der Deutschen wie im Interesse der Besatzungsmächte. Nach wie vor stand den Amerikanern kein Mittel zu Gebote, die sowjetische Blockierung der deutschen Wirtschaftseinheit aufzubrechen. Doch wollten und konnten sie die negative Haltung Moskaus nicht mehr passiv hinnehmen. Nach der neuerlichen Abfuhr, die einem amerikanischen Verhandlungsangebot zuteil geworden war, nach Molotows unverblümter Erklärung, daß die Abfuhr nicht nur für den Moment gedacht sei, blieb selbst Byrnes nichts anderes übrig, als sich der Kennan-Schule anzuschließen oder jedenfalls deren Forderungen für das amerikanische Vorgehen in Deutschland zu erfüllen. Die Konsequenz war klar, und Byrnes zögerte nicht, sie sofort zu ziehen.

Es ist schwer zu glauben, daß die sowjetische Regierung und an Ort und Stelle Molotow die amerikanische Reaktion nicht vorhergesehen und folglich provoziert oder doch billigend in Kauf genommen habe. Fest steht jedoch, daß Molotow jedenfalls in Paris, und zwar noch vor dem Ende der Deutschland-Debatte des Rats der Außenminister, Gewißheit darüber erlangte, wie Byrnes das sowjetische Verhalten und die abschließende Erklärung des sowjetischen Außenministers quittieren wollte. Nachdem Bevin am 11. Juli von seinen Kollegen eine Stellungnahme zum britischen Memorandum über die Export-Import-Frage – damit auch über die Reparationspolitik Londons – verlangt und Molotow die britischen Vorschläge sofort schroff abgelehnt hatte, unterrichtete der Chef des Foreign Office den Rat der Außenminister, daß Großbritannien, nicht mehr willens und nicht mehr fähig, den Zuschuß für seine Besatzungszone aufzubringen, sich dann eben entschließen müsse, selbständig vorzugehen und die britische Zone ohne Rücksicht auf die interalliierte Zusammenarbeit für den Export zu organisieren[29]. Bevin hatte das schon einen Tag zuvor angekündigt und dabei von der britischen Hoffnung gesprochen, den neuen Kurs vielleicht doch gemeinsam mit anderen Besatzungsmächten steuern zu können[30]; seine Äußerung war ein Angebot, das nach Lage der Dinge selbstverständlich Byrnes gegolten hatte. Der Amerikaner hatte die Bemerkungen des britischen Außenministers zunächst unkommentiert gelassen, offensichtlich deshalb, weil er einmal mehr die Einsetzung von Sonderbeauftragten vorschlagen und erst Molotows Antwort darauf abwarten wollte. Jetzt aber, als Bevin den britischen Entschluß und implicite auch die britische Offerte in definitiver Form wiederholte, ging Byrnes, auf den Molotows Widerstand gegen seinen Vorschlag wie der letzte Peitschenhieb wirkte, über die Hürde. Kaum hatte Bevin geendet, griff Byrnes die britische Anregung auf, und zwar in der Form, daß er ihr ein amerikanisches Gewand anzog und seinerseits versicherte, die USA würden mit jeder Besatzungsmacht kooperieren, die ihre Zone mit der amerikanischen vereinigen wolle[31]. Wohl gab er sich einige Mühe, die Einladung so zu formulieren, daß der französische und durchaus auch der sowjetische Außenminister sich ebenfalls angesprochen fühlen durften. Aber das war, wenngleich noch nicht gänzlich unernst, sicherlich mehr fürs Protokoll bestimmt. Nach dem Verlauf der Debatte wußten alle, die am Konferenztisch saßen, daß Byrnes' Worte an Bevin adressiert waren und daß sich hier eine britisch-amerikanische Verständigung vollzog. Am 12. Juli folgte die Bestätigung. Nachdem Bevin in der ersten Sitzung des Tages zunächst die reparationspolitischen Forderungen Moskaus erneut als unannehmbar bezeichnet hatte[32], antwortete er auf die amerikanische Einladung mit einer kurzen Bemerkung, die eine rasche Annahme durch das britische Kabinett praktisch garantierte[33].

Ein letztes Mal zögerte Byrnes, ja er nötigte Molotow und dem Rat der Außenminister noch eine weitere Chance auf, den eingeschlagenen Weg wieder zu verlassen. Am 12. Juli fungierte er als Vorsitzender. Das gab ihm die Möglichkeit, Molotow sofort um einen Kommentar zu Bevins bedeutsamer Bemerkung zu bitten[34]. Der sowjetische Außenminister sah jedoch keinen Anlaß, über nichtssagende Floskeln hinauszugehen. Anschließend nahm Bidault das Wort. Er erklärte Frankreichs grundsätzliches Einverständnis mit der Herstellung der deutschen Wirtschaftseinheit und fügte – offensichtlich weil er es angesichts der sowjetischen Haltung für gefahrlos hielt – hinzu, die französische Regierung, die sich nie dem

Gebot der Notwendigkeit versage, habe auch gegen die Schaffung von Zentralverwaltungen in Deutschland nichts einzuwenden, sofern es sich vorerst um alliierte Zentralverwaltungen mit deutschem Personal handle und sofern sich die Zuständigkeit solcher Behörden nicht auf das Saarland erstrecke [35]. Auch diese Gelegenheit suchte Byrnes zu nutzen. Den französischen Saarvorbehalt akzeptierend und Bidaults Konzession bewußt etwas übertrieben interpretierend, konstatierte Byrnes sogleich, daß nun das Hindernis gefallen sei, das die Exekution der entsprechenden Potsdamer Entscheidung so lange aufgeschoben habe, und er forderte seine Kollegen auf, in Anbetracht der erfreulichen Übereinstimmung, die jetzt herrsche, unverzüglich einen Beschluß zur Einrichtung von Zentralverwaltungen in Deutschland zu fassen [36].

Damit schuf Byrnes einen Augenblick von hoher Bedeutung. Wenn Molotow den Zusammenschluß des amerikanischen und des britischen Besatzungsgebiets abblocken oder wenigstens hinausschieben wollte, brauchte er nur einen zustimmenden Satz zu sagen. Solange er mit seiner Zustimmung – wie immer das endgültige Schicksal eines etwaigen Beschlusses des Rats der Außenminister auch aussehen mochte – eine deutschlandpolitische Verständigung zwischen Westmächten und UdSSR als erreichbar erscheinen ließ, waren Byrnes und Bevin nicht in der Lage, vor der Öffentlichkeit ihrer Länder und vor den Deutschen ihrer Zonen ein Vorhaben zu vertreten, das dann als mutwillige Herausforderung der Sowjetunion und als unprovozierter Schlag gegen die deutsche Einheit wirken mußte. Selbstverständlich wußte Molotow auch, daß er Byrnes und damit Bevin zwingen konnte, die Zonenvereinigung gegen die Zentralverwaltungen einzutauschen; Byrnes hatte überdies signalisiert, daß gar kein Zwang nötig, er vielmehr noch immer gerne zu einem derartigen Tausch bereit sei. Andererseits wußte Molotow ebenso gut, daß Byrnes und Bevin mit dem Plan, den sie gerade offen auf den Tisch gelegt hatten, Ernst machen und sich dazu sogar getrieben fühlen würden, sollte die sowjetische Zustimmung ausbleiben. Der sowjetische Außenminister aber, der am Vortage noch selbst darüber geklagt hatte, daß in Deutschland keine Zentralverwaltungen existierten, rührte keinen Finger. Er verweigerte sich dem von Byrnes vorgeschlagenen Beschluß und sah den danach unausweichlichen Konsequenzen offensichtlich ohne sonderliche Gemütsbewegung entgegen; die angekündigte anglo-amerikanische Zonenvereinigung entlockte ihm nicht einmal eine kritische Glossierung. In der zweiten Sitzung des 12. Juli spielte sich der gleiche Vorgang ab. Abermals wandte sich Byrnes an Molotow mit der Bitte, die sowjetische Einwilligung zur Errichtung von Zentralverwaltungen in Deutschland zu geben, und abermals wich Molotow aus: In einiger Zeit könne der Rat der Außenminister ja wieder über die deutschen Probleme sprechen; bis dahin werde man die angeschnittenen Fragen gründlich studieren[37]. So nahmen denn die Dinge ihren Lauf. Byrnes unterrichtete Präsident Truman und setzte das Kriegsministerium in Washington davon in Kenntnis, daß er jetzt bereit sei, dem von General Clay gemachten und vom War Department unterstützten Vorschlag zur amerikanisch-britischen Zonenvereinigung zu folgen[38]. Das Kriegsministerium, das vielleicht auch Grund zu der Befürchtung zu haben glaubte, Byrnes könne rückfällig werden und nach dem letzten noch einen allerletzten Test der sowjetischen Deutschlandpolitik für angezeigt halten, handelte prompt. Am 18. Juli wurde der amerikanische Vertreter im Kontrollrat angewiesen, dort die Byrnessche Einladung von Paris zu wiederholen[39], und am 20. Juli 1946, in der 34. Sitzung des Kontrollrats, kam General Joseph T. McNarney, Eisenhowers Nachfolger, seiner Instruktion nach[40]. Bereits in der nächsten Sitzung, am 30. Juli, nahm der britische Vertreter, Luftmarschall Sir Sholto Douglas, der Montgomery abgelöst hatte, die amerikanische Einladung an[41]. Sokolowski, seit Juni Marschall der Sowjetunion und schon seit dem Frühjahr an Stelle Schukows sowjetisches Mitglied des Kontrollrats, hatte zu McNarneys Erklärung geschwiegen, sein politischer Berater zu Murphy lediglich bemerkt, er persönlich zweifle daran, daß die Amerikaner auf dem richtigen Weg zur deutschen Wirtschaftseinheit seien[42]. Als er am 30. Juli hörte, daß sein britischer Kollege das amerikanische Angebot akzeptierte, verriet Sokolowski wiederum nicht die geringste Aufregung. Er habe General McNarneys »Einladung« mit großem Interesse zur Kenntnis genommen, so sagte er, könne an ihr aber keinen Bezug zur deutschen Wirtschaftseinheit sehen, da es dieser Einheit sicher nicht bekomme, wenn Deutschland in zwei oder mehr Territorien aufgeteilt werde, die ausgesprochenermaßen wirtschaftlich autark sein sollten; auch ignoriere die amerikanische Offerte die Frage der politischen Einheit, während die Sowjetunion sowohl für die wirtschaftliche wie für die politische Einheit Deutschlands eintrete. Danach ging er zur Tagesordnung über und schlug vor, den Koordinierungsausschuß mit der Erkundung von Möglichkeiten zur Verbesserung des interzonalen Handels zu beauftragen[43].

4. Die Anerkennung der Teilung Deutschlands als Element westlicher und östlicher Containment-Politik: Die Außenministerkonferenzen von Moskau und London

Daß Planer und Exekutoren der sowjetischen Politik die Geburt der Bizone mit großer Ruhe beobachteten, lag vielleicht nicht nur daran, daß sie den als Gefährdung der sowjetischen Position in Mitteleuropa empfundenen amerikanischen Verhandlungswillen endlich abgewehrt und sich in

der interalliierten Auseinandersetzung über Deutschland eine Atempause
von wenigstens einem halben Jahr verschafft hatten; es ist nicht ausgeschlossen, daß sie die Bedeutung des Vorgangs erkannten und ihn gerade
deshalb tolerierten oder sogar begrüßten. Mit der Zonenvereinigung
gingen die USA, von Großbritannien, Frankreich und anderen westeuropäischen Staaten bestärkt – zeitweilig wurde »Uncle Sam« behutsam am
Ärmel geführt –, in Deutschland zur Verteidigung über, jedenfalls auf dem
Felde praktischer Politik, und dieser Übergang zur Defensive leitete unweigerlich die langfristige amerikanische Respektierung der sowjetischen
Herrschaft im Deutschland östlich der Elbe ein oder auch, anders ausgedrückt, die faktische amerikanische Anerkennung der deutschen Teilung.
Tatsächlich handelte es sich um einen Wendepunkt in einem noch weiteren
Sinn. Eine Politik des »Roll back«, d. h. eine Politik, die ernstlich ver-
suchte, alle bis zum Sommer 1945 von der Roten Armee erreichten Territorien und Länder Mittel-, Ost- und Südosteuropas aus einem stalinistischen
Imperium herauszuhalten oder wieder herauszulösen, ist von der amerikanischen Regierung nicht etwa, entgegen einer oft anzutreffenden
Meinung, in den fünfziger Jahren unter Präsident Eisenhower und Außenminister John Foster Dulles verfolgt worden, sondern von Jalta bis zum
Sommer 1946, als der Begriff noch gar nicht existierte, unter Roosevelt/
Truman und Außenminister James Byrnes; was Dulles als »Roll back«
ausgab, war, zumindest in Europa und im Fernen Osten, nichts weiter als
eine aus innenpolitischen Gründen umgetaufte, ideologisch-propagan-
distisch überhitzte und dann in eine starre Form gehämmerte Version der
»Containment-Politik«, die sich wesentlich darauf beschränkte, um den
von Stalin in den vierziger Jahren geschaffenen Herrschaftsraum Dämme
zu ziehen und einer weiteren sowjetischen Expansion den Weg zu verlegen.
Die »Containment-Politik« aber, auf den Begriff und erstmals in ein System gebracht von George Kennan, begann in Europa mit der Entscheidung Washingtons für den Zusammenschluß des amerikanischen und des
britischen Besatzungsgebiets in Deutschland [44].
Nicht daß die Zonenvereinigung das Ende der Politik des »Roll back«
verursacht hätte. Als Ursachen wirkten die sowjetische Entschlossenheit,
vom Moskauer Imperium keinen Quadratmeter preiszugeben, und auf
amerikanischer Seite die Erkenntnis, daß der sowjetischen Entschlossenheit mit dem Instrumentarium von Politik und Diplomatie nicht beizukommen war. Zur allmählichen und zunächst nur punktuellen Umsetzung
der Erkenntnis in politische Praxis wäre allein die Anwendung von Waffengewalt eine Alternative gewesen. Indes konnte die »Fortsetzung der
Politik mit anderen Mitteln« nicht einmal in Erwägung gezogen werden.
Ein zu großer Teil der amerikanischen Nation nahm die Anfänge des
Konflikts mit der Sowjetunion nur verschwommen wahr oder empfand

sie als für die Sicherheit der USA wenig belangvolle Querelen an den äußersten Rändern der amerikanischen Einfluß- und Interessenzonen; so dominierte noch 1946 das Gefühl der politischen Partnerschaft mit Rußland, vielfach war sogar das während des gemeinsamen Kampfes gegen Deutschland geweckte Gefühl der Waffenbrüderschaft mit dem russischen Volk nach wie vor lebendig. Das sollte sich zwar bald ändern, doch wäre es selbst in den 1946 erst bevorstehenden Jahren der hochschäumenden Aufwallung antikommunistischer und antisowjetischer Emotionen völlig unmöglich gewesen, in den Vereinigten Staaten eine Mehrheit für einen totalen Krieg mit der Sowjetunion zu finden, der nur Einbrüche in die sowjetische Machtsphäre zum Ziel gehabt hätte. Auch gab es zunächst nirgends Bundesgenossen. Großbritannien war nach fast sechs Jahren Krieg erschöpft, Frankreich zu größeren militärischen Anstrengungen unfähig. In China herrschte ein Bürgerkrieg, der sich bereits für die mit den USA verbundene Regierung ungünstig zu entwickeln drohte. Ehemalige Kriegsgegner wie Deutschland und Japan kamen, besetzt und entwaffnet, aus einer ganzen Reihe von unterschiedlichen Gründen für eine Militärallianz mit den Vereinigten Staaten vorerst nicht in Frage.

Selbst die Tatsache, daß die USA und Großbritannien in der frühen Nachkriegszeit das Atomwaffenmonopol und dann noch lange eine atomare Überlegenheit besaßen, erwies sich als politisch folgenlos[45]. Selbstverständlich haben amerikanische Politiker und Diplomaten damals häufig darüber debattiert, ob und wie der Besitz der Atombombe gegen die Sowjetunion ausgespielt werden könne. Aber solche Erörterungen mündeten stets in die Einsicht, daß gerade die Furchtbarkeit der neuen Waffe, die der erste gelungene Versuch (16. Juli 1945) und der Einsatz gegen Japan (6. August 1945: Hiroshima; 9. August: Nagasaki) mit schrecklicher Eindringlichkeit demonstriert hatten, die Anwendung allenfalls in Auseinandersetzungen erlaube, bei denen es um die politische Existenz der Nation gehe; da die Gegenseite das ebenfalls wisse, tauge die Bombe in den gewiß wichtigen und bitteren, jedoch die politischen Existenzgrundlagen der USA keineswegs schon elementar berührenden Interessenkonflikten mit der UdSSR nicht einmal zu Drohgebärden[46]. Nach dieser Einsicht ist auch gehandelt worden. Als Präsident Truman zu Beginn der Potsdamer Konferenz die Nachricht über den gelungenen Bombentest von Alamogordo erhielt, bestand der Effekt vornehmlich darin, daß der auf internationalem Parkett noch unerfahrene Mann aus Missouri gegenüber den Heroen der Allianz, Churchill und Stalin, etwas an Selbstsicherheit gewann. Stalin hat er eher beiläufig über das Ereignis informiert, und im Laufe der Verhandlungen machte er nicht den geringsten Versuch, bei den ja nicht gerade seltenen Differenzen mit dem sowjeti-

schen Diktator die Atombombe auf die Waagschale zu legen; sicherlich
war den in Potsdam tagenden Delegationen der drei Weltmächte bewußt, daß die Sowjetunion nun waffentechnisch zurücklag, doch sind
Gang und Ergebnisse der Konferenz davon offensichtlich nicht beeinflußt worden[47]. Auch während der ersten Jahre nach Hiroshima und Nagasaki haben die Repräsentanten der USA in den vielfältigen Zusam-
menstößen mit ihren sowjetischen Gegenspielern, ob sich der Streit um
Ost- und Südosteuropa drehte, um Persien und Nordafrika oder um
Deutschland und die SBZ, nicht ein einziges Mal – und sei es noch so
vorsichtig und unauffällig – die Verfügbarkeit von Atombomben als politisches Druckmittel benutzt[48], obwohl sie fraglos oft in Versuchung gerieten, die politischen und sonstigen Manieren ihrer Kontrahenten
durch Handhabung oder doch demonstratives Ergreifen eines gewaltigen Knüppels zu verbessern. Daß die Führer der UdSSR die Sachlage
ebenso deutlich erkannten, beweist die selbstbewußte und ungenierte
Rücksichtslosigkeit, mit der die sowjetische Politik und Diplomatie immer dann amerikanische Interessen und Empfindlichkeiten verletzte,
wenn man im Kreml glaubte, es eben nur mit amerikanischen Interessen
und Empfindlichkeiten zu tun zu haben. Darin äußerte sich weniger die
von Stalin für sich in Anspruch genommene Nervenstärke, sondern vor
allem seine zutreffende Ansicht, daß er die neue Waffe der Amerikaner
nicht zu fürchten brauchte und daher bei der Festlegung von Strategie
und Taktik sowjetischer Politik ignorieren durfte, solange die Sowjetunion die Vereinigten Staaten nicht unmittelbar bedrohte. Es versteht
sich, daß er trotzdem unverzüglich alle Ressourcen seines Imperiums
mobilisierte, um den amerikanischen Vorsprung so rasch wie möglich
aufzuholen[49].

Aus dieser Situation hatte Washington schon vor dem Juli 1946 gewisse
Konsequenzen ziehen müssen. Daß Truman und Byrnes – wie auch Churchill und Eden – im Sommer 1945 eine Regelung der polnischen Regierungsfrage als Kompromiß akzeptiert hatten, die weder den Satellitenstatus Polens berührte noch die Liquidierung des politischen Pluralismus im
Lande nennenswert behinderte, war bereits auf das stillschweigende Eingeständnis hinausgelaufen, daß den USA und Großbritannien am Ende
nichts anderes übrigbleiben werde, als sich mit Stalins Mißachtung der
Abmachungen von Jalta und folglich mit der Entstehung eines sowjetischen Imperiums abzufinden. Ganz ähnlich war die Vereinbarung einzuschätzen, die Byrnes und Bevin bei ihrem Moskauer Besuch im Dezember 1945 über eine Regierungsumbildung in Rumänien und Bulgarien
ausgehandelt hatten. Im Frühjahr und Sommer 1946, während der Pariser Außenministerkonferenz, wurde es dann Byrnes von Tag zu Tag klarer, daß er, wie fest die kommunistische und sowjetische Herrschaft in

Ungarn, Rumänien und Bulgarien auch etabliert werden mochte, keine Wahl habe, als schließlich seine Unterschrift unter die Friedensverträge mit jenen Ländern zu setzen und damit das sowjetische Imperium de facto anzuerkennen. Aber derartige Enttäuschungen ließen noch Raum für Illusionen. Zwar durfte sich auf westlicher Seite niemand verhehlen, daß man Gefechte mit offensichtlich unbefriedigendem Ausgang ausgetragen hatte, doch konnte man sich einreden, daß die Gefechte zu einem politischen Bewegungskrieg gehörten, in dem erlittene Schlappen wieder wettzumachen seien. Die Besonderheit der Zonenvereinigung in Deutschland lag darin, daß sie, an sich nur Glied in einer Kette verlorener Treffen, solche Illusionen nahezu völlig wegfegte. Es war allzu evident, daß die USA und Großbritannien sich an der Elbe einzugraben begannen und daß es sich dabei nicht um einen Rückfall in temporäre Verteidigung handelte, sondern um den Übergang zu einem langwierigen Stellungskrieg. Die Bedeutung der Geburt von »Bizonia« ergibt sich somit sehr viel weniger aus der Tatsache, daß die beiden Westmächte sich nun selbst zur Schaffung separater westdeutscher Institutionen verurteilt hatten, als vielmehr aus der Wirkung auf das Bewußtsein der westlichen, namentlich der amerikanischen Akteure. Die Zonenvereinigung verdeutlichte die Aussichtslosigkeit der Politik des »Roll back«, und die Erkenntnis der Aussichtslosigkeit verhalf den rührigen Anwälten des »Containment« zum entscheidenden Durchbruch.

Die Abkehr vom »Roll back« aber weckte in London und Washington eine von Monat zu Monat wachsende Entschlossenheit, dann wenigstens die Eindämmung so energisch wie möglich zu betreiben und Dämme von unbezwinglicher Festigkeit zu bauen, eine Entschlossenheit, die parallel zu ihrer Entfaltung wiederum eine neue und das künftige Los Westdeutschlands endgültig determinierende Zweckbestimmung der Zonenvereinigung erzwang. Den Leitern der britischen und amerikanischen Außenpolitik stand ja sehr klar vor Augen, daß die wirtschaftliche und politische Stabilisierung der westeuropäischen Länder, Fundament und Kern einer Eindämmungs-Politik in Europa, ohne die sinnvolle Ausschöpfung des Potentials Deutschlands oder eben notfalls Westdeutschlands nicht zu erreichen war[50]. Bedingung einer solchen Ausschöpfung mußte jedoch neben der wirtschaftlichen auch die politische Organisation des verfügbaren deutschen Territoriums sein, und Bedingung einer optimalen Nutzung der westdeutschen Ressourcen für das nichtsowjetische Europa eine partnerschaftliche Verbundenheit Westdeutschlands mit jenem Europa. Wenn jetzt die Erholung und Konsolidierung der westeuropäischen Staaten in der amerikanischen Europapolitik absolute Priorität erhielten[51], dann verwandelte sich also der Zusammenschluß des britischen und amerikanischen Besatzungsgebiets aus einer Behelfsmaßnahme zur eigenen wirtschaftlichen Entlastung unversehens in den ersten Akt einer positiven Aufbaupolitik, in dem keimhaft bereits ein westdeutscher Staat und die Integration eines derartigen Staates in einen größeren westeuropäischen Verbund steckten. Nach Franzosen und Briten machten sich nun die Amerikaner mit der definitiven oder doch einer lange währenden Teilung Deutschlands vertraut; zumindest wanderte der Gedanke an eine Preisgabe Westdeutschlands, etwa zugunsten eines neutralisierten, womöglich unter sowjetischen Einfluß geratenden und jedenfalls für die Containment-Politik verlorenen Gesamtdeutschland, in die Rumpelkammer für abgetane und nicht länger denkbare Vorstellungen[52], mit ihm der Vertrag für die Entwaffnung und Entmilitarisierung Deutschlands, für den sich Byrnes so wacker geschlagen hatte[53]. Die Sätze, die Kennan am Vorabend von Jalta geschrieben hatte, Forderung und Prognose zugleich, begannen sich zu erfüllen. Kein Zweifel, daß auf sowjetischer Seite ähnliche Tendenzen dominierten.

Naturgemäß haben nicht alle der damaligen Akteure die Zonenvereinigung so klar als Wendepunkt der westlichen Politik gesehen, wie sie im Rückblick erscheint. Vornehmlich jene Amerikaner, die seit dem Frühjahr 1945 überzeugt und zäh für »Roll back« und damit in Deutschland für die Herstellung wirtschaftlicher und politischer Einheit gefochten hatten, nahmen nur schwer von den bislang gültigen Maximen Abschied. Mancher hat für einige Zeit gar nicht begriffen, daß die politische Offensive abgeblasen worden war und er schon mitten im Stellungskrieg steckte. Schließlich hat die Zonenvereinigung ihren wahren Sinn erst in einem monatelangen Prozeß ganz enthüllt, und die Befürworter der Containment-Politik legten größten Wert darauf, den Verzicht auf weitere ernsthafte Versuche zur Restaurierung der Einheit Deutschlands durch propagandistische Tarnung unkenntlich zu machen, namentlich gegenüber den Deutschen. Zwar triumphierte die Kennan-Schule; ihre Anhänger in Washington und um den amerikanischen Botschafter in Moskau wußten den Entschluß zur Gründung der Bizone und seine Konsequenzen durchaus richtig zu deuten. Aber die amerikanische Militärregierung in Deutschland etwa bewegte sich zunächst in einem unsicheren Zwielicht, in dem sich die Konturen der alten Deutschlandpolitik nur allmählich verwischten und die Orientierungspunkte des neuen Kurses nur langsam hervortraten. Das gilt für Clay, obwohl der General die Erfindungsrechte für die Politik der Zonenzusammenschlüsse beanspruchen durfte und mit seinem Vorschlag vom 26. Mai einen substantiellen Beitrag zur Realisierung des Bizonen-Konzepts geleistet hatte; es gilt ebenso für Robert Murphy, den Vertreter des State Department in Deutschland. Während sie zwischen Mitte und Ende 1946 in einer Serie von Konferenzen mit ihren britischen Kollegen die organisatorische Struktur der Bizone und damit das Gerüst eines westdeutschen Staates zimmerten, fühlten sie sich keineswegs als Vollstrecker einer definitiven Option. Daß sie bei ihrer Arbeit streng darauf achteten, weder auf alliierter noch erst recht auf deutscher Seite bizonale politische Institutionen zu schaffen, sondern lediglich administrative Zentren einzurichten, daß sie zudem die Konzentrierung dieser Zentren in einer Stadt vermieden, um nicht den Eindruck entstehen zu lassen, sie hätten für einen westdeutschen Staat bereits die Hauptstadt gefunden[54], war einerseits gewiß Teil der jetzt notwendig gewordenen Politik der Tarnung, andererseits jedoch auch Ausdruck eines nach wie vor aufrichtigen Glaubens, die Situation in Deutschland sei noch offen und müsse offengehalten werden. Als im August 1946 die sowjetischen Mitglieder von Kontrollrat und Koordinierungsausschuß erneut den Wunsch nach Reparationen aus der laufenden Produktion Westdeutschlands anmeldeten[55], regte sich bei ihren amerikanischen Kollegen sogleich die Bereitschaft, das sowjetische Verlangen zu erfüllen: Der offenbar dringende Güterbedarf der Sowjetunion müsse ausgenützt werden, sagte Murphy, um Moskau doch noch Konzessionen in der Frage der deutschen Einheit und hinsichtlich der politischen Verhältnisse in der SBZ abzuhandeln[56]. Wie gewohnt, reagierte die amerikanische Botschaft in Moskau mit harschen Protesten: Bei solchen Geschäften werde man von den Sowjets bloß düpiert, schrieb Geschäftsträger Elbridge Durbrow und tat sich sichtlich schwer, sein Befremden über die Naivität Murphys in höflich-kollegiale Formeln zu kleiden; noch bezeichnender war allerdings sein Argument, daß eine Vereinbarung, wie sie den Sowjets vorschwebe, wichtige Teile der deutschen Industrie nach Osten orientieren und folglich die deutsche Leistung beim Aufbau Westeuropas schmälern würde[57]. Murphy antwortete am 25. Oktober 1946 mit einem Memorandum, in dem er deutlich zu verstehen gab, daß es gänzlich überflüssig sei, ihn über die Notwendigkeit von Vorsicht im Umgang mit sowjetischen Diplomaten zu belehren; vor allem aber betonte er »die dynamischen Aspekte unserer Position in Deutschland«: »Die amerikanische Politik hat darin bestanden, auf die wirtschaftliche und politische Vereinigung Deutschlands zu drängen und sich nicht mit der Vereinigung der westlichen Zonen zufriedenzugeben. Irgendwann wird es um ganz Deutschland gehen, und so sind wir gezwungen, um das Ganze zu spielen statt auf eine defensive Stellung allein in den Westzonen zurückzufallen. Demgemäß glauben wir, daß wir versuchen müssen, jede nur denkbare Möglichkeit zur Öffnung der sowjetischen Zone auszunützen.«[58] Selbst Außenminister Byrnes, der die Tragweite seiner Entscheidung für die Bizone sehr wohl verstand[59], hatte Auffassungen, wie sie Murphy formulierte, noch nicht völlig abgestreift. Als er am 24. September mit Bidault sprach, der seit drei Monaten als französischer Regierungschef amtierte, vermittelte er durchaus den Eindruck, trotz der Entscheidung für die Bizone noch immer auf die Schaffung deutscher Zentralverwaltungen hinarbeiten zu wollen. Auf Bidaults Bemerkung, daß deutsche Zentralverwaltungen »Mittel sowjetischen Eindringens in die Westzonen« sein würden, erwiderte Byrnes, »daß sie in diesem Punkt nicht übereinstimmten«[60]. In einer Unterhaltung mit dem Ministerpräsidenten Frankreichs hatte Byrnes gewiß keinen Anlaß zu unseriöser gesamtdeutscher Rhetorik.

Andererseits zeigt ein schärferer Blick gerade auf die Unterhaltung zwischen Byrnes und Bidault, daß der amerikanische Außenminister sich bereits fest in den Konsequenzen seines Entschlusses vom Juli verfangen und daß er sich mit den Schlingen, die nun seine Bewegungsfreiheit in der politischen Praxis einengten, auch abgefunden hatte. Nie zuvor hatte ein amerikanischer Politiker die französische Deutschlandpolitik, nicht zuletzt hinsichtlich der Zentralverwaltungen, so milde kommentiert wie Byrnes am 24. September 1946. Er machte Bidault sogar ausdrücklich darauf aufmerksam, daß er in seiner großen Rede zur Deutschlandfrage, die er kurz zuvor, am 6. September, in Stuttgart gehalten hatte, bewußt jede Kritik an der französischen Obstruktionspolitik im Kontrollrat unterlassen habe. Durch seine Feststellung klang die resignierte Überzeugung, daß jetzt, da sich die amerikanische Deutschlandpolitik nolens volens wandelte, solche Dinge im Grunde keine Rolle mehr spielten. Daß Byrnes abermals die amerikanische Unterstützung der französischen Saarpolitik zusagte, wenngleich er Bidault von einem einseitigen französischen Vorgehen im Saargebiet abriet, diente nicht länger dem Zweck, Frankreich durch einen Köder zur Anerkennung der deutschen Einheit zu verlocken, sondern warb schon um die Beschleunigung der französischen Beteiligung an der Organisation Westdeutschlands.

Auch die Stuttgarter Rede, die Byrnes im Gespräch mit Bidault erwähnte, hatte die neue Orientierung Washingtons und des amerikanischen Außenministers deutlich genug verraten[61]. Obwohl die Rede in erster Linie die Erfüllung eines Wunsches der amerikanischen Militärregierung in Deutschland war, die für ihr eigenes Personal wie für die deutsche Bevölkerung eine umfassende und autoritative Klarlegung der Ziele amerikanischer Besatzungspolitik erbeten hatte, bot sie ausgerechnet in dieser Hinsicht kaum Neues. Weder brachte sie noch markierte sie einen Wendepunkt amerikanischer Besatzungspolitik, auch wenn das viele Deutsche damals so empfanden. Daß Byrnes die Aspekte positiven Aufbaus in den Vordergrund rückte und die Aspekte der negativen alliierten Bestrafungsmaßnahmen in den Hintergrund schob, spiegelte nur Tendenzen, von denen Clay sein Handeln seit langem bestimmen ließ, in Anbetracht der Umstände freilich mit bescheidener Wirkung und daher für die Mehrheit der deutschen Bevölkerung noch kaum erkennbar. Wohl aber stellte die Rede die erste öffentliche Bekundung des Umschwungs der amerikanischen Deutschlandpolitik und im weiteren Sinne der amerikanischen Europapolitik dar. Wenn Byrnes in Stuttgart mit großem Nachdruck versicherte, daß noch für geraume Zeit mit amerikanischer Truppenpräsenz in Deutschland zu rechnen sei, so war das nach dem Ergebnis der Pariser Außenministerkonferenz natürlich nicht eine Nachricht an die Adresse Moskaus, die USA wollten sich der sowjetischen Forderung nach einer langen Besetzung Deutschlands anbequemen. Vielmehr wurde der sowjetischen Regierung mitgeteilt, daß die Präsenz sowjetischer Truppen am Ostufer der Elbe mit der Stationierung amerikanischer Streitkräfte am Westufer beantwortet werde und daß man sich in Moskau nicht der Hoffnung hingeben solle, die Vereinigten Staaten könnten der Sowjetunion noch weitere Territorien in Mitteleuropa zur Beute überlassen. Zugleich erhielten die westeuropäischen Länder erstmals eine Art Garantie, daß die USA den Aufbau eines nichtkommunistischen und nichtsowjetischen Westeuropas – und zwar unter Einschluß der westdeutschen Ressourcen – politisch fördern und militärisch schützen würden. Wenn Byrnes ferner in seinen auf die deutsche Bevölkerung berechneten Sätzen ungewohnt warme Töne anschlug, so mochte das wohl auch noch den Deutschen in der SBZ gelten, und wenn er von Potsdam und der deutschen Einheit sprach, so war das sicherlich partiell aufrichtig gemeint; überwiegend richtete er seine Worte indes nunmehr an die Deutschen im eigenen Machtbereich, machte er, in Erwiderung und als Entsprechung zur Pariser Erklärung Molotows im Juli, den ersten Zug in einer auf die Westdeutschen beschränkten Werbe- und Integrationspolitik. Wenn Byrnes schließlich in Stuttgart die Oder-Neiße-Grenze in Frage stellte, so adoptierte er auch schon die Taktik, die Kennan im Mai zur Abschirmung der Integrationspolitik empfohlen hatte: er nahm künftigen amerikanisch-sowjetischen Verhandlungen über die Einheit Deutschlands jede Aussicht auf Erfolg, baute damit um die separate politische Organisation Westdeutschlands eine Schutzmauer gegen unliebsame Störmanöver auf und erreichte das mit einer Parole, die den Deutschen angenehm in den Ohren klingen mußte und den USA die Beschuldigung ersparen konnte, jetzt selbst eine einheitsfeindliche Deutschlandpolitik zu verfolgen.

Bis zur Jahreswende 1946/47 setzten sich dann in Washington die Ziele, Prinzipien und Methoden der Containment-Politik endgültig durch. Einerseits führte der Sieg der Eindämmungsstrategie nun tatsächlich zur definitiven Anerkennung der sowjetischen Herrschaft in Ost- und Südosteuropa: Am 10. Februar 1947 unterzeichneten auch Vertreter der USA die Friedensverträge mit den ehemaligen Satellitenstaaten Deutschlands auf dem Balkan, nachdem die Verträge auf der Pariser Friedenskonferenz

(29. Juli – 15. Oktober 1946) und auf einer weiteren Konferenz des Rats der Außenminister (4. November – 12. Dezember 1946 in New York) endlich unterschriftsreif gemacht worden waren. Damit hatten die USA, zumindest offiziell, auf weitere ernsthafte Versuche zur Änderung der inneren Verhältnisse jener Länder und zur Anfechtung ihres neuen Satellitenstatus in einem sowjetischen Imperium verzichtet – die Politik von Jalta war eingesargt und begraben. Auf der anderen Seite machte die amerikanische Regierung jetzt mit Containment Ernst, demonstrativ und mit handfester politischer Aktivität. Am 11. März 1947 verkündete Präsident Truman in einer Botschaft an den amerikanischen Kongreß eine nach ihm benannte »Doktrin«, in der die Eindämmung des Kommunismus und der Sowjetunion zum Grundprinzip amerikanischer Außenpolitik erhoben wurde; zur praktischen Umsetzung der Doktrin bot er sämtlichen nichtkommunistischen Ländern, die um ihre wirtschaftliche Erholung und politische Stabilisierung kämpften, auch gleich großzügige amerikanische Unterstützung an [62]. Mit seiner Botschaft wollte der Präsident den Kongreß und die amerikanische Öffentlichkeit in erster Linie dafür gewinnen, das Einrücken der USA in die vom schwach gewordenen Großbritannien nicht länger zu haltenden Positionen in Griechenland und im Mittleren Osten gutzuheißen [63]; hier wie dort, wo eine kommunistische Bürgerkriegsarmee ohne Intervention der Westmächte dem Triumph nahezukommen drohte, obwohl sie nur eine – freilich starke – Minderheit der Bevölkerung repräsentierte [64], ging das Engagement der Vereinigten Staaten sofort weit über finanzielle Hilfe hinaus. Jedoch postulierte die »Truman-Doktrin« in der Tat globale Gültigkeit, vom Fernen Osten bis Europa. Bereits im späten Frühjahr 1947 wurde die amerikanische Offerte auch für Westeuropa konkretisiert, als der neue Außenminister George C. Marshall, der am 21. Januar an Byrnes' Stelle getreten war, am 5. Juni ein European Recovery Program (Marshall-Plan) ankündigte, das den nicht unter sowjetischer Fuchtel stehenden Ländern Europas massive amerikanische Finanzhilfe bei ihrem wirtschaftlichen Wiederaufbau verhieß; gewiß sollte der Marshall-Plan den USA auch nützliche Handelspartner heranziehen, aber sein Hauptzweck war doch politischer Natur und bestand darin, die Staaten Nord-, West- und Südeuropas über die wirtschaftliche Kräftigung hinaus politisch zu konsolidieren und so zunächst einmal gegen eine sowjetisch gesteuerte kommunistische Subversion zu immunisieren [65].

Formal richtete sich das amerikanische Angebot auch an die Sowjetunion und ihre Satelliten, indes war man in Washington ziemlich sicher, daß Moskau ablehnen werde; eine Annahme hätte den Sinn der Sache ja völlig verfälscht [66]. Die sowjetische Regierung nahm denn auch davon Abstand, die USA in Verlegenheit zu setzen, wenngleich Molotow Ende

Juni mit großem Gefolge in Paris erschien, um zur Wahrung des Scheins an der ersten ERP-Konferenz teilzunehmen. Der sowjetische Außenminister hatte die Weisung zur Ablehnung schon bei der Ankunft in der Tasche und reiste am 2. Juli wieder ab, nicht ohne zuvor herbe Worte über den amerikanischen Imperialismus gesprochen zu haben. Zur Begründung der Ablehnung hatte er nämlich behauptet, die amerikanische Hilfe untergrabe die Souveränität der europäischen Staaten und eben deshalb werde sie von den USA gewährt[67]. Mit der unfreiwilligen Selbstironie, die den damaligen sowjetischen Führern nicht selten eignete, traten sie sogleich den Beweis für ihren eigenen Respekt vor fremden Souveränitäten an, indem sie – für alle Welt erkennbar – ihren Satellitenstaaten und auch der SBZ die Annahme des amerikanischen Angebots schlicht verboten; als die Regierungen Polens und der Tschechoslowakei ein ungebührliches Interesse an Dollars zeigten[68], scheuchte sie ein scharfer Moskauer Pfiff wieder in Reih und Glied zurück[69]. Parallel zum Sieg der Containment-Politik in Washington wie zur Anmeldung und beginnenden Realisierung eines Führungsanspruchs der USA, der auf den nun mehr und mehr »Westen« genannten Teil der Welt begrenzt war, hat sich offensichtlich auch in Moskau die Ansicht verfestigt, daß irgendwelche Abweichungen von der seit 1945 mit zunehmender Strenge verfolgten sowjetischen Politik, die beim Aufbau des vom Kreml kontrollierten Imperiums kapitalistische und westmächtliche Behinderungen abzuwehren suchte und sich so zunehmend zu einer Art sowjetischer Entsprechung zur amerikanischen Eindämmungspolitik entwickelte, künftig weder nötig noch möglich seien: Nicht nötig, weil die USA unfähig schienen, politischen Angriffen auf den sowjetischen Herrschaftsbereich mit der ernsthaften Androhung von Waffengewalt nachzuhelfen, und daher offenkundig zur Defensive übergehen mußten; nicht möglich, weil das Imperium noch so instabil war, daß selbst der Verlust oder die Opferung eines kleinen Bausteins den Einsturz des ganzen Gebäudes bewirken mochte. Im Kreml ist deshalb fraglos auch eine auf politische Mittel und auf eine defensive Strategie beschränkte Feindschaft der Westmächte als Gefährdung, sind die in den USA gerade zur Fundierung der Containment-Politik jetzt anhebenden antikommunistischen und antisowjetischen Propagandakampagnen als bedrohlich empfunden worden; außerdem konnte »Containment« bei dem geringsten Anzeichen sowjetischer Schwäche ja in der Tat ohne weiteres wieder in »Roll back« umschlagen, und ob dann, nach einer Periode antisowjetischer Aufputschung, nicht doch militärische Mittel in den Dienst von »Roll back« gestellt wurden, war immerhin zweifelhaft. Daß die amerikanisch-britische Eindämmungspolitik bald auch zum Abschluß von Militärallianzen führte, so bereits am 17. März 1948 zum Brüsseler Pakt zwischen Frankreich, England und den Benelux-Staaten und am

4. April 1949 zum Nordatlantik-Pakt, ist folglich in Moskau, so klar die defensive Zweckbestimmung solcher Bündnisse war, mit größtem Mißtrauen beobachtet worden. Jedenfalls hat Stalin, in Fortsetzung längst kräftig entfalteter Tendenzen, die westliche Containment-Politik mit fieberhaften Anstrengungen zur inneren Konsolidierung – d. h. möglichst totalen Sowjetisierung – und zur äußeren Sicherung seines Imperiums beantwortet.

Obwohl aber der als »Kalter Krieg« in die Geschichte eingegangene Konflikt zwischen der Sowjetunion und den Westmächten, von 1944/45 bis Mitte 1946 vom Zusammenprall politischer Offensiven verursacht[70], ausgerechnet in seiner ersten sichtbaren – und die Bezeichnung förmlich herbeizwingenden – Phase in einem Zustand eintrat, in dem auf beiden Seiten eine lediglich mit aggressiver Gestik arbeitende Strategie der Defensive dominierte, machte die Furcht, schon der kleinste Positionsverlust könne den Gegner zur Wiederaufnahme einer womöglich erfolgreichen Offensive ermuntern, die Verteidigungskonzeptionen so starr, daß gerade in dieser Periode die Räumung irgendeines Frontabschnitts als unerträglich erschien. Erst recht galt das für Deutschland, dessen geographisch-strategische, wirtschaftliche, politische und eines Tages sicherlich auch militärische Bedeutung niemand zweifelhaft war. Wenn die Westmächte, von den westeuropäischen Ländern bis zu den USA, den Besitz Westdeutschlands als unverzichtbares Element der Containment-Politik ansahen, konkret etwa als Grundbedingung für den Erfolg des Marshall-Plans, wenn andererseits die Sowjetunion vom Verlust der SBZ unabsehbare Rückwirkungen auf ihr labiles Imperium und die Rückkehr der USA zu »Roll back« befürchtete, dann verwandelte sich die bisherige notgedrungene Tolerierung der faktischen Teilung Deutschlands, erst von gefährlichen interalliierten Kompromissen und später von der Unfähigkeit zu interalliierten Kompromissen erzwungen, in eine vorerst nicht mehr rücknehmbare Entscheidung. Die Teilung Deutschlands wurde beschlossene Sache. Immerhin war die Erinnerung an das NS-Regime und den Zweiten Weltkrieg noch so stark, daß die Sowjetunion wie die anglo-amerikanischen Mächte den tatsächlichen und vermeintlichen Notwendigkeiten des Kalten Krieges ohne größeres Bedauern im Hinblick auf deutsche Interessen nachgaben – ein Nachteil des Krieges und der damals geschmiedeten Aufteilungspläne.

Unter derartigen Umständen entarteten die der Pariser Außenministerkonferenz folgenden west-östlichen Verhandlungen über Deutschland unweigerlich zu purem diplomatischen Show Business, in dem die von beiden Seiten sorgsam gepflegte gesamtdeutsche Rhetorik vornehmlich die Deutschen des eigenen Machtbereichs beeindrucken und die Verantwortung für die unerbittlich fortschreitende Entstehung zweier deutscher

Staatsgebilde der jeweils anderen Seite aufbürden sollte. Im Spätherbst 1946 hatte Byrnes während der New Yorker Außenministerkonferenz Molotow daran erinnert, daß er im Juli ein speziell Deutschland gewidmetes Treffen des Rats der Außenminister selbst angeregt habe. Jetzt, da sich die Amerikaner für den Aufbau Westdeutschlands entschieden hatten, die Gründung der Bizone unmittelbar bevorstand und keine annehmbaren amerikanischen Vorschläge mehr dräuten, stimmte Molotow unverzüglich zu. Als sei alles in schönster Ordnung oder als könne alles durch einige Wochen konzentrierter Arbeit in Ordnung gebracht werden, verständigte man sich mühelos darauf, im März 1947 in Moskau zusammenzukommen[71]. Jedoch befanden sich unter den Papieren der amerikanischen Delegation, als die Konferenz am 10. März – einen Tag später wurde die Truman-Doktrin proklamiert – tatsächlich begann, umfängliche Memoranden, in denen begründet wurde, warum die Westmächte auf einer Revision der Oder-Neiße-Linie bestehen und welche deutsche Territorien unter polnischer Verwaltung an Deutschland zurückgegeben werden müßten[72]. Hier war das Rezept Kennans, von Bevin schon in Paris ausprobiert und von Byrnes in seiner Stuttgarter Rede aufgenommen, zur bestimmenden Konferenztaktik gereift[73]. Auch war den amerikanischen Delegierten die Devise eingeschärft worden, in jeder Verhandlungsphase und bei jedem Tagesordnungspunkt an »Europa« zu denken[74], was auf ein striktes Verbot hinauslief, Vereinbarungen zu treffen, die Deutschlands – das hieß nach Lage der Dinge Westdeutschlands – Bindung an Westeuropa lockern konnten[75]. An der Spitze der amerikanischen Delegation stand nicht mehr Byrnes, sondern der neue Außenminister Marshall. General Marshall taugte zur Exekution der neuen amerikanischen Politik ohne Zweifel besser als sein Vorgänger, und das dürfte für den Wechsel im State Department ein ebenso gewichtiger Grund gewesen sein wie die fraglos schlechte Information des Präsidenten durch den selbstherrlichen Byrnes. Marshall, ein nüchterner Soldat, der sich im Kriege als Stabschef der Armee große Verdienste erworben hatte, war ein Mann des »Containment«; für »Roll back« sah er keine militärische Basis und keine politische Chance. Freund klarer Marschrouten und präziser Abgrenzungen, gab er sich auch kaum Mühe, die amerikanischen Vorschläge annehmbarer erscheinen zu lassen, als sie waren; die Welt der tatsächlichen oder formelhaften Kompromisse und die Welt des diplomatischen Kuddelmuddels, in der sich Byrnes bewegt hatte wie ein Fisch im Wasser, schätzte er nicht sonderlich. Daß die amerikanische Linie in Moskau weder diskussionsfähig war noch diskussionsfähig sein wollte, trat daher bald ungewöhnlich scharf hervor. Marshalls Berichte an Truman verraten deutlich, wie sehr sich der General bei dem nach seiner Meinung völlig sinnlosen Gerede gelangweilt und wie ungeniert er seine Langeweile gezeigt hat[76]. Umgekehrt präsentierte Molotow die sowjetische Reparationspolitik von Jalta und Paris, die – in Jalta und vor dem dann erreichten Kompromiß auch in Potsdam gewiß ernst gemeint – inzwischen längst zu einer in den Dienst von Taktik gestellten Forderung degeneriert war, zu einer Forderung, die trotz des nach wie vor bestehenden Güterbedarfs der Sowjetunion allein wegen ihrer jedermann bekannten Unannehmbarkeit erhoben wurde. Daneben erklärte Molotow, daß vor einer sowjetischen Zustimmung zu deutschen Zentralverwaltungen oder zu einer deutschen Regierung natürlich die bizonalen Institutionen, die am Jahresanfang ins Leben gerufen worden waren, zu verschwinden hätten. Auch dabei handhabe er eines jener taktischen Instrumente, die Politiker so lieben, wenn sie verständigungsunwillig sind, aber verständigungsbereit erscheinen wollen: Das Verlangen klingt nicht gänzlich unvernünftig, doch will und kann es der Verhandlungspartner – wie alle Beteiligten wissen – nicht erfüllen, zumal wenn er in der Lage ist, mit einem ebenso plausibel-kindischen Gegenvorschlag zu kontern; in Moskau antworteten die Amerikaner lächelnd, das Problem löse sich auf, wenn die sowjetische Regierung die nach wie vor geltende anglo-amerikanische Einladung zum Anschluß der SBZ an die Bizone endlich annähme. Hinter der langwierigen Auseinandersetzung über die Frage, ob Deutschland eine föderative oder eine unitarische Staatsordnung erhalten solle, steckte ebenfalls die Entschlossenheit beider Seiten, den Status quo zu verteidigen. Wenn Molotow sagte, die Föderalisierung Deutschlands sei für die Sowjetunion nicht akzeptabel, so meinte er damit, daß die sowjetische Führung keineswegs gesonnen sei, die SBZ aufzulösen und die dortigen sowjetischen Instanzen als alleinige Träger der politischen Macht entthronen zu lassen. Wenn General Marshall sagte, für die USA und ihre Verbündeten sei wiederum der Zentralismus fluchwürdig, so meinte er damit, daß die Westmächte keine wie immer geartete kommunistische und sowjetische Mitsprache in Westdeutschland zu dulden gedächten[77].

Am 24. April ging man nach immerhin langem Schaukampf auseinander, ohne daß eine Einigung auch nur in Sicht gekommen wäre. Die Delegationschefs hatten das negative Ergebnis erwartet und waren über den Ausgang der Konferenz auch nicht sonderlich betrübt, wenngleich sich Molotow und seine westlichen Kollegen mit massiven Vorwürfen überschütteten, die dann in einem homerischen Propagandakrieg der Medien ihre Fortsetzung fanden; lediglich in der amerikanischen Delegation gab es noch einige unentwegte Verfechter von »Roll back« und damit der deutschen Einheit, die, wie etwa General Clay, den Umschwung in Washington noch immer nicht ganz verstanden oder noch nicht nachvollzogen hatten und daher harte Kritik an der Verhandlungsführung Marshalls übten[78]. Gewiß scheuten beide Seiten davor zurück, ihre Unfähigkeit und

– mittlerweile – auch ihren mangelnden Willen zur Verständigung über Deutschland ungeniert zu zeigen oder gar einzugestehen. So war für den Herbst eine weitere Konferenz des Rats der Außenminister verabredet worden, die eine Vereinbarung über Österreich bringen und dem Anschein nach einen erneuten Versuch zur Lösung der deutschen Probleme ermöglichen sollte. Als sich am 25. November 1947 in London der Vorhang hob, begann aber, wie vorherzusehen, ein noch groteskeres Spektakel als das in Moskau aufgeführte.

Bereits in den Monaten zwischen den beiden Konferenzen machte sich die mit dem Moskauer Fiasko endgültig in Kraft gesetzte Logik der Entwicklung naturgemäß um einiges stärker bemerkbar als im ersten Quartal des Jahres 1947. Auf westlicher Seite rechneten alle führenden Politiker und Diplomaten, ob in London, Washington oder Paris, mit einem glatten Fehlschlag der kommenden Londoner Veranstaltung[79], und als die Stellvertreter der Außenminister vom 6. bis zum 22. November in London tagten, um das Treffen ihrer Chefs vorzubereiten, lieferten sie eine so eindeutige Bestätigung der Skepsis, daß die anschließende Begegnung der Minister selbst eigentlich hätte unterbleiben können: Ob es nun um politische Probleme ging oder um die Tagesordnung, jedesmal mußten ins Protokoll Formulierungen wie »No agreement could be reached and the issue was dropped« aufgenommen werden; sogar die Frage, ob die Tagesordnung einen Punkt »Verschiedenes« enthalten solle, erwies sich für die Außenminister-Stellvertreter als unlösbar, da die Diplomaten der drei Westmächte nicht auf einen solchen Punkt verzichten wollten, hingegen der Repräsentant der Sowjetunion – offenbar ein listiges antisowjetisches Manöver argwöhnend – mit unbeugsamer Härte auf Ablehnung beharrte[80]. Vor allem lehrten die Gespräche der Stellvertreter, daß die vier Besatzungsmächte nach wie vor exakt jene Standpunkte verfochten und weiterhin verfechten würden, die mit Notwendigkeit zum Scheitern der Moskauer Verhandlungen geführt hatten[81].

Nicht weniger bezeichnend war die Ungeduld, mit der die Deutschlandexperten der drei Westmächte schon im Sommer und Frühherbst 1947 zu einer ganz anderen Aufgabe als einer Vier-Mächte-Regelung der deutschen Probleme drängten. Beamte des britischen Foreign Office regten wiederholt an, jetzt endlich ernsthafte intern-westliche Besprechungen über den Anschluß der französischen Besatzungszone an die Bizone und über die wirtschaftliche wie die politische Organisierung des vereinigten westlichen Okkupationsgebiets zu eröffnen[82]. Im State Department und bei seinem Beauftragten in der amerikanischen Militärregierung in Deutschland trafen die britischen Wünsche ebenso auf grundsätzliche Zustimmung wie am Quai d'Orsay, zumal seit Spätsommer 1947, als feststand, daß sowjetischer Befehl die SBZ daran hindern werde, am Mar-

shall-Plan zu partizipieren; damit war ja die Entscheidung über eine wirtschaftlich wie politisch längerfristig separate Zukunft des östlichen und
des westlichen Besatzungsgebiets praktisch gefallen oder noch verdeutlicht worden, hatte also die Auseinandersetzung mit der Sowjetunion
über gesamtdeutsche Fragen vorerst jeden Sinn und Zweck verloren. Im
übrigen nahmen die Experten an, daß der angelsächsisch-französische
Dialog über die innere Ordnung eines westdeutschen Gemeinwesens und
über dessen Angliederung an die westliche Staatengemeinschaft schwierig und langwierig werden könne, etwa hinsichtlich eines für die Franzosen akzeptablen und dennoch den Deutschen zumutbaren Status des
Ruhrgebiets; das sprach ebenfalls für einen baldigen Beginn des Dialogs.
Wenn die Amerikaner gleichwohl zu der dann von ihnen auch durchgesetzten Meinung gelangten, es sei besser, in Dreiergespräche über
Westdeutschland erst nach dem Scheitern der Londoner Konferenz einzutreten, so nur deshalb, weil sie glaubten, eine allzu ostentative Geringschätzung der Londoner Verhandlungen würde die Westmächte zumindest
als Mitschuldige an der Spaltung Deutschlands erscheinen lassen und mithin der sowjetischen Propaganda schwer zu widerlegende Argumente zur
Beeinflussung der Deutschen in Ost und West zuspielen[83]. Immerhin war
auch in Washington der Tatendrang der Experten so groß, daß sich Außenminister Marshall veranlaßt sah, der amerikanischen Delegation noch am
Vorabend der Abreise nach London abermals einzuschärfen, in der britischen Hauptstadt dürfe es mit britischen und französischen Kollegen nicht
sofort formellere Erörterungen der künftigen Entwicklung Westdeutschlands geben[84]. Doch betrachtete gerade auch Marshall die Londoner Konferenz nur noch als lästige Pflichtübung; er sprach sich nachdrücklich für
eine informelle, aber »effective liaison between the three delegations during the Conference« aus, kalkulierte zuversichtlich den Mißerfolg der
bevorstehenden Debatten mit Molotow ein und erwartete den Start offizieller amerikanisch-britisch-französischer Diskussionen über Westdeutschland für die Zeit nach den Weihnachtsfeiertagen[85].
Wenn Amerikaner und Briten während der Vorbereitung der Konferenz
gelegentlich die Befürchtung äußerten, Molotow werde vielleicht, um die
Deutschen zu beeindrucken, in London mit einem »sensationellen Angebot« aufwarten, z. B. mit dem Vorschlag, freie gesamtdeutsche Wahlen
abzuhalten und sämtliche Besatzungstruppen aus Deutschland abzuziehen, verrieten sie deutlich, wie sehr sie bereits dazu neigten, einen derartigen sowjetischen Schachzug – noch ehe er gemacht war – als bloßes
Störmanöver zu interpretieren und als lästige Ablenkung von ihrer eigentlichen Aufgabe zu empfinden[86]. Doch hätten sie sich ihre Besorgnis
sparen können. In einer Unterredung mit dem französischen Botschafter
in Moskau erklärte Molotow Anfang November, daß die sowjetische Re-

gierung keineswegs die Absicht habe, den Abzug der Besatzungstruppen aus Deutschland vorzuschlagen; im übrigen, so setzte er hinzu, habe sich die sowjetische Haltung seit der Moskauer Konferenz nicht um ein Jota geändert[87]. Das Verhalten der sowjetischen Delegierten auf dem Treffen der Außenminister-Stellvertreter beseitigte dann die letzten Zweifel, zumal gleichzeitig das sowjetische Auftreten im Berliner Kontrollrat sowohl rhetorisch wie praktisch zu einer provokanten Absage an jegliche Vier-Mächte-Kooporation gesteigert wurde[88]. Schon einige Monate zuvor hatte der am 1. September 1947 in den Westen geflüchtete Ministerpräsident von Thüringen, Rudolf Paul, den Amerikanern, die ihn in Berlin und Heidelberg vernahmen, berichtet, er habe sich zur Flucht entschlossen, nachdem einem deutschen Freund von einem hohen sowjetischen Funktionär in Thüringen vertraulich eröffnet worden sei, Paul und seinesgleichen würden sofort nach der Londoner Konferenz der Außenminister abgehalftert; dies sei nämlich die Zeit, »die restlichen bourgeoisen aus den führenden Positionen der sowjetischen Zone zu entfernen«[89]. Offensichtlich dominierten in Moskau ähnliche Überlegungen – nur eben unter umgekehrten Vorzeichen – wie in den westlichen Hauptstädten, und folglich wurden Funktion wie Resultat der Londoner Konferenz nicht anders eingeschätzt als im Westen.

Tatsächlich gaben sich die vier unter solchen Auspizien in London konferierenden Außenminister, anders als im Frühjahr in Moskau, nicht einmal mehr Mühe, wenigstens den Anschein ernsthafter Verhandlungen zu erwecken. Den größeren Teil der Zeit füllten gegenseitige Anklagen und Beschimpfungen, die lediglich zur Manufaktur einer für die Weltöffentlichkeit und nicht zuletzt für die deutsche Bevölkerung gedachten Propagandaversion des Konferenzverlaufs bestimmt waren. Wenn Molotow seine westlichen Kollegen z. B. beschuldigte, sie wollten gar nicht verhandeln, weil die USA und ihre Verbündeten Europa einen »imperialistischen Frieden« zu oktroyieren und einen längst geplanten westdeutschen Teilstaat in eine antisowjetische Staatenfront einzugliedern suchten, so konterten Marshall, Bevin und Bidault mit dem gleichfalls partiell zutreffenden Vorwurf, die Tiraden des Repräsentanten der Sowjetunion dienten allein propagandistischen Zwecken und machten es schwer, die sowjetische Regierung mit Respekt zu behandeln; für die Spaltung Deutschlands zeichneten schließlich die ausbeuterische sowjetische Reparationsforderung, die undemokratische Politik der Sowjetunion in der SBZ und die sowjetische Intransigenz auf den inter-alliierten Konferenzen – wie eben jetzt in London – verantwortlich. Ansonsten deklamierten die vier Außenminister, ohne dabei je auf Standpunkte und Argumente der Gegenseite einzugehen, in monotonen Monologen die bereits acht Monate zuvor formulierten Auffassungen[90]. Schon am 6. Dezember erör-

terten Marshall und Bevin das nur noch taktische Problem, wann und auf
welche Weise das öde Schauspiel ohne Verlust an Gesicht beendet werden
könne[91], und zwei Tage später schloß sich auch Bidault, als er mit Marshall und Bevin zusammentraf, solchen Überlegungen an[92]. Eine Woche
danach war es soweit. Am 15. Dezember rechneten Bevin und Marshall
dem sowjetischen Außenminister vor, in welchen Punkten die sowjetische Haltung eine Einigung über Deutschland – wie auch über Österreich
– blockiere, und nachdem Bevin seine Darlegung mit der Frage geschlossen hatte, ob der Rat der Außenminister zur Bewältigung der ihm gestellten Aufgaben überhaupt tauglich sei, machte Marshall, der am Schluß
seiner Ausführungen konstatiert hatte, eine Realisierung der sowjetischen Vorstellungen würde das deutsche Volk versklaven und die Erholung Europas hindern, anschließend den Vorschlag, die Außenminister
sollten sich vertagen, ohne den Rest der Tagesordnung zu behandeln;
angesichts der sowjetischen Obstruktion sei kein Fortschritt möglich. Bidault plädierte ebenfalls für Vertagung: das sei besser, als durch weitere
fruchtlose Streitereien die Beziehungen zwischen den vier Mächten noch
mehr zu verschlechtern. Molotow lehnte zwar jede Verantwortung dafür
ab, daß der Rat der Außenminister in diese Sackgasse geraten war, und er
unterstellte Marshall, sein Vorschlag verfolge lediglich den Zweck, den
USA freie Hand in Westdeutschland zu verschaffen; im übrigen setzte
aber auch er der Vertagung nicht den geringsten Widerstand entgegen[93].
So gingen die vier am 15. Dezember auseinander, ohne eine neue Begegnung vereinbart zu haben, und obwohl sie sich im folgenden Jahr noch
einmal treffen sollten, hatte der Rat der Außenminister bereits mit dem
Abbruch der Londoner Konferenz praktisch aufgehört, ein Instrument
der internationalen Politik zu sein.

5. Das Begräbnis der deutschen Einheit: Londoner Sechs-Mächte-Konferenz, Währungsreform und Berliner Blockade

An die Stelle von Beratungen der vier Besatzungsmächte über das Schicksal Gesamtdeutschlands traten nun Konferenzen mit ganz anderer Betei-
ligung und ganz anderer Zielsetzung. Debattierten auf der östlichen Seite
Gremien des sowjetischen Imperiums über den Fortgang des Einbaus der
SBZ in den sowjetischen Machtbereich, so auf der Gegenseite Gremien
der amerikanisch-westeuropäischen Gruppierung über den definitiven
Anschluß Westdeutschlands an das westliche Staatensystem. Mit einem
Meinungsaustausch der Außenminister Großbritanniens, Frankreichs
und der USA nahmen – noch in London – die Verhandlungen über die
Vereinigung der französischen Zone mit der Bizone und über die politi-

sche Zukunft des westlichen Besatzungsgebiets schon zwei Tage nach dem Ende der Londoner Konferenz ihren Anfang[94]. Dabei zeigte sich freilich sofort, daß auch dieser Weg steinig und beschwerlich zu werden versprach, vor allem auf Grund der ja von vielen Briten und Amerikanern seit Monaten prophezeiten Schwierigkeiten, die Frankreichs Haltung aufwarf.

Nachdem die gesamtdeutsche alliierte Politik in London ihr wenig zeremonielles Begräbnis erhalten hatte, zeigten sich die mit Westdeutschland befaßten Beamten des Foreign Office und des State Department voller Tatendrang, ebenso die Chefs der britischen und der amerikanischen Militärregierung. Zwar gedachten sie Schritt für Schritt vorzugehen, Hektik und Dramatik zu vermeiden, wie es auch den Vorstellungen und Weisungen ihrer Minister entsprach[95]. Aber unter einer bedächtigen Prozedur verstanden sie immerhin die Umwandlung der Westzonen in ein staatliches Gebilde und die Schaffung einer provisorischen westdeutschen Regierung – für alles zuständig außer Außenpolitik und Außenhandel – bis zum Sommer 1948, verstanden sie ferner eine zur Kräftigung der westdeutschen Wirtschaft im gleichen Zeitraum durchzuführende Reform der deutschen Währung, die auch als unumgängliche Voraussetzung der ebenfalls bald zu realisierenden Eingliederung Westdeutschlands in das vom Marshall-Plan geprägte westliche Wirtschaftssystem begriffen wurde[96]. Daß die Integration der deutschen wirtschaftlichen Ressourcen nur dann auf optimale Weise geschehen konnte, wenn der zu gründende westdeutsche Staat zugleich in die politischen Allianzen des Westens aufgenommen wurde, stand für Amerikaner und Briten auch bereits fest. Bevin beschwor am 22. Januar 1948 im Unterhaus die Vision einer wirtschaftlich wie politisch eng verbundenen westlichen Staatengemeinschaft, in der Westdeutschland einen Platz bekommen müsse[97], und Außenminister Marshall hoffte, den zu solchen Zielen führenden Integrationsprozeß noch im Laufe des Jahres 1948 abgeschlossen zu sehen[98]. Im State Department faßten Marshall und seine Berater jetzt sogar schon die Aufnahme Westdeutschlands in ein westliches Verteidigungsbündnis – »eventual participation of Western Germany in security measures« – ins Auge[99].

In Paris sah man die Dinge anders. Zwar wußten die französischen Politiker und Diplomaten – sie hatten das ja seit Sommer 1946 immer wieder bekundet – sehr genau, daß ihnen angesichts der Spaltung Deutschlands in Ost und West nichts anderes übrigbleiben werde, als ihre Besatzungszone mit der amerikanisch-britischen Bizone zu vereinigen. Sie wußten auch, daß den zusammengeschlossenen Westzonen eine Form von Staatlichkeit gegeben werden mußte, wenn die Nutzung der wirtschaftlichen deutschen Ressourcen für die Erholung Westeuropas – an der sie selbst

naturgemäß brennend interessiert waren – befriedigend gesichert werden
sollte. Danach stand ferner fest, daß sie eines Tages in den wirtschaftlichen und politischen Bündnissen des Westens deutsche Vertreter zu begrüßen haben würden. Aber in Frankreich dachte ein beträchtlicher Teil
der Bevölkerung und ihrer politischen Repräsentanten keineswegs in erster Linie oder gar ausschließlich an die wirtschaftliche und politische Stabilisierung des Westens. Obwohl diese Stabilisierung an sich und erst
recht angesichts der auch in Frankreich – außerhalb der starken KP –
intensiv empfundenen sowjetischen Bedrohung höchst wünschenswert
schien, spielte für viele Franzosen das Bedürfnis nach Sicherheit vor
Deutschland nach wie vor eine mindestens ebensogroße Rolle, und so
wollten sie, wenn sie schon einen deutschen Wiederaufstieg hinzunehmen
hatten, Gestalt und Ausmaß der deutschen Erholung eng begrenzt wissen. Die französische Regierung fühlte sich daher verpflichtet, ihre Zustimmung zum Anschluß der französischen Besatzungszone an die Bizone
teuer zu verkaufen und durch den Prozeß der westdeutschen Staatsgründung – ungeachtet der damit wahrscheinlich verursachten Verschleppung
des Prozesses – möglichst viele Elemente der 1945 formulierten Pariser
Deutschlandpolitik hindurchzuretten. In Anbetracht der seither doch etwas anders gewordenen Umstände hieß das für die politische Praxis, daß
die französische Regierung entschlossen war, ihren amerikanischen und
britischen Partnern vor allem die Erfüllung von vier Forderungen abzuhandeln: Erstens sollte der französische Anspruch auf das Saarland definitiv anerkannt werden. Zweitens sollte das Ruhrgebiet, bei nur nomi-
neller deutscher Beteiligung, unter internationale Verwaltung gestellt
werden und auf unbestimmte Zeit von alliierten Truppen besetzt bleiben.
Drittens sollte der westdeutsche Staat lediglich als denkbar lockeres Kon-
glomerat der Länder der drei Westzonen organisiert werden, als Staatenbund nach dem Vorbild des in der ersten Hälfte des 19. Jahrhunderts so
angenehm schwachen Deutschen Bundes. Viertens sollte die permanente
Waffenlosigkeit eines westdeutschen Staatenbundes garantiert werden;
für diesen Zweck könne, so argumentierten die französischen Politiker,
der von Byrnes 1946 für die Zeit nach der Okkupation konzipierte Vertrag über die Entwaffnung und Entmilitarisierung Deutschlands aus den
Akten ausgegraben und – eben auf Westdeutschland und als Garanten der
Kontrolle auf die drei Westmächte beschränkt – doch noch in Kraft gesetzt werden [100].

Der Konflikt zwischen diesen französischen Zielen und der anglo-amerikanischen Konzeption, der sich also, wie gesagt, bereits während der Gespräche abgezeichnet hatte, die von Bidault noch in London am 17. und
18. Dezember 1947 mit Marshall und Bevin geführt worden waren, beherrschte dann auch, trotz der von beiden Seiten wiederholt betonten

Übereinstimmung über die Unabweisbarkeit einer westdeutschen Staatsgründung, jene große Konferenz der Westmächte, die im Anschluß an die Londoner Unterredungen von den drei Außenministern vereinbart wurde und den Auftrag erhielt, den Grundriß des künftigen westdeutschen Staates zu entwerfen. Auf der Konferenz, die vom 23. Februar bis zum 6. März und nach einer Pause – in der die Militärgouverneure in Deutschland die Verhandlungen fortsetzten – vom 20. April bis zum 1. Juni 1948 in London stattfand, trafen allerdings nicht die Außenminister zusammen. Um der Sowjetunion keine Handhabe für den Vorwurf zu bieten, die Westmächte hätten den Rat der Außenminister definitiv abgeschrieben und schon einen ausschließlich westlichen Ersatz etabliert, hatte man sich vielmehr entschlossen, die Besprechungen eine Stufe tiefer anzusetzen. So standen an der Spitze der amerikanischen und der französischen Delegation die jeweiligen Botschafter in London, Lewis W. Douglas und René Massigli, während das britische Team von Sir William Strang geleitet wurde, dem für Deutschland zuständigen Staatssekretär im Foreign Office. Eine solche Besetzung bewies natürlich auch, daß die beteiligten Regierungen die politische Zukunft Westdeutschlands in der Tat als grundsätzlich entschieden betrachteten, und sie hatte außerdem den Vorteil, daß immer dann, wenn der Zusammenstoß zwischen anglo-amerikanischer Ansicht und französischer Auffassung einen Stillstand verursachte, auf die Außenminister oder Regierungschefs rekurriert werden konnte.

Den ersten derartigen Zusammenstoß brachte die Frage, ob Westdeutschland als Staatenbund, wie die Franzosen meinten, oder als Bundesstaat, wie Briten und Amerikaner forderten, organisiert werden sollte. Die Delegierten der USA vertraten ja selbst, als Erbschaft der früheren Auseinandersetzungen zwischen State Department und War Department einerseits und der Morgenthau-Schule andererseits, ein ausgeprägt föderalistisches Konzept. Aber die französischen Vorstellungen gingen erheblich weiter und standen in einem so schroffen Gegensatz zu den Erfordernissen eines wirtschaftlich und politisch funktionsfähigen modernen Staatswesens, daß die Amerikaner und erst recht die Briten auf das zähe Festhalten ihrer französischen Partner an ebenso unvernünftigen wie unrealistischen Absichten immer wieder mit verständnisloser Empörung und – im Hinblick auf den Frankreich zu verdankenden Zeitverlust – mit zorniger Verzweiflung reagierten. Auch fragte man sich in Washington, wie die Freunde in Paris glauben konnten, den Deutschen, die 1948 den 100. Jahrestag der Revolution von 1848 feierten, sei ausgerechnet jene politische Struktur aufzuzwingen, die damals die Erhebung provoziert habe[101]. Den zweiten Konflikt bescherte der Versuch Massiglis, eine Regelung des Ruhrproblems im französischen Sinne durchzusetzen, und abermals beklagten Briten und Amerikaner, obwohl durchaus zu einer Internationalisierung der Ruhrindustrie entschlossen, die irritierende Leichtherzigkeit, mit der die Vertreter Frankreichs die Binsenwahrheit ignorieren wollten, daß der neue deutschlandpolitische Kurs der Westmächte nur bei freiwilliger Mitwirkung der Westdeutschen zu steuern war und daher eine Form der Internationalisierung der Ruhr gefunden werden mußte, die wenigstens eine gewisse Rücksicht auf deutsche Gefühle und Interessen nahm.

Indes war Frankreich nicht die Sowjetunion. Unlösbar zum westlichen Lager gehörend, sowohl wirtschaftlich wie politisch und militärisch relativ schwach aus dem Krieg hervorgegangen, mit überaus labilen inneren Verhältnissen geschlagen und mit einem ständig unruhiger werdenden Kolonialreich beschäftigt, daher auf vielfältige Hilfe der stärkeren Partner USA und Großbritannien angewiesen, konnte Frankreich, obwohl man in London und Washington durchaus zu schonender Behandlung seiner Deutschland-Psychose bereit war, bestenfalls darauf hoffen, gewisse Abstriche an der deutschlandpolitischen Konzeption der Anglo-Amerikaner zu erreichen und das Tempo der unwillkommenen Entwicklung etwas zu verlangsamen. Außerdem hatten Douglas und Strang bzw. Clay und Sir Brian Robertson, die beiden Militärgouverneure, einige Trümpfe in der Hand, gegen die das französische Blatt nichts auszurichten vermochte. So wiesen Amerikaner und Briten unermüdlich auf die Gefahr aus dem Osten hin, die doch das eigentliche Problem sei, nicht das geschlagene, entwaffnete, verarmte und obendrein halbierte Deutschland[102]. Dieses Argument gewann naturgemäß noch an Überzeugungskraft, nachdem der Prager Staatsstreich vom 25. Februar 1948 den tschechoslowakischen Kommunisten die Alleinherrschaft gebracht und die Tschechoslowakei endgültig zum Satelliten Moskaus gemacht hatte, zumal Stalin seit März 1948 auch noch versuchte, Jugoslawien seinem Imperium einzufügen. Wenn Amerikaner und Briten angesichts solcher Ereignisse erklärten, ohne konstruktives und rasches Handeln der Westmächte sei Ähnliches auch in Deutschland zu befürchten, werde man Hammer und Sichel womöglich bald am Rhein sehen[103], zeigten sich ihre französischen Kollegen nolens volens beeindruckt. Als Couve de Murville, jetzt Leiter der Politischen Abteilung im französischen Außenministerium, am 7. April Clay und Murphy in Berlin besuchte, sagte er, daß nach seiner Meinung »ein Krieg mit der Sowjetunion in den nächsten zwei oder drei Jahren unvermeidlich ist – und das kann schon dieses Jahr heißen«[104]. Die beiden Amerikaner konstatierten befriedigt, unter der Wirkung einer derartigen Perspektive habe »Couve's approach to the German problem ... undergone substantial evolution«; so sei er nun bereit, sich energisch für eine deutsche Teilnahme an der Eröffnungssitzung des Council of European Economic Cooperation einzusetzen[105]. Die Spitzen des State Department und in London Lewis Douglas begriffen ferner sehr schnell, daß die USA in der Lage waren, wenigstens die fiebrigsten Äußerungen der französischen Ängste zu dämpfen, wenn sie dem Sicherheitsbedürfnis Frankreichs durch die Tat Rechnung trugen und sowohl gegen die sowjetische Bedrohung wie gegen eine Wiederkehr der deutschen Gefahr die Verlängerung und Verstärkung der militärischen amerikanischen Präsenz in Europa anboten[106]; die tiefe Befriedigung, mit der nicht allein französische, sondern auch britische und andere westeuropäische Politiker auf entsprechende Andeutungen reagierten, ließ ein solches Angebot sogar als das wichtigste Mittel amerikanischer Politik erscheinen, die Dinge in Westeuropa in Bewegung zu bringen, und in Washington wurde zugleich verstanden, daß mit vermehrter militärischer Leistung auch das Gewicht amerikanischer Wünsche zunehmen mußte. Allerdings zögerten die Amerikaner auch nicht, den Franzosen klarzumachen, daß sie, falls sie sich in der deutschen Frage als zu hartleibig erweisen sollten, mit einer Kürzung oder gar Sperrung der an sich für Frankreich bestimmten ERP-Mittel zu rechnen hätten[107].

Auf der anderen Seite begann man im State Department zu entdecken, daß, namentlich hinsichtlich der Ruhr, eine Versöhnung zwischen der unumgänglichen Rücksichtnahme auf französische Wünsche und der neuerdings ebenso notwendigen Berücksichtigung deutscher Interessen vielleicht durch eine Europäisierung von Problemen und Institutionen zu erreichen war, die allen beteiligten Staaten Souveränitätsverzichte abverlangte. So schrieb Außenminister Marshall schon am 20. Februar 1948 an Douglas: »The necessary restrictions on German control of Ruhr which may result from an international agreement with respect to control of Ruhr resources would be much more acceptable to Germans if it embodies a contribution on their part to a larger Western European Union, to realization of which other Western European countries will also be making substantial contributions of one kind or another.«[108]

Mit Argumenten, militärischen Garantien, wirtschaftlichen Pressionen und europäischen Zukunftsperspektiven brachten es Amerikaner und Briten denn auch fertig, die Franzosen Meter um Meter zurückzudrängen. Das Bundesstaats-Konzept wurde am Ende ebenso durchgesetzt wie eine Regelung des Ruhrproblems, die den Deutschen wenigstens als Durchgangsstation zugemutet werden konnte und die im übrigen erkennbar den Weg zu jener Entwicklung offenließ, die dann wenige Jahre später tatsächlich zur Montanunion führen sollte[109]. Selbst in der Militärfrage, in der die Franzosen am erbittertsten fochten und wegen der sie noch Ende Mai mit der Torpedierung der Londoner Konferenz drohten[110], erlitten sie eine Niederlage. Weder die Amerikaner noch die Briten oder die Vertreter der Benelux-Länder, die von Anfang an und mit wachsendem Einfluß an den Londoner Beratungen teilnahmen, dachten daran, Frankreich die Möglichkeit der künftigen militärischen Bundesgenossenschaft Westdeutschlands zu opfern. Zwar mußten sich die USA und Großbritannien dazu verstehen, in der Sicherheits-Vereinbarung, die in London schließlich formuliert worden war, eine längere Besetzung Westdeutschlands in Aussicht zu stellen, und die Amerikaner versprachen sogar, ihre Besatzungstruppen nicht ohne Zustimmung der französischen Regierung aus Deutschland abzuziehen; auch wurden die Militärgouverneure angewiesen, für die Westzonen Militärinspektorate einzurichten, die dafür sorgen sollten, daß Westdeutschland weiterhin entwaffnet blieb [111]. Aber solche Abreden begrenzten die Anglo-Amerikaner kunstvoll auf die Zeit der direkten Besatzungsherrschaft, und sie vermieden peinlich jede Klausel, die ihnen für jene Periode, in der ein westdeutscher Staat bündnisfähig werden mochte, die Hände gebunden hätte. Wohl wurde festgelegt, daß am Ende der Okkupation erneut über Sicherheit vor Deutschland gesprochen werden müsse, doch ließen die gewählten Formulierungen das Ergebnis derartiger Gespräche völlig im ungewissen. Als Douglas einmal Miene machte, dem französischen Druck etwas nachzugeben, bekam er einen Rüffel vom State Department; Marshall stellte in dürren Worten fest, daß es den Vereinigten Staaten »unmöglich« sei, sich im französischen Sinne auch noch für die »post-occupation period« zu verpflichten [112]. Der auf die Westzonen reduzierte Byrnes-Vertrag wurde Frankreich verweigert [113].

Nur in dreierlei Hinsicht zeitigte die französische Beharrlichkeit Erfolge. Abgesehen davon, daß der Pariser Anspruch auf das Saargebiet jetzt kaum noch Widerspruch fand, erreichten die französischen Unterhändler zweitens eine veränderte Prozedur der westlichen Deutschlandpolitik. Ursprünglich hatten Amerikaner und Briten erst eine provisorische westdeutsche Regierung einsetzen und dann die Ausarbeitung einer westdeutschen Verfassung folgen lassen wollen. Die Franzosen bestanden jedoch auf einer Umkehrung der Reihenfolge, was in ihren Augen vor allem den Vorteil hatte, den Ablauf der Dinge zu verlangsamen; vielleicht, so sagte man sich in Paris, sorgte inzwischen eine Änderung der internationalen Konstellation – z. B. eine Sänftigung der sowjetischen Politik – dafür, daß die anglo-amerikanischen Deutschlandpläne überflüssig würden. Den Zeitgewinn heimsten die Franzosen mit ihrem Feilschen und mit der Durchsetzung ihrer Vorschläge zur Prozedur denn auch tatsächlich ein. Am Ende schätzten sich ihre amerikanischen und britischen Partner glücklich, daß sie der französischen Regierung die – noch immer von vernehmlichen Äußerungen des Widerwillens begleitete – Zustimmung abzuringen vermochten, im Herbst 1948, als nach den anfänglichen anglo-amerikanischen Vorstellungen eine provisorische westdeutsche Regierung bereits seit einigen Monaten hätte im Amt sein sollen, wenigstens die Arbeit an einer westdeutschen Verfassung beginnen zu lassen[114].

Freilich konnten solche französischen Bremsversuche die Entwicklung nicht mehr aus der längst vorgezeichneten Bahn drängen. So erwies es sich auch als völlig bedeutungslos, daß es die Franzosen – um ihren einzigen deutschlandpolitischen Trumpf nicht zu früh aus der Hand zu geben – verstanden, den formalen Anschluß ihrer Besatzungszone an die Bizone während der ganzen Dauer der Londoner Sechs-Mächte-Konferenz zu vermeiden; rechtlich wurde die Vereinigung im Grunde erst mit der Schaffung der Bundesrepublik vollzogen. Nachdem die Pariser Regierung ihr Einverständnis – und darauf lief ja auch die Billigung einer westdeutschen Verfassungsschöpfung hinaus – mit der Gründung eines westdeutschen Staates definitiv erklärt hatte, spielten Formalitäten dieser Art kaum noch eine Rolle, zumal die Franzosen den Prozeß der wirtschaftlichen Anpassung ihrer Zone weder hindern konnten noch hindern wollten. Die in wirtschaftlicher Hinsicht wichtigste Konzession an die anglo-amerikanische Politik hatte Frankreich denn auch lange gemacht, als am 1. Juni die Londoner Konferenz endete, am 7. Juni die dort formulierten Vereinbarungen – die den Weg zur Einsetzung des Parlamentarischen Rats und damit zur Arbeit an der dann »Grundgesetz« genannten westdeutschen Verfassung, zu Besatzungsstatut und Ruhrstatut öffneten – nach der Billigung durch die beteiligten Regierungen veröffentlicht wurden und am 1. Juli die westdeutschen Ministerpräsidenten die Dokumente als »Londoner Empfehlungen« in Empfang nahmen[115]: Die Pariser Regierung hatte sich bereit gefunden, ihre Besatzungszone in die Reform der westdeutschen Währung einbeziehen zu lassen, die von Amerikanern und Briten seit geraumer Zeit vorbereitet und am 20. Juni 1948 tatsächlich durchgeführt wurde[116].

Daß die Aufschübe, um die sich die französische Regierung so zäh bemühte, nicht mehr die Richtung der Entwicklung Westdeutschlands zu beeinflussen vermochten, lag allerdings nicht zuletzt an der Haltung der Sowjetunion. Stalin reagierte nämlich auf die Vorgänge im Westen keineswegs in dem von Frankreich erhofften Sinne; weder zeigte er eine Neigung zu grundsätzlicher Milderung der sowjetischen Europa- und Deutschlandpolitik noch unterstützte er den französischen Widerstand gegen die anglo-amerikanischen Weststaats-Pläne durch Demonstrationen einer wenigstens taktisch gemeinten deutschlandpolitischen Konzessionsbereitschaft. Wohl reagierte Stalin mit heftigen und sogar dramatischen Gesten, doch löste er mit diesen Gesten nur Krisen aus, deren einzige Wirkung in der weiteren Befestigung des Status quo – d. h. hier der Spaltung Deutschlands – und damit in der Beschleunigung der Entwicklung im Westen bestehen konnte. Für solche Folgen zeichnete nicht etwa sowjetisches Ungeschick verantwortlich. Vielmehr trat in den Ost-West-Krisen, die in der zweiten Hälfte des Jahres 1948 das Geschehen in Deutschland so brisant erscheinen ließen, abermals scharf hervor, daß sich nicht allein die westliche, sondern gerade auch die östliche Deutschlandpolitik in Wahrheit am Status quo orientierte. Die sowjetische Krisenpolitik, so gewalttätig sie gegen die Gründung eines westdeutschen Staates zu operieren schien, war gar nicht dazu bestimmt, das Festfressen des Status quo zu verhindern, sie sollte lediglich den Status quo für die Sowjetunion etwas bequemer machen.

Schon die Auseinandersetzung um die deutsche Währungsreform bewies den im Grunde statischen Charakter der sowjetischen Deutschlandpolitik deutlich genug. Der amerikanische Militärgouverneur hatte sich in den Tagen nach dem Ende der Londoner Außenministerkonferenz von Marshall ermächtigen lassen, im Kontrollrat einen letzten Versuch zur Verständigung mit der Sowjetunion über eine gesamtdeutsche Währungsreform zu unternehmen[117]. War General Marshalls Ermächtigung nicht mehr sehr ernst gemeint und – im Vertrauen auf sowjetische Intransigenz – vornehmlich dazu gedacht, eine Gesprächsrunde zu initiieren, die den Westdeutschen den guten Willen der USA und der anderen Westmächte dartun sollte, so hegte General Clay durchaus noch die Hoffnung, eine Einigung mit den Sowjets erreichen zu können, und er war fest entschlossen, diese vermutlich letzte Chance der Rückkehr zu einer Vier-Mächte-Politik in Deutschland zu nutzen und mit dem Willen zum Erfolg zu verhandeln. Nach seiner Londoner Unterredung mit Marshall glaubte er im übrigen, daß er sich bei seinem Vorhaben in Übereinstimmung mit dem State Department befinde; zwar wußte er sehr gut, daß die Vereinigten Staaten Geld für die deutsche Währungsreform bereits gedruckt und noch während der Londoner Außenministerkonferenz nach Deutschland transportiert hatten, doch wollte er von dieser notwendigen Vorbereitung nur dann Gebrauch machen, wenn die sowjetische Haltung zu einem westlichen Alleingang zwang[118]. Kurz nachdem am 1. Februar 1948 die Erörterung der Währungsreform im Kontrollrat begonnen hatte[119], schien sich Clay tatsächlich bestätigt fühlen zu dürfen. Bislang war eine westlich-sowjetische Vereinbarung stets daran gescheitert, daß die Vertreter der Westmächte darauf bestanden hatten, erst die deutsche Wirtschaftseinheit vollständig herzustellen und außerdem die neuen deutschen Banknoten ausschließlich – wenn auch unter der Kontrolle aller vier Besatzungsmächte – in Berlin zu drucken, während die Sowjets unerbittlich einen zweiten Druckort, nämlich Leipzig, verlangt und statt der kompletten deutschen Wirtschaftseinheit lediglich die Errichtung einer zentralen deutschen Finanzverwaltung – einschließlich einer Zentralnotenbank – proponiert hatten. In der Kontrollratssitzung vom 11. Februar ließ jedoch der sowjetische Vertreter beide Forderungen plötzlich fallen, und er erweckte den Anschein, als wünsche die Sowjetunion nichts sehnlicher als eine Verständigung. Der angenehm überraschte Clay zeigte sich im Hinblick auf die deutsche Wirtschaftseinheit konzessionsbereit, und im Handumdrehen war verabredet, in einem Zeitraum von 60 Tagen die Einigungsmöglichkeit definitiv zu klären, die Details vom Finanzdirektorat des Kontrollrats ausarbeiten zu lassen und gleichzeitig die Arrangements für den Notendruck in Berlin abzuschließen[120].

Clays Mitteilung über den erzielten Fortschritt nötigte zunächst das State Department, seine Karten jetzt wenigstens vor dem Militärgouverneur aufzudecken. Die Fixierung auf den Weststaatsplan auch in solchem Zusammenhang endgültig decouvrierend, beeilte man sich in Washington, General Clay zu sagen, »daß die Politik dieser Regierung nicht länger darin besteht, ein Vier-Mächte-Abkommen über die Währungs- und Finanzreform in Deutschland zu erreichen«; er werde hiermit angewiesen, »sich aus den Vier-Mächte-Verhandlungen nicht später als am Ende des nun im Alliierten Kontrollrat vereinbarten Limits von 60 Tagen zu lösen«[121]. Aber die sowjetische Regierung machte ebenfalls sehr schnell deutlich, daß ihre demonstrative Verständigungsbereitschaft nichts als Taktik gewesen war. Clay unterrichtete das War und das State Department bereits am 7. März, daß er, inzwischen um einige Erfahrungen mit seinen sowjetischen Partnern reicher, nicht mehr von der Ernsthaftigkeit der sowjetischen Offerten überzeugt sei; wahrscheinlich verfolgten die Sowjets nur den taktischen Zweck, Zeit zu gewinnen und die USA als Gegner der deutschen Wirtschaftseinheit hinzustellen[122].

Das erwies sich rasch als eine lediglich teilweise zutreffende Einschätzung. Wohl hatten die sowjetischen Vertreter im Finanzdirektorat des Kontrollrats sofort nach dem 11. Februar die alten sowjetischen Forderungen wieder aus der Schublade geholt und damit Clay durchaus Anlässe für sein Urteil geliefert[123]. Doch verzichteten die Berliner Repräsentanten der UdSSR noch im März, lange vor Ablauf der 60-Tage-Frist und ehe ihnen der amerikanische Kurs, wie er Clay von Washington befohlen worden war, hätte deutlich werden können, endgültig darauf, Interesse an einer Regelung des Währungsproblems auch nur zu heucheln. Vielmehr legten sie eine Haltung an den Tag, die bewies, daß die sowjetische Führung ganz andere Ziele im Auge hatte. Robert Murphy wies am 3. März darauf hin, daß die sowjetische Delegation in der Alliierten Kommandatura von Berlin seit einiger Zeit jede gemeinsame Sitzung dazu benutze, die anderen Delegationen – neuerdings auch die bislang geschonte französische Delegation – mit wütenden Propagandatiraden einzudecken. Es sei völlig unmöglich geworden, irgendwelche Tagesordnungspunkte, seien sie noch so simpel oder harmlos, sachlich zu diskutieren. Die sowjetischen Diatriben konzentrierten sich im übrigen auf drei Themen: Erstens würden die westlichen Repräsentanten unentwegt des Bruchs interalliierter Vereinbarungen beschuldigt, so des Potsdamer Abkommens; zweitens werde den amerikanischen und britischen Delegationen unterstellt, sie suchten die Vier-Mächte-Harmonie und die Vier-Mächte-Verwaltung in Berlin zu zerstören; drittens werde den Westmächten die Absicht zugeschrieben, Berlin als Basis für westliche Einmischung in die Angelegenheiten der SBZ zu benutzen. Nach aller Erfahrung, so schloß Murphy, müsse damit gerechnet werden, daß die Sowjetunion eben das selbst tun wolle, was sie ihren Kontrahenten öffentlich vorwerfe; es stehe also vermutlich ein sowjetischer Schlag gegen die Vier-Mächte-Administration bevor [124].

Genau das geschah. Zunächst wurde der Ton, den die Sowjets in der Kommandatura angeschlagen hatten, auch in den Einrichtungen des Kontrollrats vernehmbar. Am 20. März forderte dann Marschall Sokolowski seine westlichen Kollegen in der 82. und letzten Sitzung des Kontrollrats auf, Auskunft über die nach ihrer ersten Phase formulierten Beschlüsse der Londoner Sechs-Mächte-Konferenz wie über die als Folge solcher Beschlüsse an die westlichen Militärgouverneure ergangenen Direktiven zu geben. Nachdem Clay, Robertson und Koenig erwidert hatten, die Londoner Beratungen seien nur provisorischen Charakters und hätten daher noch zu keinen Direktiven geführt, erklärte der sowjetische Marschall, dies stelle eine Verweigerung der verlangten Informationen dar; mit der Verweigerung hätten die Westmächte das Potsdamer Abkommen gebrochen und sich vom Kontrollrat gelöst: »Das beweist, daß der Kontrollrat als Regierungsorgan nicht mehr existiert.« Danach – er hatte den Vorsitz – schloß er die Sitzung, erhob sich und verließ mit allen seinen Begleitern den Raum, um nie mehr wiederzukehren [125]. Kurze Zeit später hörte auch die Kommandatura auf als Instrument der vier Besatzungsmächte zu fungieren.

Tatsächlich steckten die Westmächte, noch ehe die Londoner Sechs-Mächte-Konferenz irgendwelche Beschlüsse formuliert hatte und eine separate Währungsreform für Westdeutschland verkündet worden war, bereits mitten in den Anfängen einer Konfrontation mit der Sowjetunion, deren Ziel ebenfalls noch in dieser ersten Phase erkennbar wurde. Am 2. April mußte Murphy nach Washington melden, daß die sowjetischen Behörden die Schließung – bis zum 1. Mai – etlicher amerikanischer und britischer Dienststellen in der SBZ, so in Weimar und Magdeburg, verlangt hätten, die der technischen Sicherung der anglo-amerikanischen Verbindungswege nach Berlin bzw. der Aufrechterhaltung der telefonischen Verbindung zwischen den Westzonen und Berlin dienten [126]. Die

Vorgänge veranlaßten Murphy zu der Annahme, daß die Sowjets, gestützt auf die Anklage, die Westmächte hätten die Vier-Mächte-Verwaltung Deutschlands ruiniert, den Plan verfolgten, Amerikaner, Briten und Franzosen aus Berlin herauszudrängen, »um dieses noch verbliebene ›Zentrum der Reaktion‹ östlich des Eisernen Vorhangs zu liquidieren«. Es sei mit der sowjetischen Kündigung des Vier-Mächte-Abkommens über die Besetzung Deutschlands vom 14. November 1944 und mit der Forderung nach dem Abzug der in Berlin stationierten westlichen Streitkräfte zu rechnen. Werde eine solche Forderung abgelehnt, so würden sich die Sowjets bemühen, das Bleiben unmöglich oder zu kostspielig zu machen, »z. B. durch eine Unterbrechung der dünnen Verbindungslinien zwischen Berlin und den Westzonen«[127]. In der Tat folgten im April und Mai weitere sowjetische Schikanen, und Murphys Prophezeiung gewann von Woche zu Woche an Wahrscheinlichkeit. Auch die westliche Reaktion wurde allmählich deutlich. In jenen Tagen erörterten die Spitzen der amerikanischen Militärregierung in Berlin recht besorgt die Frage, ob bei der zu erwartenden Verschärfung der Krise Briten und erst recht Franzosen nicht weich werden könnten[128]; Murphy äußerte in einem Schreiben an das State Department sogar die Befürchtung, daß man es vielleicht auch in Washington – vor allem angesichts der Ungunst der logistischen Situation – an Entschlossenheit zur Verteidigung der Berliner Position fehlen lassen werde[129]. Indes waren die Sorgen überflüssig. Im State Department wurde schon in der ersten Hälfte des April eine Note an die sowjetische Regierung konzipiert, in der die amerikanische Regierung namentlich vier Punkte unmißverständlich klarmachte: Erstens sei Berlin kein Teil der SBZ; zweitens sei das Recht auf amerikanische Präsenz in Berlin so fest begründet wie das Recht der Sowjetunion auf ihre Besatzungszone in Deutschland; daher hätten die USA drittens einen ebenso unanfechtbaren Anspruch auf Verbindung nach Berlin, und die amerikanische Regierung sei, viertens, fest entschlossen, diese unbezweifelbaren Rechte durchzusetzen[130]. Die Note wurde am 14. April dem amerikanischen Botschafter in Moskau übermittelt, um dort bei weiterer Verschlechterung der Lage verwendet zu werden[131]. In Gesprächen, die Douglas, Clay und Murphy am 27. April in London mit Strang und Robertson führten, konnten die Amerikaner überdies befriedigt feststellen, daß die Briten zwar von der Entwicklung in Berlin wenig erbaut waren und jeden provozierenden Akt seitens der Westmächte vermieden wissen wollten, andererseits aber den Willen bekundeten, die westliche Präsenz in der alten Reichshauptstadt mit allen Mitteln zu behaupten[132]. Außenminister Bevin teilte dann am 30. April Marshall offiziell mit, daß sich – nach britischer Ansicht – die Westmächte durch die sowjetische Blockadetaktik nicht aus Berlin – oder auch aus Wien – vertreiben lassen dürften[133]. Die in der Tat schwankende und schwächliche Haltung Frankreichs war danach bedeutungslos geworden[134].

Die vorhergesehene Eskalation des Konflikts inszenierte die sowjetische Führung nun bezeichnenderweise nicht als Reaktion auf die zweite Phase der Londoner Sechs-Mächte-Konferenz und auch nicht als unmittelbare Antwort auf die Veröffentlichung der »Londoner Empfehlungen«. Vielmehr nahmen die Sowjets eine partielle Unterbrechung der Verbindung zwischen den Westzonen und den Westsektoren von Berlin, so des Straßenverkehrs, erst am 19. Juni vor, nachdem General Clay am 18. Marschall Sokolowski über die auf den 20. Juni festgesetzte Währungsreform in Westdeutschland informiert und dabei Berlin als eine zwar von den Westzonen, aber eben auch von der SBZ unterschiedene separate Einheit behandelt hatte[135]. Die Maßnahmen wurden mit technischen Schwierigkeiten aller Art, ferner mit der Notwendigkeit zur Abschottung der SBZ gegen einen inflationär wirkenden Zustrom wertloser Reichsmark begründet und von General Clay noch gelassen aufgenommen; im umgekehrten Fall, so meinte er, hätten amerikanische Besatzungsbehörden ähnliche Schritte unternehmen müssen[136]. In seiner Erwiderung auf Clays Schreiben hatte jedoch Sokolowski Berlin bereits als Teil der SBZ reklamiert[137], und nachdem Amerikaner wie Briten zunächst – am 22. Juni auf einem Treffen der Finanzexperten der vier Besatzungsmächte – die Einführung einer eigenen Berliner Währung gefordert, dann Clay und Robertson – am 23. Juni und mit der Begründung, eine Einigung mit den Sowjets sei offensichtlich unmöglich – sogar die Ausgabe der westdeutschen Währung in Berlin angekündigt hatten[138], was am 24. tatsächlich geschah, machte die Sowjetunion Ernst. In der Nacht vom 23. zum 24. Juni, im Laufe des 24. und in den folgenden Tagen wurde jegliche Landverbindung zwischen den Westzonen und Berlin gesperrt, zugleich die Versorgung der Westsektoren mit Energie und Lebensmitteln aus dem Ostsektor und der SBZ eingestellt. Die Blockade Berlins hatte begonnen[139].

Schon angesichts dieser Anfänge durfte vermutet werden, daß die Blockade nicht etwa dem Zweck diente, die Westmächte zur Zurücknahme der »Londoner Empfehlungen« und zum Verzicht auf die Gründung eines westdeutschen Staates zu zwingen, daß sie also kein Akt einer wieder aufgenommenen gesamtdeutschen und mit der Restaurierung des – ja gerade erst von den Sowjets selbst gesprengten – Kontrollratsregiments womöglich nach dem Rhein greifenden Politik Moskaus war, auch nicht ein Schachzug zur bloßen Verhinderung der bei Schaffung eines westdeutschen Staates zu befürchtenden Stärkung des Westens. Vielmehr handelte es sich offensichtlich nur um einen Versuch, Amerikaner, Briten und Franzosen aus Berlin herauszudrücken und damit diesen letzten

westlichen Pfahl im östlichen Fleisch endlich zu entfernen, mithin lediglich um eine Aktion zur Arrondierung und Stabilisierung der SBZ. Zwar
schlug die sowjetische Propaganda mit mächtigen Streichen auf die »Londoner Empfehlungen« ein, und in Unterhaltungen mit ihren westlichen
Kontrahenten erklärten sowjetische Politiker und Diplomaten wieder
und wieder, die Westmächte müßten die Beschlüsse der Londoner Sechs-
Mächte-Konferenz suspendieren oder eben die sowjetischen Maßnahmen als berechtigt anerkennen und daraus Konsequenzen ziehen. Aber
solche Äußerungen waren offenbar als – reichlich grobe – Winke gemeint, die den westlichen Gesprächspartnern klarmachen sollten, daß die
Sowjetunion gegen die im Westen ablaufende Entwicklung nichts einzuwenden habe und das Ende des Vier-Mächte Regimes in Deutschland
als definitiv betrachten werde, falls man sie mit dem alleinigen und unge-
störten Besitz Berlins honoriere.

Doch ließen es die Sowjets auch nicht an sehr deutlichen Winken fehlen.
Der erste kam bereits am 23. Juni. An diesem Tag suchte der amerikanische Verbindungsoffizier zur SMAD in offizieller Mission den Protokoll-
chef Sokolowskis auf, Oberst Vyrjanow. Der sowjetische Oberst, der sich
bei Kontakten mit Vertretern der Westmächte ansonsten auf streng
dienstliche Umgangsformen beschränkte, bestand ausgerechnet an
einem solchen Krisentag darauf, Champagner zu kredenzen. In einer längeren Unterredung setzte er seinem amerikanischen Besucher auseinander, wie prekär die in Berlin entstandene Situation doch sei; selbst die
Gefahr eines Krieges bestehe. Daran knüpfte er den – selbstverständlich
als rein »persönliche Meinung« charakterisierten – Vorschlag, ob angesichts der Lage nicht einerseits eine Verbesserung der derzeitigen Zonengrenze vorgenommen, andererseits die vom amerikanisch-sowjetischen
Kontakt in Berlin verursachte Friktion eliminiert werden sollte. Auf die
Frage des Amerikaners, ob das heiße: Abzug der westlichen Streitkräfte
aus Berlin und dafür Rückkehr westlicher Besatzungstruppen in die 1945
geräumten thüringischen und sächsischen Gebiete? erwiderte Vyrjanow,
er sei nicht in der Lage, in Einzelheiten zu gehen, glaube aber, daß eine
bessernde Korrektur einen Ausweg aus den gegenwärtigen Schwierigkeiten bieten könne. Robert Murphy maß den Eröffnungen Vyrjanows, der
ein Vertrauter Sokolowskis sei, große Bedeutung bei und übermittelte sie
sofort nach Washington[140].

Nicht weniger klar trat die sowjetische Haltung in den Verhandlungen
hervor, die praktisch während des ganzen August 1948 in Moskau von den
Botschaftern der USA, Großbritanniens und Frankreichs mit Molotow
geführt wurden[141], ebenso in den Konferenzen der vier Militärgouverneure, die als Folge der Moskauer Gespräche vom 31. August bis zum
8. September in Berlin stattfanden[142]. Wiederum war, namentlich in Mos-

kau, viel von den »Londoner Empfehlungen« die Rede, übten die sowjetischen Repräsentanten herbe Kritik an den anglo-amerikanischen Weststaatsplänen. Im Kern drehten sich die Besprechungen, die im übrigen auf eine amerikanische Initiative zurückgingen, jedoch stets um Berlin. Sie scheiterten denn auch nicht an der Weigerung der Westmächte, die Beschlüsse der Londoner Sechs-Mächte-Konferenz preiszugeben; ebensowenig scheiterten sie an Hauptpunkten der Währungsfrage, da die Westmächte schon frühzeitig dem Anschluß ganz Berlins an das Währungsgebiet der SBZ zustimmten[143]. Sie scheiterten daran, daß es die westlichen Vertreter ablehnten, einige von den Sowjets im Zusammenhang mit den Währungsproblemen gestellte Forderungen zu akzeptieren, die der SMAD die totale wirtschaftliche Kontrolle auch über die Westsektoren Berlins verschafft hätten, und sie scheiterten vor allem am Widerstand der Westmächte gegen das sowjetische Verlangen, auf ihr Präsenzrecht in Berlin grundsätzlich zu verzichten.

Am 3. August 1948 hatten die drei westlichen Botschafter, die sonst mit Molotow verhandelten, eine höchst aufschlußreiche Unterredung mit Stalin. Nach seinen Eingangsworten setzte Stalin auseinander, die »restriktiven Transportmaßnahmen« – die Blockade Berlins – seien notwendig geworden: 1. aus » technischen Gründen«, 2. weil von Berlin Anlagen in großen Mengen nach Westen gingen, »und 3. weil die Londoner Beschlüsse, insbesondere die Währungsreform und die Einführung der Westzonenwährung in Berlin im Zentrum der Sowjetischen Besatzungszone, die Wirtschaft jener Zone zerrüttet« hätten: »Die sowjetischen Behörden verteidigen die sowjetische Zone.« Anschließend sagte er, da nun – natürlich als Resultat der Londoner Konferenz – zwei deutsche Staaten mit zwei Hauptstädten, Frankfurt und Berlin, entstanden seien, habe die Anwesenheit westlicher Truppen in Berlin ihre rechtliche Grundlage verloren, und er verband diese Feststellung mit dem kaum noch verklausulierten Vorschlag, zwar Streitkräfte der Westmächte in Berlin zu belassen, dafür aber die ehemalige Reichshauptstadt de jure als Hauptstadt der SBZ anzuerkennen und de facto als solche zu behandeln. Mit seiner Offerte hatte Stalin sein Ziel unmißverständlich bezeichnet, und zugleich glaubte er offensichtlich, den Westmächten eine Möglichkeit zur Wahrung ihres Gesichts gewiesen zu haben. Stalin machte ferner kein Hehl daraus, daß ihm, falls sein Anspruch auf Berlin erfüllt werden sollte, die Realisierung der allein Westdeutschland betreffenden Londoner Beschlüsse völlig gleichgültig sei – mit einer Ausnahme. Er habe gegen die Vereinigung der drei Westzonen, so erklärte er in souveräner Mißachtung der sowjetischen Propaganda, überhaupt nichts einzuwenden, betrachte »sie sogar als Fortschritt«. Doch müsse er sich gegen die Absicht der Westmächte wenden, in Westdeutschland eine deutsche Regierung einzusetzen. »Die sowjetische Zone stellt ebenfalls eine Einheit dar, aber sie hätten nicht daran gedacht, dort eine Regierung zu bilden.« Jetzt werde er indes dazu gezwungen, wenn die Westmächte ihren Plan verwirklichten: »Das ist das eigentliche Problem.« Mehrmals kam er darauf zurück und konstatierte schließlich, daß er in diesem – und nur in diesem – Punkt auf Suspendierung der Londoner Beschlüsse als Voraussetzung weiterer Verhandlungen über Berlin bestehe. Anscheinend hätte es Stalin gerne vermieden, die SBZ schon jetzt den übrigen Satellitenstaaten Moskaus formal gleichzustellen; die reparationspolitisch begründete Ausbeutung der Zone, der direkte sowjetische Besitz ihrer wichtigsten wirtschaftlichen Unternehmen, die Befestigung der SED-Herrschaft, die Stationierung starker sowjetischer Truppen zur Sicherung und Umklammerung Polens – all das ließ sich im Zwielicht eines Besatzungsregimes weit bequemer handhaben als im helleren Licht einer Allianzpartnerschaft. Aber noch in der gleichen Unterredung lieferte Stalin den Beweis, daß die Vermeidung einer etwas schwierigeren Form der Machtausübung – und um mehr ging es ja doch nicht – gering wog im Verhältnis zu dem in Berlin verfolgten Ziel. Auf eine Zwischenfrage des amerikanischen Botschafters präzisierte er zunächst, daß er nicht gegen eine regierungsähnliche Institution in Westdeutschland sei, sondern allein gegen ihre Bezeichnung als Regierung, und am Ende, nachdem er in diesem Punkt den Widerstand des Amerikaners allzu hart gefunden hatte, wich er ganz zurück: Seinetwegen könnten die Westmächte auch sämtliche Beschlüsse der Londoner Konferenz in die Tat umsetzen, er wolle den Verzicht auf eine westdeutsche Regierungsbildung nicht länger zur Bedingung weiterer Gespräche machen; Hauptsache sei, so gab er deutlich zu verstehen, daß über Berlin verhandelt werde[144].

Auf westlicher Seite gab es allerdings einige Zeit unterschiedliche Meinungen über Sinn und Zweck der sowjetischen Aktion. Die Spitzen der amerikanischen Militärregierung in Berlin sahen sich am 1. Juli auch noch dem sowjetischen Auszug aus der ja schon seit etlichen Monaten nicht mehr funktionierenden Kommandatura konfrontiert, den der sowjetische Vertreter, Oberst Kalinin, mit der Einführung der Westzonenwährung in den Westsektoren, einem »Teil des Wirtschaftssystems der sowjetischen Zone«, begründete; daher, so erklärte er, stelle die Alliierte Kommandatura ihre Arbeit ein: »Mit anderen Worten, es gibt keine Alliierte Kommandatura mehr.«[145] Clay und Murphy vertraten indes von Anfang an, wenngleich nicht ohne Schwankungen, die Ansicht, daß es um Berlin gehe, und Clays Chef, Armeeminister Kenneth C. Royall, verstand die Blockade ebenfalls »als Phase einer größeren sowjetischen Anstrengung, die Westmächte aus Berlin zu vertreiben«[146]. Diplomaten wie Lewis Douglas in London und Bedell Smith in Moskau stimmten diesem Urteil zu[147].

Außenminister Marshall glaubte hingegen noch am 3. Juli, daß »die sowjetische Regierung die Berliner Situation zur Wiedereröffnung der ganzen deutschen Frage zu benutzen beabsichtigt«[148]. Unter dem Eindruck der verschiedenen west-östlichen Verhandlungen, nicht zuletzt des Gesprächs der drei Botschafter mit Stalin, setzte sich jedoch allmählich die Auffassung durch, daß das sowjetische Manöver nur ein begrenztes Ziel verfolgte. Im Lauf jener Sommerwochen wurde die Ernsthaftigkeit des sowjetischen Anspruchs auf die Alleinherrschaft in Berlin allzu augenfällig. Wenn aber der Versuch, die westlichen Alliierten aus Berlin zumindest de jure hinauszuwerfen, die Westsektoren der SBZ einzuverleiben und ganz Berlin zur Hauptstadt der SBZ zu machen, keine Finte, sondern ernst gemeint war, dann durfte darauf vertraut werden, daß die Sowjets nicht zur gleichen Zeit die den Absichten in Berlin ja glatt widersprechende Wiederherstellung des Kontrollrats und der Vier-Mächte-Administration Deutschlands erreichen wollten. Die Blockade konnte nicht gut zwei unvereinbaren Zielen dienen.

Für die praktische Politik der Westmächte war freilich die Frage nach der richtigen Interpretation des sowjetischen Schachzugs im Grunde ohne Bedeutung. Ob nun die Blockade lediglich die Annexion Berlins bezweckte oder die Westmächte zum Verzicht auf die Londoner Beschlüsse zwingen sollte, in beiden Fällen waren die Regierungen der USA und Großbritanniens, die das widerwillige Frankreich mit sich zogen[149], entschlossen, dem sowjetischen Druck nicht nachzugeben und die Position in Berlin unter allen Umständen und mit allen Mitteln zu behaupten. Gewiß gab es abweichende Ratschläge. Sir Brian Robertson, der britische Militärgouverneur, vertrat zwar die Meinung, daß »es jetzt nicht möglich sei, Berlin aufzugeben«, doch schlug er immerhin vor, neue deutschlandpolitische Verhandlungen mit der Sowjetunion zu suchen. Man werde, darauf lief ein Schreiben hinaus, das er am 20. Juli 1948 an Sir William Strang im Foreign Office richtete, zwischen den Plänen für Westdeutschland und dem Verbleiben in Berlin wählen müssen; versuche man beides, sei ein Krieg mit der UdSSR wohl unvermeidlich[150]. Ähnlich urteilte der amerikanische Botschafter in Moskau, General Bedell Smith. Als Militär ein Freund klarer Fronten, erklärte er noch am 28. September 1948 während einer Besprechung im State Department, er habe es seit eh und je tief bedauert, »daß wir überhaupt in Berlin sind«: »Wenn wir keine solchen exponierten Ausbuchtungen der Front hätten, sondern eine feste kontinuierliche Linie um unsere eigene Zone, eine Linie, die von den Sowjets nicht ohne Onus direkter Aggression überschritten werden könnte, dann wäre ein Krieg weniger wahrscheinlich.« Als gesichtswahrendes Rezept zur Lösung der aktuellen Krise schwebte ihm vor, Berlin nach dem Abzug der westlichen Streitkräfte für einige Zeit unter UN-Verwaltung zu stellen[151]. Auch George Kennan, zu dieser Zeit noch immer Leiter des Planungsstabs im State Department, raubte die Aussicht auf einen amerikanisch-sowjetischen Krieg die Ruhe, mit der er sich seit Jahren zum Anwalt der Gründung eines westdeutschen Staates gemacht hatte. So konzipierte er im Sommer 1948 mit seinen Mitarbeitern eine »Program A« genannte Denkschrift zur amerikanischen Deutschlandpolitik, in der er nun ein militärisches Disengagement der Weltmächte in Deutschland und – bei zumindest temporärer Suspendierung der Londoner Beschlüsse – amerikanisches Eintreten für die Restaurierung der wirtschaftlichen wie der politischen Einheit aller vier Besatzungszonen anregte[152].

Aber Ratschläge dieser Art hatten im Sommer oder Herbst 1948 keine Chance mehr, von den verantwortlichen Politikern beachtet zu werden. Sowohl Marshall wie Bevin vermochten – wie die Regierungschefs der USA und Großbritanniens – als Folge einer Preisgabe der mit den Londoner Beschlüssen gemachten Politik bestenfalls eine Rückkehr zu den unhaltbaren Zuständen und den ebenso quälenden wie fruchtlosen Verhandlungen der Jahre 1945, 1946 und 1947 zu sehen; schlimmstenfalls war mit einer Ausdehnung des kommunistischen und des sowjetischen Einflusses bis zum Rhein und dann bald auch bis zum Kanal zu rechnen. So war es nach ihrer Überzeugung barer Unsinn, gegen solche schlechte Münze die mit den Londoner Empfehlungen bereits erzielten ersten Erfolge einer Politik aufs Spiel zu setzen oder gar zu opfern, die mit der Organisierung und Integrierung Westdeutschlands der wirtschaftlichen, politischen und militärischen Stabilisierung und Verbarrikadierung des ganzen nichtkommunistischen Europas eine der wichtigsten Stützen zu liefern hatte. Den Glauben an die Möglichkeit einer für die Westmächte – und für die Westdeutschen – akzeptablen Verständigung mit der Sowjetunion über Deutschland hatten sie ja längst verloren. So hatten sie schon zwischen Dezember 1947 und April 1948, als in London und Washington darüber gesprochen worden war, daß die Sowjets auf die Londoner Sechs-Mächte-Konferenz mit Pressionen in Berlin reagieren könnten, eindeutig festgelegt, daß im Falle des Falles sowohl in Berlin geblieben wie mit der Arbeit an der westdeutschen Staatsgründung fortgefahren werde[153]. Diese Entscheidung wurde Ende Juni und am 3. Juli von Marshall bekräftigt, am 20. Juli von Präsident Truman definitiv als politische Leitlinie der Vereinigten Staaten bestätigt[154]. Das britische Kabinett folgte, unter der kräftigen Lenkung Bevins, dem gleichen Kurs[155].

Die Erkenntnis, daß es die Sowjets vermutlich nur auf Berlin abgesehen hatten, konnte, zumal eine solche sowjetische Zielsetzung das Kriegsrisiko erheblich verringerte, kein Anlaß sein, die gefaßten Entschlüsse zu revidieren. Auch dann galt es, Berlin zu halten. Allerdings nicht als vorgeschobenen Stützpunkt, der bei einer Rückkehr zu aggressiver politischer Strategie Bedeutung erlangen mochte. Vielmehr gaben auch in diesem Fall defensive Überlegungen den Ausschlag, die dem mittlerweile fest eingewurzelten Denken in den Kategorien des Status quo entstammten. Wenn die Sowjets, um für die SBZ im entstehenden Ostblock Sekurität zu erreichen, glaubten, mit der Annexion Berlins gleichsam ihr Gesicht finden zu müssen, so glaubten andererseits Politiker wie Marshall und Bevin, daß die Westmächte mit der Preisgabe Berlins ihr Gesicht verlieren würden und bei einem derartigen Gesichtsverlust zumindest eine schwere Krise, wahrscheinlich aber sogar den Ruin ihrer mit dem Marshall-Plan – inzwischen auch mit dem Brüsseler Pakt vom 17. März 1948 – eingeleiteten Europapolitik zu gewärtigen hätten[156]. Am präzisesten hat wohl Robert Murphy umrissen, welche Sorgen das Handeln jener damals in den Regierungen der USA und Großbritanniens dominierenden Schule bestimmten. Am 26. Juni 1948, um Mitternacht, schrieb Murphy an Marshall, die Präsenz westlicher Truppen in Berlin sei inzwischen »zum Symbol des Widerstands gegen östlichen Expansionismus« geworden. Wenn sich die Westmächte – er sprach naturgemäß vor allem von den USA – durch sowjetischen Druck aus Berlin vertreiben ließen, müßten die Westdeutschen und die anderen Europäer den Schluß ziehen, daß der amerikanische Rückzug aus Wien und Westdeutschland nur eine Frage der Zeit sei; danach und nach einem so kläglichen Eingeständnis der Schwäche und des Mangels an Mut wäre der amerikanische Halt in Europa etwa so fest wie der einer Katze auf einem schiefen Blechdach. Rückzug aus Berlin, so faßte Murphy zusammen, »wäre das München von 1948«[157].

So erwies sich Stalins Manöver zwangsläufig als glatte Fehlspekulation, die der Sowjetunion lediglich eine der schwersten politischen Niederlagen ihrer Geschichte einbrachte. Die Westmächte, die dem Risiko von Zwischenfällen ausweichen wollten, das bei einer Forcierung der Landwege bestanden hätte, beantworteten die Blockade mit dem Ende Juni gereiften und Anfang Juli definitiv gefaßten Entschluß, sowohl die westlichen Streitkräfte in Berlin wie die gesamte Bevölkerung der Westsektoren über eine Luftbrücke zu versorgen, und zwar so lange es eben notwendig sein würde[158]. Ihre Entscheidung in die Tat umzusetzen, gelang ihnen, zum Erstaunen der Berliner, der Westdeutschen und der ganzen Weltöffentlichkeit, in einer von Woche zu Woche noch eindrucksvolleren Weise[159]. Die Sowjets, die einen Krieg gegen die Westmächte weder führen konnten noch wegen der Berlinfrage führen wollten, mußten dieser Demonstration überlegener technischer Leistungsfähigkeit ohnmächtig zusehen. Die Streitkräfte der Westmächte konnten also allein mit der Blockade nicht aus Berlin vertrieben werden, und damit blieb auch der besondere rechtliche und politische Status der Stadt erhalten. Wurde es mithin der Sowjetunion verwehrt, ihr Gesicht zu finden, so gewannen die Westmächte, namentlich die USA, an Prestige und Selbstvertrauen. Als Folge stellte sich in den nichtkommunistischen Staaten Europas ein bislang ungekanntes Gefühl der Sicherheit ein, ein Gefühl, das zu einer wichtigen Voraussetzung jener Politik werden sollte, die dem Marshall-Plan zum Erfolg verhalf, zur NATO führte und auch noch die europäische Integration inspirierte – zumal die gemeinsame Anstrengung zur Behauptung der westlichen Bastion in Berlin erstmals seit 1945 zwischen Amerikanern und Briten einerseits und Westdeutschen andererseits ein Bewußtsein der Verbundenheit entstehen ließ, ohne das die spätere Bundesgenossenschaft doch erheblich schwerer zu schaffen gewesen wäre.

Die deutsche Einheit freilich, schon zuvor auf der Strecke geblieben, wurde während und nach der Berliner Blockade eingesargt und begraben. Als Stalin am 12. Mai 1949 die Blockade aufhob, mit der er nur bewiesen hatte, wie unverrückbar die 1945 in Mitteleuropa gezogenen Grenzlinien geworden waren und daß gerade jede bewußte Anstrengung zu ihrer Änderung eine weitere Verhärtung des Status quo bewirken mußte, da gestanden ihm die Westmächte zwar jene 6. Konferenz des Rats der Außenminister zu, die sie ihm zu Beginn der Blockade verweigert hätten, wenn sie von ihm gefordert worden wäre. Aber diese Konzession diente lediglich dem Zweck, der Sowjetunion ohne größeren Prestigeverlust den Abschied von der Blockadepolitik zu ermöglichen. Da die Konferenz weder in Washington und London noch in Moskau anders aufgefaßt wurde und da die immerhin abermals referierten deutschlandpolitischen Standpunkte der beteiligten Mächte allenfalls in bedeutungslosen Nuancen von den Auffassungen abweichen konnten, die den Mißerfolg der beiden letzten Sitzungen verursacht hatten, entwickelte sich das Treffen, weit davon entfernt, in die Situation Deutschlands Bewegung zu bringen, sogar mit unerbittlicher Automatik zur Liquidationskonferenz des Rats der Außenminister, der danach nie mehr zusammentreten sollte. Als der Rat am 23. Mai 1949 seine Liquidation eröffnete, die er am 20. Juni mit dem Versprechen beendete, die Außenminister würden »ihre Bestrebungen zur Wiederherstellung der wirtschaftlichen und politischen Einheit Deutschlands fortsetzen«, wurde im übrigen in Westdeutschland gerade die Annahme des »Grundgesetzes« konstatiert, also der Verfassung eines westdeutschen Staates. Es ist nicht ohne sinnvolle Ironie, daß der Rat der Außenminister, Geschöpf Potsdams und letztes Relikt der angelsächsisch-sowjetischen Kriegsallianz, zusammen mit der Schöpfung Bismarcks verschied, dem kleindeutschen Nationalstaat, der unter Hitler zum Urheber jener Kriegsallianz geworden war. Im Ablauf der Geschichte ist allerdings jede Entscheidung nur vorläufig. Wie hatte Stalin am 15. April 1947 gesagt, als er sich während der Moskauer Außenministerkonferenz einmal lange mit General Marshall über die deutsche Frage unterhielt? Das Scheitern solcher Konferenzen dürfe nicht so tragisch genommen werden; er und Marshall und all die anderen seien schließlich nur Teilnehmer an »den ersten Scharmützeln und Gefechten von Aufklärungsstreitkräften in dieser Frage«[160].

Anmerkungen

Einleitung

1 Ch. Bohlen, Witness to History, New York 1973, S. 175.
2 Th. A. Wilson, The first summit. Roosevelt and Churchill at Placentia Bay, London 1970.
3 Vgl. A. Vagts, Unconditional Surrender – vor und nach 1943, in: VfZ 7 (1959), S. 280–309; dazu auch A. Armstrong, Bedingungslose Kapitulation. Die teuerste Fehlentscheidung der Neuzeit, Wien–München o. J.
4 Zur EAC H. G. Kowalski, Die »European Advisory Commission« als Instrument alliierter Deutschlandplanung 1943–1945, in: VfZ 19 (1971), S. 261 bis 293. Vgl. auch die Erinnerungen des britischen Vertreters in der Kommission: Lord Strang, Home and Abroad, London 1956.
5 Text der Erklärung vom 5.6.1945 bei B. Ruhm v. Oppen (Hrsg.), Documents on Germany under Occupation 1945–1954, London 1955, S. 29 ff.

I. Die Zeit der Aufteilungspläne

1 Charakteristisch hierfür sind die Überlegungen, die bei britischen Regierungsvertretern hervortraten, wenn sie im ersten Jahr nach Kriegsausbruch mit Emissären der Opposition in Deutschland Verbindung bekamen. Vgl. H. Krausnick/H. Graml, Der deutsche Widerstand und die Alliierten, in: Vollmacht des Gewissens, Bd. II, Frankfurt 1965, S. 493 ff.; Peter Ludlow, Papst Pius XII., die britische Regierung und die deutsche Opposition im Winter 1939/40, in: VfZ 22 (1974), S. 299–341.
2 Vgl. History of the United Nations War Crimes Commission and the Development of the Laws of War, London 1948.
3 A. Eden (Earl of Avon), The Eden Memoirs. The Reckoning, London 1965, S. 335 ff.; Ll. Woodward, British Foreign Policy, vol. II, London 1962, S. 226 ff.; auch I. Majskij, Memoiren eines sowjetischen Botschafters, Berlin (O) 1967, S. 633 ff.
4 Eden, The Reckoning, S. 335 ff., Woodward, British Foreign Policy, II, S. 226 ff.
5 Ebenda.
6 W. S. Churchill, Der Zweite Weltkrieg, Bd. III/2, Bern 1950, S. 295.
7 Woodward, British Foreign Policy, II, S. 244 ff.; Eden, The Reckoning, S. 376 ff.
8 Churchill, Der Zweite Weltkrieg, III/2, S. 296 f.
9 Foreign Relations of the United States. Diplomatic Papers (künftig zit.: FRUS), Department of State, 1942, vol. III, Washington 1961, S. 517 ff.; dazu auch C. Hull, Memoirs, vol. II, New York 1948, S. 116 ff.
10 H.-P. Schwarz, Vom Reich zur Bundesrepublik. Deutschland im Widerstreit

der außenpolitischen Konzeptionen in den Jahren der Besatzungsherrschaft 1945–1949, Stuttgart 1980, S. 63 ff.; ferner G. Kolko, The Politics of War, London 1968, Kap. 11.

11 L. Gruchmann, Der Zweite Weltkrieg. Kriegführung und Politik, in: Deutsche Geschichte seit dem Ersten Weltkrieg, Bd. 2, Stuttgart 1973, S. 130; zu dem Vorgang auch Hull, Memoirs, II, S. 1172. Text des Vertrags bei E. Krautkrämer, Politik. Internationale Politik im 20. Jahrhundert. Dokumente und Materialien, Bd. 2, Frankfurt–Berlin–München, S. 82 ff.

12 Zit. nach R.-E. Osgood, Ideals and Self-Interests in America's Foreign Relations, Chicago 1953, S. 410.

13 Zu Roosevelts außenpolitischen Vorstellungen R. Divine, Roosevelt and World War II, Baltimore 1969, und ders., Second Chance. The Triumph of Internationalism in America during World War II, New York 1967.

14 D. Yergin, Der zerbrochene Frieden. Der Ursprung des Kalten Krieges und die Teilung Europas, Frankfurt 1977, S. 49 f., nennt Roosevelt im gleichen Atemzug einen Wilsonianer und einen »Wilson-Renegaten«, doch ist die Beweisführung für letzteres konstruiert und wenig überzeugend.

15 Vgl. R. Dallek, Franklin D. Roosevelt and American Foreign Policy 1932 bis 1945, New York 1979.

16 FRUS, 1942, III, S. 573; dazu Gruchmann, Der Zweite Weltkrieg, S. 265.

17 R. J. Gannon, The Cardinal Spellman Story, New York 1962, S. 223; vgl. auch Schwarz, Vom Reich zur Bundesrepublik, S. 47 f.

18 Während der zweiten Plenarsitzung am 5. 2. 1945, vgl. Die Konferenzen von Malta und Jalta, Düsseldorf o. J., S. 573 ff.

19 The Conference at Malta and Yalta 1945 (künftig zit.: Yalta-Papers), Department of State, Washington 1955, S. 107 f.

20 Schwarz, Vom Reich zur Bundesrepublik, S. 48.

21 Zit. nach Yergin, Der zerbrochene Frieden, S. 55.

22 Ebenda.

23 Schwarz, Vom Reich zur Bundesrepublik, S. 48.

24 Text bei H. Morgenthau jr., Germany is our Problem, New York 1945. Eine Biographie Morgenthaus schrieb J. M. Blum, From the Morgenthau Diaries, 2 Bde., Boston 1965 and 1967.

25 Text der revidierten Fassung bei H. L. Stimson and McG. Bundy, On Active Service in Peace and War, New York 1947, S. 576 f., dazu H. G. Gelber, Der Morgenthau-Plan, in: VfZ 13 (1965), S. 372–405. Vgl. auch Hull, Memoirs, II, S. 1604 ff.; Stimson, On Active Service, S. 578 ff.

26 Zum folgenden vgl. The Conferences at Cairo and Teheran 1943 (künftig zit.: Teheran-Papers), Department of State, Washington 1961.

27 Hull, Memoirs, II, S. 1172.

28 Bohlen, Witness to History, S. 151.

29 Majskij, Memoiren, S. 826 f.; Eden, The Reckoning, S. 404 f.

30 Bohlen, Witness to History, S. 145.

31 Hull, Memoirs, II, S. 1287.

32 Teheran-Papers, S. 510.

33 Teheran Papers, S. 600 ff.

34 Seine Zustimmung ist aus den sowjetischen Dokumenten gelöscht worden, vgl. Teheran–Jalta–Potsdam. Sbornik dokumentov, Moskau 1970; A. Fischer (Hrsg.), Teheran–Jalta–Potsdam. Die sowjetischen Protokolle von den

Kriegskonferenzen der »Großen Drei«, Köln 1973. Dazu A. Fischer, Die sowjetische Deutschlandpolitik im Zweiten Weltkrieg 1941–1945, Stuttgart 1975, S. 196 Anm. 37. Die Zustimmung ist festgehalten in Teheran-Papers, S. 600.

35 Churchill, Der Zweite Weltkrieg, Bd. V/2, S. 48.
36 Bohlen, Witness to History, S. 146.
37 Teheran-Papers, S. 845 ff.
38 Bohlen, Witness to History, S. 152.

II. Die Wende von Jalta:
Das Ende des Aufteilungskonzepts

1 Zum folgenden V. Mastny, Russia's Road to the Cold War. Diplomacy, Warfare and the Politics of Communism 1941–1945, New York 1979.
2 J. A. S. Grenville, The Major International Treaties 1914–1973. A History with Guide and Texts, London 1974, S. 214 ff.
3 So ist das auch in Washington sofort verstanden worden; vgl. Hull, Memoirs, II, S. 1268. Zur polnischen Frage vgl. Woodward, British Foreign Policy, II, Kap. XXXV; aus polnischer Sicht J. Ciechanowski, Defeat in Victory, New York 1947; St. Mikolajczyk, The Rape of Poland. Pattern of Soviet Aggression, New York 1948.
4 Vgl. J. P. Fox, Der Fall Katyn und die Propaganda des NS-Regimes, in: VfZ 30 (1982), S. 462–499. Dazu J. K. Zawodny, Zum Beispiel Katyn. Die Klärung eines Kriegsverbrechens, München 1971.
5 Nachdem Stalin das dem amerikanischen Präsidenten am 27. 12. 1944 angekündigt hatte, erwiderte Roosevelt am 30. Dezember, er sei über die Botschaft »disturbed and deeply disappointed«; Yalta-Papers, S. 224.
6 Hierzu Woodward, British Foreign Policy, II, Kap. XXXV.
7 H. Nicolson, Diaries and Letters 1939–1945, London 1967, S. 397.
8 Ebenda, S. 404.
9 Ebenda.
10 G. Rhode/W. Wagner, Quellen zur Entstehung der Oder-Neiße-Linie, Stuttgart 1959, Nr. 66 c; Die unheilige Allianz. Stalins Briefwechsel mit Churchill 1941–1945, Reinbek 1964, Nr. 456.
11 Rhode/Wagner, Quellen, Nr. 69.
12 Churchill, Der Zweite Weltkrieg, Bd. VI/1, S. 268. Eden, The Reckoning, S. 559. Dazu auch Woodward, British Foreign Policy, III, Kap. XXXVIII.
13 Hierzu – und zwar die Ziele der USA kritischer bewertend – D. Sh. Clemens, Yalta, New York 1970.
14 Yalta-Papers, S. 450 ff.
15 Bohlen, Witness to History, S. 162.
16 Dazu W. v. Buttlar, Ziele und Zielkonflikte in der sowjetischen Deutschlandpolitik 1945–1947, Stuttgart 1980.
17 Eden an Churchill: Confederation, Federation and Decentralisation of the German State and the Dismemberment of Prussia; Public Record Office (PRO), London, Prime Minister (PM) 3/192/2.
18 M. Soames, Clementine Churchill, Harmondsworth 1979, S. 519.
19 Nicolson, Diaries and Letters 1939–1945, S. 437.

20 President Roosevelt to Stalin, 6.2.1945, Yalta-Papers, S. 727f.; deutschsprachiger Text in: Die offiziellen Jalta-Dokumente des US-State Department,
Wien–München–Stuttgart 1955, S. 172f.; vgl. auch Bohlen, Witness to History, S. 188f.

21 Yalta-Papers, S. 971ff.; deutschsprachiger Text in: Die offiziellen Jalta-Dokumente, S. 353ff.

22 Nicolson, Diaries and Letters 1939–1945, S. 437.

23 Nach Yergin, Der zerbrochene Frieden, S. 70f.

24 Ebenda, S. 71.

25 Yalta-Papers, S. 717; Fischer, Die sowjetischen Protokolle, S. 146f.

26 Yalta-Papers, S. 612f.; Bohlen, Witness to History, S. 183.

27 Yalta-Papers, S. 612ff.; Bohlen, Witness to History, S. 182ff.

28 Yalta-Papers, S. 614ff.; 626ff.; Bohlen, Witness to History, S. 182ff.

29 Bohlen, Witness to History, S. 183.

30 Yalta-Papers, S. 615.

31 Yalta-Papers, S. 655ff.; aus britischen Quellen dazu J. Foschepoth, Britische
Deutschlandpolitik zwischen Jalta und Potsdam, in: VfZ 30 (1982), S. 675 bis
714, hier bes. 676ff.

32 Yalta-Papers, S. 978.

33 Hierzu Yalta-Papers, S. 700f., ferner Foschepoth, Britische Deutschlandpolitik, S. 678.

34 Siehe Foschepoth, Britische Deutschlandpolitik, S. 690f.

35 Ebenda, S. 691.

36 Ebenda.

37 Ebenda.

38 Zit. nach Th. Vogelsang, Das geteilte Deutschland, in: Deutsche Geschichte
seit dem Ersten Weltkrieg, Bd. 2, Stuttgart 1973, S. 389.

39 Post War Policy Preparation 1939–1945, Department of State Publication
3580, Washington 1949, S. 554ff., 558ff.

40 Hierzu H. Wagner, Die Direktive JCS 1067 als Ergebnis der amerikanischen
Deutschlandplanung, Magisterarbeit Würzburg 1976.

41 FRUS, 1945, III, S. 434ff.

42 Informal Record of a Meeting in the Office of the Secretary of State (künftig
abgek.: SecState), 15. März 1945, FRUS, 1945, III, S. 433.

44 FRUS, 1945, III, S. 471ff.

45 H. Graml, Zwischen Jalta und Potsdam. Zur amerikanischen Deutschlandplanung im Frühjahr 1945, in: VfZ 24 (1976), S. 308–323, hier S. 316ff.

III. Die Konferenz von Potsdam und das Ende der deutschen Einheit

1 So der Eindruck im Unterhaus, vgl. Nicolson, Diaries and Letters 1939–1945,
S. 436.

2 Harriman to SecState, 6.3.1945, FRUS, 1945, V, S. 142ff.

3 A. Harriman u. E. Abel, Special Envoy to Churchill and Stalin, New York
1975, S. 419.

4 PRO, Foreign Office (FO) 371/50657/V 1039.

5 Stalins Briefwechsel mit Churchill, Nr. 450.

6 Ebenda.
7 Nicolson, Diaries and Letters 1939–1945, S. 438.
8 Ebenda.
9 Churchill, Der Zweite Weltkrieg, Bd. V/2, S. 144.
10 Ebenda, S. 181 ff.
11 Ebenda.
12 Ebenda, S. 261 f.
13 Ebenda.
14 Stalin to President Roosevelt, 1. u. 7. 4. 1945, FRUS, 1945, II, S. 742 f., 749 f.; hierzu auch R. Hansen, Das Ende des Dritten Reiches. Die deutsche Kapitulation 1945, Stuttgart 1966, Kap. III 3, und A. Dulles u. G. v. Schulze-Gaevernitz, Das Unternehmen Sunrise. Die geheime Geschichte des Kriegsendes in Italien, Düsseldorf 1967.
15 »I have received with astonishment your message... Frankly I cannot avoid a feeling of bitter resentment toward your informers, whoever they are, for such vile misrepresentations of my actions or those of my trusted subordinates.« President Roosevelt to Stalin, 4. 4. 1945, FRUS, 1945, III, S. 745 f.
16 Roosevelt and Churchill. Their Secret Wartime Correspondence, hrsg. von F. Loewenheim, F. Langley und H. D. Jonas, London 1975, S. 709.
17 President Roosevelt to Stalin, 1. 4. 1945, FRUS, 1945, V, S. 194 ff., bes. S. 195; Churchills Kommentar in: Roosevelt and Churchill, S. 691. Das am 29. 3. entworfene Telegramm ging am 1. 4. mit einigen Änderungen ab; der zitierte Satz war jedoch geblieben.
18 Stalin to President Roosevelt, 7. 4. 1945, FRUS, 1945, V, S. 201 ff., bes. S. 203.
19 Memorandum of Conversation, London, 16. 9. 1945, FRUS, 1945, II, S. 194 ff.
20 J. Stalin, Über den Großen Vaterländischen Krieg der Sowjetunion 1941 bis 1945, II, S. 205 f.
21 So etwa W. Loth, Die Teilung der Welt. Geschichte des Kalten Krieges 1941 bis 1945, München 1980.
22 Stalins Briefwechsel mit Churchill 1941–1945, München 1980.
23 Memorandum J. C. Grew, 23. 3. 1945, FRUS, 1945, I, S. 151. Harriman to SecState, 6. 4. 1945, FRUS, 1945, V, S. 821 ff., hier S. 822.
24 Harriman to SecState, 13. 4. 1945, FRUS, 1945, I, S. 289; Harriman, Special Envoy, S. 441 ff.
25 Bohlen, Witness to History, S. 214.
26 Ebenda, S. 214 f. Dazu auch Acheson to Harriman, 4. 4. 1945, FRUS, 1945, V, S. 198; Ciechanowski (poln. Botschafter in Washington) to SecState, 4. 4. 1945, ebenda, S. 198 ff.; Harriman to SecState, 9. 4. 1945: ... Clark Kerr ... took the occasion to press him (Wyschinskij, stellvertr. sowjetischer Außenminister) for a reply to his letter on the disappearance of these leaders. He reports that he has never seen Vyshinski so ill at ease ... he ... states that is was a subject that Clark Kerr must take up with Molotov direct«, ebenda, S. 208.
27 Nicolson, Diaries and Letters 1939–1945, S. 455.
28 Memorandum of Conversation, 23. 4. 1945, FRUS, 1945, V, S. 256 ff., dazu ferner Bohlen, Witness to History, S. 213; Harriman, Special Envoy, S. 453; Truman, Memoirs, I, S. 81 f.

29 Minutes of First Meeting Stettinius, Eden, Molotow, 22.4.1945, FRUS, 1945, V, S. 237 ff.; Minutes of Second Meeting Stettinius, Eden, Molotow, 23.4.1945, ebenda, S. 241 ff.; Memorandum of Meeting at the White House, 23.4. 1945, ebenda, S. 252 ff.

30 Zum folgenden W. F. Kimball, The Most Unsordid Act. Lend – Lease 1939 bis 1941, Baltimore 1969, und G. Herring, Aid to Russia 1941–1946, New York 1973.

31 Harriman to SecState, 4.1.1945, FRUS, 1945, V, S. 942 ff.

32 Harriman, Special Envoy, S. 384 f. Am 6.1.1945 hatte er an Stettinius ein Telegramm geschickt, das mit den Worten begann: »Now that I have recovered from my surprise at Molotow's strange procedure ...«, FRUS, 1945, V, S. 945.

33 Ebenda.

34 Harriman to SecState, 4.1.1945, FRUS, 1945, V, S. 943.

35 Harriman to SecState, 6.1.1945, FRUS, 1945, V, S. 946.

36 Ebenda.

37 Memorandum Secretary of Treasury to President Roosevelt, 10.1.1945, FRUS, 1945, V, S. 948 f. Morgenthau hatte das bereits am 1.1. 1945 angekündigt: Secretary of Treasury to President Roosevelt, 1.1.1945, FRUS, 1945, V. S. 937; dazu Memorandum Collado, Leiter der Abteilung für finanzielle und monetäre Angelegenheiten im State Department, vom 4.1.1945, FRUS, 1945, V, S. 938 ff.

38 Grew to Harriman, 26.1.1945, FRUS, 1945, V, S. 968.

39 Ebenda. Vgl. Harriman, Special Envoy, S. 386 f.

40 Harriman, Special Envoy, S. 387.

41 Ebenda, S. 448.

42 Ebenda, S. 457.

43 Ebenda. Zu Walter Lippmann siehe R. Steel, Walter Lippmann and the American Century, New York 1981.

44 Bohlen, Witness to History, S. 215; Harriman, Special Envoy, S. 459.

45 Harriman, Special Envoy, S. 459.

46 President Truman to Stalin, 19.5.1945, The Conference of Berlin (The Potsdam Conference) 1945 (künftig zit.: Potsdam-Papers), 2 Bde., Department of State, Washington 1960, Bd. I, S. 21 f.

47 Marshal Stalin to President Truman, 20.5.1945, Potsdam-Papers, I, S. 22.

48 Memoranda of Conversations, Potsdam-Papers, I, S. 24–60.

49 Stalins Briefwechsel mit Churchill 1941–1945, Nr. 425.

50 In seinem Kommentar zu den Gesprächen zwischen Stalin und Hopkins schrieb Harriman: »He (Stalin) showed, however, that he did not fully understand the basis of the difficulties ... I am afraid Stalin does not and never will fully understand our interest in a free Poland as a matter of principle ... It is difficult for him to understand why we should want to interfere with Soviet policy in a country like Poland, which he considers so important to Russia's security, unless we have some ulterior motive.« Harriman to President Truman, 8.6.1945, Potsdam-Papers, I, S. 61.

51 M. Djilas, Gespräche mit Stalin, Frankfurt 1962, S. 146.

52 Das hat er während der Konferenz von Jalta ausdrücklich erklärt; Yalta-Papers, S. 769.

53 Djilas, Gespräche mit Stalin, S. 99.

54 Bohlen, Witness to History, S. 222.
55 PRO, FO 371/45775/UE 1159; dazu Foschepoth, Britische Deutschlandpolitik, S. 694 ff.
56 PRO, FO 371/45775/UE 1118.
57 Ebenda.
58 Zur Reparationsfrage allgemein: O. Nübel, Die amerikanische Reparationspolitik gegenüber Deutschland 1941–1945, Frankfurt 1980; B. Kuklick, America and the Division of Germany. The Clash with Russia over Reparations, Ithaca–London 1972; F. Jerchow, Deutschland in der Weltwirtschaft 1944 bis 1947. Alliierte Deutschland- und Reparationspolitik und die Anfänge der westdeutschen Außenpolitik, Düsseldorf 1978. Zu den Vorgängen in Moskau mit britischen Quellen Foschepoth, Britische Deutschlandpolitik, S. 702 ff.
59 So erklärte Pauly am 14. Juli 1945 in einem Gespräch mit dem sowjetischen Reparationsbeauftragten Majskij, »that my own Government stands firmly on the principle that approved imports shall be a prior charge against approved exports of current production and stocks of goods and that I was sure that my Government would not recede from this position«; Pauley to SecState, 14. 7. 1945, Potsdam-Papers, I. S. 537.
60 Harriman, Special Envoy, S. 484.
61 Ebenda, S. 487.
62 Potsdam-Papers, II, S. 52, 56 ff., 61 ff., 76 ff., 95, 101 f., 108, 143 f., 158, 167 f., 612 ff.
63 Potsdam-Papers, II, S. 1491.
64 Stalins Behauptung, die Deutschen der Ostgebiete seien alle geflohen, in Potsdam-Papers, II, S. 210; eine seiner Bemerkungen zu den Regierungen in Ost- und Südeuropa bzw. Italien in Potsdam-Papers, II. S. 173.
65 Potsdam-Papers, II, S. 252 ff.
66 Vgl. hierzu auch Gruchmann, Der Zweite Weltkrieg, S. 362 ff.
67 Potsdam-Papers, II, S. 1481 ff.
68 Zit. nach J. Gimbel, Amerikanische Besatzungspolitik in Deutschland 1945 bis 1949, Frankfurt 1971, S. 147.
69 Die amerikanische Delegation erschien in Potsdam mit einem von Außenminister Byrnes angeforderten »Paper on Long-Range Policy for German Re-education«, das auch die Zustimmung des Kriegsministeriums gefunden hatte; vgl. Assistant SecState Archibald MacLeish to SecState, 4. 7. 1945, Potsdam-Papers, I, S. 482 ff.
70 Minutes of Second Plenary Meeting, 18. 7. 1945, Minutes of Fifth Plenary Meeting, 21. 7. 1945, Potsdam-Papers, II, S. 89 ff. bzw. 208 ff.
71 Zu Byrnes vgl. G. Curry, James F. Byrnes, The American Secretaries of State and their Diplomacies, Bd. 14, New York 1965.
72 Minute of Byrnes-Molotov-Meeting, 23. 7. 1945, Minutes of Informal Meeting of the Foreign Ministers, 23. 7. 1945, Potsdam-Papers, II, S. 274 f. bzw. 295 ff.; vgl. auch Bohlen, Witness to History, S. 232 f.
73 Siehe Harriman, Special Envoy, S. 487.
74 Hierzu Foschepoth, Britische Deutschlandpolitik, S. 708 f.
75 Potsdam-Papers, II, S. 1483 f.
76 Potsdam-Papers, II, S. 1491 f.
77 Potsdam-Papers, II, S. 1495 f.
78 PRO, FO 934/1/4 (34).

79 PRO, FO 371/45784/UE 3221.
80 PRO, PM 8/48.
81 PRO, FO 934/1/4 (34).

IV. Der Rat der Außenminister und die Teilung Deutschlands

1 US Political Advisor for Germany (Murphy) to SecState, 30.7.1945, FRUS, 1945, III, S. 820 ff.

2 Dazu der Bestand Allied Control Authority, OMGUS, Archiv IfZ, MF-100.

3 Murphy to SecState, 10.8.1945, FRUS, 1945, III, S. 830 ff., hier S. 831.

4 Murphy to SecState, 20.10.1945, 31.10.1945, 13.11.1945, FRUS, 1945, III, S. 846 ff., 848 ff., 850 ff.

5 Hierzu Th. Vogelsang, Die Bemühungen um eine deutsche Zentralverwaltung 1945/46, in: VfZ 18 (1970), S. 510–528.

6 Minutes of Ninth Meeting of Control Council, 20.10.1945, FRUS, 1945, III, S. 847 Anm. 17.

7 Murphy to SecState, 10.8.1945, FRUS, 1945, II, S. 831.

8 Am 31.7. und 1.8.1945 hatten die Botschafter Großbritanniens, der Sowjetunion und der USA in Paris dem französischen Außenminister Bidault Noten ihrer Regierungen überreicht, in denen Frankreich eingeladen wurde, den Potsdamer Beschlüssen beizutreten. Bidault hatte am 7.8. mit je sechs Noten geantwortet. In der fünften Note hatte sich die französische Regierung zwar eindeutig gegen die Wiedererrichtung einer deutschen Zentralregierung ausgesprochen, sollte eine solche Absicht »a priori« und ohne interalliierten Meinungsaustausch zum Beschluß erhoben und verwirklicht werden, jedoch in der sechsten Note die Potsdamer Grundsätze zur Behandlung Deutschlands praktisch akzeptiert und auch gegen die Schaffung deutscher Zentralverwaltungen lediglich gewisse Vorbehalte angemeldet und dabei zugleich Gesprächsbereitschaft signalisiert. Vgl. Potsdam-Papers, II, S. 1541 ff., 1550 ff., bes. S. 1554 und 1555.

9 Vgl. hierzu K.-D. Henke, Politik der Widersprüche. Zur Charakteristik der französischen Militärregierung in Deutschland nach dem Zweiten Weltkrieg, in: VfZ 30 (1982), S. 500–537.

10 Memorandum by the French Delegation to the Council of Foreign Ministers: Control and Administration of Germany, 13.9.1945, FRUS, 1945, II, S. 177 ff.

11 Minutes of Twenty-Third FM-Meeting, 26.9.1945, FRUS, 1945, II, S. 400 ff.

12 Murphy to SecState, 2.10.1945, FRUS, 1945, III, S. 844.

13 Minutes of Twenty-Third CFM-Meeting, 26.9.1945, FRUS, 1945, II, S. 402.

14 Caffery (Botschafter in Frankreich) to SecState, 3.11.1945, FRUS, 1945, III, S. 890 f.

15 Ebenda. Vgl. auch W. Lipgens, Bedingungen und Etappen der Außenpolitik de Gaulles 1944–1946, in: VfZ 21 (1973), S. 52–102.

16 New York Times, 1.11.1945, S. 1.

17 Murphy to SecState, 28.9.1945, FRUS, 1945, III, S. 879. Dazu auch L. D. Clay, Decision in Germany, Garden City 1950, etwa S. 109 f.

18 Zu Clay auch R. Murphy, Diplomat among Warriors, New York 1965, S. 324 ff.

19 Murphy to SecState, 29.9.1945, FRUS, 1945, III, S. 879.
20 Murphy to SecState, 18.10.1945, FRUS, III, S. 884.
21 Minutes of Meeting of the Secretaries of State, War and Navy, 6.11.1945, FRUS, 1945, III, S. 893.
22 Hilldring to Clay, 20.10.1945, FRUS, 1945, III, S. 885f.
23 New York Times, 30.11.1945, S. 1.
24 SecState to Caffery, 6.12.1945, FRUS, 1945, III, S. 916.
25 Dazu Caffery to SecState, 11.12.1945, III, S. 917ff. Hierzu auch W. Lipgens, Innerfranzösische Kritik an der Außenpolitik de Gaulles 1944–1946, in: VfZ 24 (1976), S. 136–198; W. Loth, Sozialismus und Internationalismus. Die französischen Sozialisten und die Nachkriegsordnung Europas, Stuttgart 1977.
26 Caffery to SecState, 8.12.1945, FRUS, 1945, III, S. 916 Anm. 81.
27 Murphy to SecState, 24.11.1945, FRUS, 1945, III, S. 911.
28 Murphy to SecState, 22.12.1945, FRUS, 1945, III, S. 921 Anm. 88.
29 Minutes of Twenty-Third CFM-Meeting, 26.9.1945, FRUS, 1945, II, S. 404ff. Der britische Vorschlag, die französische Regierung solle mit London, Washington und Moskau bilaterale Gespräche aufnehmen, wurde dann am 8.10.1945 gemacht, FRUS, 1945, III, S. 897.
30 Winant (Botschafter in London) to SecState, 16.11.1945, FRUS, 1945, III, S. 894f.
31 Vgl. hierzu F. Pingel, »Die Russen am Rhein?« Die Wende der britischen Besatzungspolitik im Frühjahr 1946, in: VfZ 30 (1982), S. 98–116.
32 Proposal by the Soviet Delegation: On Ruhr Industrial District, 30.7. 1945, Potsdam-Papers, II, S. 1000f.
33 Caffery to SecState, 18.12.1945, FRUS, 1945, III, S. 921f.; ferner Minutes of Twenty-Third CFM-Meeting, 26.9.1945, FRUS, 1945, II, S. 404ff.
34 Murphy to SecState, 11.9.1945, FRUS, 1945, III, S. 868f.
35 Murphy to SecState, 5.9.1945, FRUS, 1945, III, S. 1049f.
36 Murphy to SecState, 14.9.1945, III, S. 1053 Anm. 65.
37 Vgl. hierzu J.P. Nettl, Die deutsche Sowjetzone bis heute. Politik, Wirtschaft, Gesellschaft, Frankfurt 1953; D. Staritz, Sozialismus in einem halben Land. Zur Programmatik und Politik der KPD/SED in der Phase der antifaschistisch-demokratischen Umwälzung in der DDR, Berlin 1976; H. Weber, DDR. Grundriß der Geschichte 1945–1976, Hannover 1976; ders., Von der SBZ zur DDR 1945–1968, Hannover 1968; ders.; Die Sozialistische Einheitspartei Deutschlands 1946–1971, Hannover 1971. Ferner W. Leonhard, Die Revolution entläßt ihre Kinder, Köln 1955. S. 341ff.; Erinnerungen von W. Paul, zeitweilig Ministerpräsident von Thüringen, ungedr. Manuskript, Archiv IfZ.
38 Murphy to SecState, 5.9. und 11.9.1945, FRUS, 1945, III, S. 1048f., 1051f.
39 Murphy to SecState, 11.9.1945, FRUS, 1945, III, S. 1052.
40 Secretary of War to SecState, 10.12.1945, FRUS, 1945, III, S. 917.
41 Acheson to Secretary of War, 12.1.1946, FRUS, 1945, III, S. 923 ff.
42 Report on Franco-American Conversations Held in Washington, November 13–20, 1945, Concerning the Future Status of the Rheinland and the Ruhr, 20.11.1945, FRUS 1945, III, S. 896ff.
43 Murphy to SecState, 4.12.1945, FRUS, 1945, III, S. 921 Anm. 88.

44 Byron Price, Report to President Truman on the Relations Between the American Forces of Occupation and the German People, Washington 1947.

45 Zit. nach Gimbel, Amerikanische Besatzungspolitik, S. 85 ff.

46 Ebenda, S. 22.

47 Ebenda.

48 The Papers of General Lucius D. Clay. Germany 1945–1949 (künftig zit.: Clay-Papers), Bd. 1, hrsg. von J. E. Smith, Bloomington–London 1974, S. 8.

49 Hierzu P. Y. Hammond, Directives for the Occupation of Germany. The Washington Controversy, in: American civil-military Decisions. A book of Case Studies, Birmingham, Alabama, 1963; der Text der Directive JCS 1067 in: Oppen, Documents on Germany, S. 13 ff.

50 Vgl. W. Benz, Wirtschaftspolitik zwischen Demontage und Währungsreform, in: Westdeutschlands Weg zur Bundesrepublik, München 1976, S. 69–89, bes. S. 71; Text des Level-of-Industry-Plan in: Europa-Archiv, Dokumente I, Oberursel 1947, S. 65 ff. Vgl. ferner B. Ratchford und W. Ross, Berlin Reparations Assignment, Chapel Hill 1947; M. Balfour, Vier-Mächte-Kontrolle in Deutschland 1945–1946, Düsseldorf 1959, S. 194 ff.

51 Zit. nach Gimbel, Amerikanische Besatzungspolitik, S. 16.

52 Ebenda, S. 46.

53 Ebenda, S. 55 f.

54 Ebenda.

55 Ebenda, S. 50 f.

56 Vgl. R. Steininger, Die Rhein-Ruhr-Frage im Kontext britischer Deutschlandpolitik 1945/46, in: Politische Weichenstellungen im Nachkriegsdeutschland 1945–1953, Geschichte und Gesellschaft, Sonderheft 5, hrsg. von H. A. Winkler, Göttingen 1979; ders., Reform und Realität. Ruhrfrage und Sozialisierung in der amerikanischen Deutschlandpolitik 1947/48, in: VfZ 27 (1979), S. 167–240.

57 Siehe hierzu L. Niethammer, Entnazifizierung in Bayern. Säuberung und Rehabilitierung unter amerikanischer Besatzung, Frankfurt 1972.

58 Vgl. G. Plum, Versuche gesellschaftspolitischer Neuordnung. Ihr Scheitern im Kräftefeld deutscher und alliierter Politik, in: Westdeutschlands Weg zur Bundesrepublik, S. 90–117, bes. S. 111 f.; E. Schmidt, Die verhinderte Neuordnung 1945–1952. Zur Auseinandersetzung um die Demokratisierung der Wirtschaft in den westlichen Besatzungszonen und in der Bundesrepublik Deutschland, Frankfurt 1970.

59 Vgl. Henke, Politik der Widersprüche. Ferner C. Scharf und H. J. Schröder (Hrsg.), Die Deutschlandpolitik Frankreichs und die Französische Zone 1945–1949, Wiesbaden 1982; M. Manz, Stagnation und Aufschwung in der französischen Besatzungszone von 1945 bis 1948, Diss. Mannheim 1968.

60 Vgl. Weber, DDR, S. 30 ff.

61 Dazu auch die speziell der Entwicklung in der SBZ gewidmeten Berichte Murphys an das State Department, FRUS, 1945, III, S. 1033 ff., und 1946, V, S. 701 ff.

62 Die mit politischen Aufgaben betrauten sowjetischen Offiziere wußten das sehr gut. So erzählt W. Leonhard (Die Revolution entläßt ihre Kinder, S. 425) von einer Autofahrt mit einem Offizier der politischen Hauptverwal-

tung der Roten Armee durch den Sowjetsektor Berlins: »›Dort wohnen unsere Feinde!‹ sagte er, indem er mit der Hand auf einige neue Siedlungshäuser zeigte. ›Wer? Nazis?‹ ›Nein, schlimmer: unsere Reparationsbrigaden!‹«

63 Murphy to SecState, 30.11.1945, FRUS, 1945, III, S.1075. In einem Memorandum über eine Unterhaltung mit Ulbricht schrieb L. Wiesner, in Murphys Stab für Gewerkschaftsfragen zuständig, am 13.November 1945: »...he ... made no attempt to conceal his hostility toward the United States and, especially Great Britain ... A remark led Ulbricht to a torrential denunciation of the ›undemocratic‹ policies of the British and Americans in Germany.« Ebenda, S.1076f.

64 So interpretierte Murphy die Schaffung der 11 deutschen Zentralverwaltungen für die sowjetische Zone keineswegs als Indiz für bewußten zonalen Separatismus der sowjetischen Politik. Im Gegenteil: »... such an administration, or at least some of its key figures and departments, might be useful to the Russians later on in Allied negotiations for creation of central German Ministries, helping our eastern Ally to push forward her own already tested candidates.« Murphy to SecState, 5.9.1945, FRUS, 1945, III, S.1048.

65 So in der OMGUS staff conference vom 16.3.1946, OMGUS staff conferences (1945–1949), Archiv IfZ, Fg 12 (Originale in: National Archives, General Division, Suitland, Record group 260).

66 OMGUS staff conference vom 1.6.1946, IfZ, Fg.12.

67 Murphy to SecState, 24.2.1946, FRUS, 1946, V, S.505ff., hier S.506.

68 FRUS, 1946, VI, S.697ff.; dazu auch G. Kennan, Memoirs 1925–1952, New York 1969, S.307ff.

69 Kennan (damals Geschäftsträger in Moskau) to SecState, 6.3.1946, FRUS, 1946, V, S.516ff.

70 Smith to SecState, 2.4.1946, FRUS, 1946, V, S.535f.

71 Murphy to SecState, 24.2.1946, FRUS, 1946, V, S.505f.

72 Ebenda.

73 Vgl. Gimbel, Amerikanische Besatzungspolitik, S.87ff.

74 Text der Denkschrift in Clay, Decision in Germany, S.73ff.

75 Molotow behauptete in der Reparationsfrage ungeniert, die öffentliche Meinung in der UdSSR fordere italienische Leistungen, weil italienische Truppen in Rußland – offenbar zahlreiche – Familien sowjetischer Soldaten ausgerottet und deren Häuser zerstört hätten. Auch machte er die Westmächte mitverantwortlich, daß Rumänien und Finnland Reparationen auferlegt worden waren, weshalb die Westmächte jetzt nicht gut gegen italienische Reparationen sein könnten. Bevin wies ihn allerdings sofort darauf hin, daß Großbritannien den Reparationsklauseln in den Kapitulationsbedingungen für Rumänien und Finnland nur unter Protest zugestimmt und ausdrücklich erklärt habe, dies dürfe nicht als Präzedenzfall angesehen werden. Vgl. Record of the Seventh CFM-Meeting, 17.9.1945, FRUS, 1945, II, S.214f. In einer Unterhaltung mit Byrnes sagte der sowjetische Außenminister erneut, »in regard to at least one of the Italian colonies the Soviet Union would like to try its hand at colonial administration«, Memorandum of Conversation, 14.9.1945, FRUS, 1945, II, S.164.

76 Memoranda by the Soviet Delegation, 12.9.1945, FRUS, 1945, II, S.147ff.

77 Memoranda of Conversations, 16.9. und 19.9.1945, FRUS, 1945, II, S. 199ff. bzw. 243ff.

78 Z. B. Minutes of the Twenty-Ninth CFM-Meeting, 30.9.1945, FRUS, 1945, II, S. 485.

79 Memorandum of Conversation, 16.9.1945, FRUS, 1945, II, S. 197.

80 Memorandum of Conversation, 19.9.1945, FRUS, 1945, II, S. 244; Minutes of the Sixteenth CFM-Meeting, 21.9.1945, ebenda, S. 303f.

81 Memorandum of Conversation, 16.9.1945, FRUS, 1945, II, S. 197.

82 Minutes of the Sixteenth CFM-Meeting, 21.9.1945, S. 301.

83 Memorandum of Conversation, 22.9.1945, FRUS, 1945, II, S. 313ff.

84 Ebenda.

85 Ebenda, S. 314.

86 In einer Unterhaltung mit Byrnes sprach Bidault zunächst von Abreise, doch riet der amerikanische Außenminister mit Erfolg von übereilten Entschlüssen ab. Bidault zeigte sich auch deshalb empört, weil Molotow am Abend vor seiner Eröffnung, als Bidault bei ihm zu Gast war, wohl die französische Unterstützung der britischen und amerikanischen Standpunkte kritisiert, aber mit keinem Wort seine antifranzösischen Absichten angedeutet habe; Memorandum of Conversation, 22.9.1945, FRUS, 1945, II, S. 330f.

87 Memorandum of Conversation (Byrnes, Molotow, Bevin), 30.9.1945, FRUS, 1945, II, S. 489ff.; Minutes of Thirtieth CFM-Meeting, 30.9.1945, ebenda, S. 493ff.; Memorandum of Conversation (Byrnes–Molotow), 1.10.1945, ebenda, S. 517ff.; Minutes of the Thirty-First CFM-Meeting, 1.10.1945, ebenda, S. 519ff.; Minutes of the Thirty-Second CFM-Meeting, 2.10.1945, ebenda, S. 529ff.; Minutes of the Thirty-Third CFM-Meeting, 2.10.1945, ebenda, S. 541ff. Als sich die Haltung Molotows deutlicher abzuzeichnen begann, kommentierte Bevin in offizieller Sitzung: »I think this Conference ought to move from here to a musical hall ...« Minutes of the Twenty-Eighth CFM-Meeting, 29.9.1945, ebenda, S. 455.

88 President Truman to Stalin, 22.9.1945, FRUS, 1945, II, S. 329. Truman hatte wenige Stunden zuvor bereits ein erstes Telegramm an Stalin gesandt, in dem er um eine Weisung an Molotow bat, wenigstens keinen Abbruch der Konferenz zu provozieren; ebenda, S. 328. Dazu auch J. Byrnes, Speaking Frankly, New York 1947, S. 103; Truman, Memoirs, I, S. 516f.

89 Prime Minister Attlee to Stalin, 23.9.1945, FRUS, 1945, II, S. 331ff.

90 Stalin to President Truman, 24.9.1945, Stalin to Prime Minister Attlee, 25.9.1945, FRUS, 1945, II, S. 334 bzw. 378f. Am 22.9. hatte Molotow in der Unterredung mit Byrnes allerdings bereits erklärt, daß er lediglich eine Weisung Stalins ausführe; ebenda, S. 314.

91 SecState to Harriman, 23.11.1945, FRUS, II, S. 578.

92 Harriman to SecState, 24.11.1945, Molotow to SecState, 25.11.1945, FRUS, 1945, II, S. 579 bzw. 580.

93 Der französische Botschafter in Washington, Bonnet, sagte, als ihn Byrnes über das kommende Moskauer Treffen informierte, er habe noch keine Reaktion seiner Regierung, »but feels sure they will not be pleased«; Memorandum of Conversation, 7.12.1945, FRUS, 1945, II, S. 601f.

94 Record of Trans-Atlantic Teletype Conference (Byrnes–Bevin), 27.11.1945, FRUS, 1945, II, S. 582ff. Am Vortag hatte Winant, der amerikanische Botschafter in London, telegrafiert: »Situation serious. Unilateral action deeply

resented by both Bevin and Cabinet. Bevin refuses to talk tonight or to attend conference Moscow. Information on suggested conference received last night by Foreign Office from Clark Kerr from Moscow without simultaneous notice to British.« Ebenda, S. 581. Die offizielle Zustimmung Bevins kam erst am 6. 12.; Lord Halifax to SecState, 6. 12. 1945, ebenda, S. 597.

95 Minutes of Eighteenh CFM-Meeting, 24. 9. 1945, FRUS, 1945, II, S. 336 ff.; Memorandum by the Soviet Delegation to the CFM, 24. 9. 1945, ebenda, S. 357 f.; Minutes of the Twentieth CFM-Meeting, 25. 9. 1945, ebenda, S. 360 ff.; Memorandum of Conversation (Byrnes–Molotow), 26. 9. 1945, ebenda, S. 381 ff.; Memorandum of Conversation (Byrnes–Molotow), 27. 9. 1945, ebenda, S. 418 ff.; Memorandum of Conversation (Byrnes–Molotow–Bevin), 27. 9. 1945, ebenda, S. 425 ff.

96 Memoranda by the US Delegation at the Moscow Conference of FM, 16. 12. 1945, FRUS, 1945, II, S. 623 ff.; Report of the Meeting of the Ministers of Foreign Affairs, 27. 12. 1945, ebenda, S. 817 ff.

97 Vgl. Minutes of Third Formal Session, Moscow, CFM, 18. 12. 1945, FRUS, 1945, II, S. 659.

98 Report of the Meeting of the Ministers of Foreign Affairs, 27. 12. 1945, FRUS, 1945, II, S. 821 ff.

99 Vgl. C. L. Sulzberger, A Long Row of Candles, Memoirs and Diaries, New York 1969, S. 267.

100 Memorandum of Conversation (Stalin–Byrnes), 19. 12. 1945, FRUS, 1945, II, S. 684 ff.; Memorandum of Conversation (Stalin–Byrnes) 23. 12. 1945, ebenda, S. 750 ff.

101 Memorandum by the Soviet Delegation at the Moscow-CFM, 21. 12. 1945, FRUS, 1945, II, S. 719 ff.; Minutes of Sixth Formal Session Moscow-CFM, 22. 12. 1945, ebenda, S. 735; Minutes of an Informal Meeting (Byrnes–Molotow–Bevin), 23. 12. 1945, ebenda, S. 747 ff.; Memorandum of Conversation (Stalin–Byrnes), 23. 12. 1945, ebenda, S. 756 ff.

102 Report of the Meeting of the Ministers of Foreign Affairs, 27. 12. 1945, FRUS, 1945, II, S. 815 ff.

103 Hierzu auch J. Gimbel, Die Vereinigten Staaten, Frankreich und der amerikanische Vertragsentwurf zur Entmilitarisierung Deutschlands. Eine Studie über Legendenbildung im Kalten Krieg, in: VfZ 22 (1974), S. 258–286. Daß Gimbel den Vertragsentwurf nahezu ausschließlich als ein Instrument amerikanischer Frankreichpolitik – im Hinblick auf die Situation in Deutschland – interpretiert (»Kurz, Byrnes' Vertragsentwurf von 1946 war im wesentlichen als Hebel gedacht, Frankreich zu einer Annahme der Viermächteverpflichtungen aus dem Potsdamer Abkommen zu bewegen«; ebenda, S. 282), trifft nur ein Motiv des amerikanischen Außenministers. Gimbel vernachlässigt mehrere Fakten: Byrnes trug seine Idee erstmals zu einem Zeitpunkt vor, als für die amerikanische Administration und zumal für das State Department in Europa weder das Deutschlandproblem noch die französische Deutschlandpolitik im Mittelpunkt des Interesses stand und stehen konnte, sondern die grundsätzliche Differenz mit der Sowjetunion über die im Hinblick auf Ost- und Südosteuropa getroffenen Vereinbarungen der Konferenz von Jalta. Daher unterbreitete Byrnes seine Idee eben nicht Bidault als erstem, sondern Molotow. Das Deutschlandproblem trat offensichtlich erst später hinzu, schob sich dann freilich rasch in den Vordergrund. Aber auch in den neuen

Zusammenhängen war der eigentliche Widerpart der amerikanischen Politik, in den Augen von Byrnes wie faktisch, selbstverständlich nicht Frankreich, sondern die Sowjetunion. Alles in allem macht sich Gimbel gleichsam nachträglich zum Sprecher der notwendigerweise etwas eingeengten Sicht der amerikanischen Militärregierung in Deutschland.

104 Präsident Truman hatte auf der Potsdamer Konferenz, vermutlich in Anlehnung an noch frühere Überlegungen des republikanischen Senators Vandenberg, einen ähnlichen Vorschlag selbst machen wollen (Potsdam-Papers, I, S. 191), doch das State Department hielt das damals noch für verfrüht (ebenda, S. 204, 450 ff.).

105 Memorandum of Conversation, 20. 9. 1945, FRUS, 1945, II, S. 267 ff.

106 SecState to Smith (Nachfolger Harrimans als Botschafter in Moskau), 16. 4. 1946, FRUS, 1946, II, S. 62 f.; vgl. auch Byrnes, All in one Lifetime, S. 337.

107 SecState to Smith, 16. 4. 1946, FRUS, 1946, II, S. 62.

108 SecState to Gallman (Geschäftsträger in London), 22. 3. 1946, FRUS, 1946, II, S. 35.

109 Caffery to SecState, 15. 4. 1946, FRUS, 1946, II, S. 56 ff.

110 SecState to Smith, 16. 4. 1946, FRUS, 1946, II, S. 62 f.

111 Molotow to SecState, 20. 4. 1946, FRUS, II, S. 83.

112 Lord Halifax to SecState, 19. 4. 1946, FRUS, 1946, II, S. 82.

113 Hierzu und zum folgenden F. Pingel, »Die Russen am Rhein?« Die Wende der britischen Besatzungspolitik im Frühjahr 1946, in: VfZ 30 (1982), S. 98– 116.

114 Vgl. hierzu Steininger, Rhein-Ruhr-Frage, S. 118 ff.

115 PRO, FO 371/55362; FO 945/16.

116 PRO, FO 371/55364.

117 Gallman to SecState, 27. 2. 1946, FRUS, 1946, V, S. 706 f.

118 Dunn to Matthews, 27. 2. 1946, FRUS, 1946, II, S. 16 ff.

119 Z. B. Record of Second CFM-Session, Second CFM-Meeting, 26. 4. 1946, FRUS, 1946, II, S. 112 ff.; Minutes of Commission on Italo-Yugoslav Boundary, CFM, 73rd Meeting, 28. 4. 1946, ebenda, S. 148 ff.; Record of Fourth CFM-Meeting, 29. 4. 1946, ebenda, S. 153 ff.; Record of Fifth CFM-Meeting, 30. 4. 1946, ebenda, S. 177 ff.; Record of Sixth CFM-Meeting, 1. 5. 1946, ebenda, S. 194 ff.; Record of Ninth CFM-Meeting, 4. 5. 1946, ebenda, S. 225 ff.; Record of Tenth CFM-Meeting, 4. 5. 1946, ebenda, S. 237 ff.; Record of Second Informal CFM-Meeting, 6. 5. 1946, ebenda, S. 249 ff.

120 Memorandum of Conversation, 28. 4. 1946, FRUS, 1946, II, S. 146 ff.

121 Ebenda, S. 147.

122 Record of Fourth CFM-Meeting, 29. 4. 1946, II, S. 165 ff., bes. S. 169 f., 171, 172.

123 Ebenda, S. 167 f.

124 Ebenda, S. 168.

125 Ebenda, S. 168 f.

126 Ebenda, S. 173.

127 Records of Decisions, Fourth CFM-Meeting, 29. 4. 1946, FRUS, 1946, II, S. 175. Text des amerikanischen Entwurfs ebenda, S. 190 ff.

128 Memorandum of Conversation, 1. 5. 1946, FRUS, 1946, II, S. 203 ff.

129 Ebenda, S. 205.

130 Acheson to SecState, 9. 5. 1946, FRUS, 1946, V, S. 549 ff.

131 Record of Thirteenth CFM-Meeting, 8.5.1946, FRUS, 1946, II, S. 300.
132 Record of Sixth Informal CFM-Meeting, 13.5.1946, FRUS, 1946, II, S. 360 ff., bes. S. 367.
133 Record of Seventh Informal CFM-Meeting, 15.5.1946, FRUS, 1946, II, S. 393 ff., hier S. 397 f.; Text des amerikanischen Vorschlags ebenda, S. 400 ff.
134 Ebenda, S. 401, 402.
135 Record of Eighth Informal CFM-Meeting, 16.5.1946, FRUS, 1946, II, S. 426 ff., bes. S. 429.
136 Ebenda, S. 427 f.
137 Diesen Gesichtspunkt vernachlässigt Gimbel, wenn er (Der amerikanische Vertragsentwurf zur Entmilitarisierung Deutschlands, S. 261 f., 264) die sowjetische Rolle bei Byrnes' Niederlage minimalisiert bzw. verständlich findet, die Rolle Bevins und Bidaults hingegen zu sehr hervorhebt.
138 Record of Seventh Informal CFM-Meeting, 15.5.1945, II, S. 398; Record of Eighth Informal CFM-Meeting, ebenda, S. 427.
139 Ebenda, S. 432.
140 Ebenda, S. 433.
141 Definitiv am Nachmittag des 16. Mai; Record of Ninth Informal CFM-Meeting, 16.5.1946, FRUS, II, S. 434 f. Wenn Bevin und Bidault danach nochmals ihre grundsätzliche Zustimmung zu dem amerikanischen Vorschlag erklärten (ebenda), so war das nun in der Tat, wie Gimbel sagt (Der amerikanische Vertragsentwurf zur Entmilitarisierung Deutschlands, S. 264), eine »leere Geste«.
142 Record of Sixth Informal CFM-Meeting, 13.5.1946, FRUS, 1946, II, S. 367.
143 FRUS, 1946, V, S. 559 Anm. 11.
144 Murphy to SecState, 25.5.1946, FRUS, 1946, V, S. 559 f.
145 Memorandum of Conversation, 5.5.1946, FRUS, 1946, II, S. 247 ff., bes. S. 248.
146 Ein weiteres gewichtiges Indiz dafür ist die zu dieser Zeit erfolgende ungewöhnliche Konzentration sudetendeutscher Kommunisten und zur SED-Politik bereiten Sozialdemokraten in der SBZ; vgl. J. Foitzik, Kadertransfer. Der organisierte Einsatz sudetendeutscher Kommunisten in der SBZ 1945/46, in: VfZ 31 (1983), S. 308–334.

V. Entscheidung für die Teilung

1 Memorandum Kennan to Carmel Offie, 10.5.1946, FRUS, 1946, V, S. 555 f.
2 Hierzu auch H. D. Kreikamp, Die amerikanische Deutschlandpolitik im Herbst 1946 und die Byrnes-Rede in Stuttgart, in: VfZ 29 (1981), S. 269–285, bes. S. 272 ff.
3 Secretary of War to SecState, 11.6.1946, FRUS, 1946, II, S. 486 ff.
4 Caffery to SecState, 11.6.1946, FRUS, 1946, V, S. 566 f.
5 FRUS, 1946, V, S. 567 Anm. 24.
6 Record of Thirty-Eighth CFM-Meeting, 9.7.1946, II, S. 842 ff.
7 Record of Thirty-Ninth CFM-Meeting, 10.7.1946, FRUS, 1946, II, S. 869 ff.

8 In diesem Zusammenhang erweckte Moľotow zumindest den Eindruck, als fordere die Sowjetunion eine sofortige Rückkehr zu der von Morgenthau propagierten Politik. So verlangte er Maßnahmen, »to eliminate those branches of German industries which while producing enormous quantities of armaments for the German army formed a war and military economic base of aggressive Germany«; Record of Thirty-Eighth CFM-Meeting, 9.7.1946, FRUS, 1946, II, S. 844.

9 Ebenda.

10 »It is well known that agrarian reform ... has been carried out only in the Soviet zone and has not been even started in the western zones. Monopolistic associations of German industrialists – all these cartels, trusts, syndicates and etc. on which German fascism relied in preparing for aggression and in waging the war still exercise their influence, particularly in the western zones ... In view of this how is one to understand the fact that the suggested draft does not say a single word about these important objectives of maintaining peace and security of nations?« Ebenda, S. 845.

11 Ebenda. Bevin hat Molotows Bemerkung über die Beibehaltung der Zonen aufmerksam registriert. In seiner Erklärung vom 10. Juli (FRUS, 1946, II, S. 868) sagte er: »As regards the zonal division of Germany, we have always thought occupation troops would have to remain for a long period in certain areas of Germany but we did not envisage that this would involve the perpetual maintenance of the division into zones which M. Molotow seemed to contemplate yesterday. It would be helpful to His Majesty's Government if he would elucidate his views on this question.«

12 Record of Thirty-Eighth CFM-Meeting, 9.7.1946, FRUS, 1946, II, S. 846.

13 Ebenda.

14 Ebenda, S. 842.

15 W. Loth (Die Teilung der Welt, S. 142) interpretiert Molotows Forderung, die Potsdamer Reparationsvereinbarung aufzuheben und die auf der Konferenz von Jalta angemeldeten sowjetischen Ansprüche anzuerkennen, erstens als ernsthaften Wunsch nach Reparationen, zweitens als »Gegentest«, der prüfen sollte, »wie substantiell das amerikanische Garantieversprechen tatsächlich war«, und drittens offenbar als für die Westmächte annehmbar. Ad 1: Als Ausdruck ernsthafter Reparationswünsche können Molotows Bemerkungen nur verstanden werden, wenn man sowohl die auf der Pariser Konferenz entstandene taktische Situation wie die bisherige Behandlung der Reparationsfrage durch beide Seiten nicht ausreichend berücksichtigt, wenn man ferner ignoriert, daß Molotow zumindest die Wiederaufnahme der in Potsdam vereinbarten Lieferungen aus der US-Zone sofort hätte erreichen können, wäre er bereit gewesen, sich wenigstens auf eine Diskussion der deutschen Probleme einzulassen. Ad 2: Faßt man die sowjetischen Reaktionen auf Byrnes' Vertragsentwurf insgesamt ins Auge, so wird sofort klar, daß der sowjetischen Seite durchaus bewußt war, wie substantiell das amerikanische Garantieversprechen war, und daß sie – eben deshalb – den amerikanischen Vorschlag zu Fall zu bringen suchte; aus beiden Gründen erscheint die Feststellung eines Gegentests als nicht einleuchtend. Ad 3: Bei der Frage, ob die sowjetischen Ansprüche akzeptabel waren, sollte doch, auch wenn die Antwort notwendigerweise stets subjektiv sein muß, die berechtigte Auffassung der Zeitgenossen, in den USA wie vor allem auch in Europa selbst, stärkere Berücksichti-

gung finden, daß die wirtschaftliche Situation Europas so kurz nach Kriegsende desolat genug sei und jedenfalls keine weitere Verschlimmerung durch eine volle und auf Westdeutschland erweiterte Realisierung der sowjetischen Forderungen vertrage; die Bevölkerung Westdeutschlands, gerade auch die Arbeiterschaft, war verständlicherweise der gleichen Meinung, wie schon die fortwährende und gelegentlich recht aktive Opposition gegen die Demontagepolitik der Westmächte zeigt.

16 Proposal by the United Kingdom Delegation to the CFM, 11.7.1946, FRUS, 1946, II, S. 900.

17 Record of the Thirty-Ninth CFM-Meeting, 10.7.1946, FRUS, 1946, II, S. 871f.

18 So Byrnes am 9. Juli (Record of the Thirty-Eighth CFM-Meeting, FRUS, 1946, II, S. 849) und Bevin am 10. Juli (Record of the Thirty-Ninth CFM-Meeting, ebenda, S. 866f., 868).

19 Molotow erklärte abermals ausdrücklich (ebenda, S. 871), die wirtschaftliche Entwaffnung Deutschlands müsse auch durch die Realisierung der Reparationsansprüche bewirkt werden. Daß er sich mit Schärfe gegen – gar nicht mehr aktuelle – Pläne wandte, Deutschland in ein Agrarland zu verwandeln, dürfte im übrigen nicht zuletzt bezweckt haben, den Eindruck seiner Ausführungen vom Vortag abzuschwächen, die doch allzu sehr nach Morgenthau geklungen hatten.

20 »... an inter-allied control shall inevitably be established over German industry and over the Ruhr industries in particular« (ebenda, S. 871). Er hat diese Formulierung sogar noch wiederholt (ebenda, S. 872).

21 Er setzte hinzu: »Unless this condition is fulfilled Germany cannot claim a peace treaty ...« (ebenda, S. 872).

22 Molotow: »Those proposals violated the decisions of the Berlin Conference and as adopted would be likely to hamper the execution of the Berlin agreement on reparations. The Soviet Delegation could not agree to any such proposals.« Record of the Fortieth CFM-Meeting, 11.7.1946, FRUS, 1946, II, S. 896. Beide Seiten wiederholten an diesem Tag die schon am 9. und 10. Juli vorgebrachten Argumente in der Reparationsfrage; ebenda, S. 882ff.

23 So hatte er darauf hingewiesen, daß es schließlich auf sowjetische Obstruktion in Berlin zurückzuführen sei, wenn die hier in Paris von Molotow so nachdrücklich verlangte Kommission des Kontrollrats zur Untersuchung der deutschen Entwaffnung noch immer nicht arbeite; FRUS, 1946, II, S. 848f.

24 Ebenda, S. 847, 849f. Der etwas veränderte Text des amerikanischen Vorschlags ebenda, S. 855.

25 Record of the Thirty-Ninth CFM-Meeting, 10.7.1946, FRUS, 1946, II, S. 874.

26 Ebenda.

27 Ebenda, S. 875.

28 Ebenda, S. 876.

29 Record of the Fortieth CFM-Meeting, 11.7.1946, II, S. 896f.

30 Record of the Thirty-Ninth CFM-Meeting, 10.7.1946, FRUS, 1946, II, S. 868.

31 Record of the Fortieth CFM-Meeting, 11.7.1946, FRUS, 1946, II, S. 897f.

32 Record of the Forty-First CFM-Meeting, 12.7.1946, FRUS, 1946, II, S. 908.

33 Ebenda, S. 909.

34 Ebenda.

35 Ebenda, S. 909f.

36 Ebenda, S. 910f.

37 Record of the Forty-Second CFM-Meeting, 12.7.1946, FRUS, 1946, II, S. 935.

38 Byrnes, All in one Lifetime, S. 367.

39 Text des vom War Department abgesandten Telegramms in: SecState to Caffery, 19.7.1946, FRUS, 1946, V, S. 578f.

40 Murphy to SecState, 20.7.1946, FRUS, 1946, V, S. 580f.

41 Murphy to SecState, 30.7.1946, FRUS, 1946, V, S. 585f.

42 Murphy to SecState, 20.7.1946, FRUS, 1946, V, S. 580f.

43 Murphy to SecState, 30.7.1946, FRUS, 1946, V, S. 585f.

44 Vgl. hierzu W. Loth, Die Teilung der Welt, S. 119ff.

45 G. Alperovitz entwickelt in seinem Buch »Atomic Diplomacy. Hiroshima and Potsdam«, New York 1965, die These, der bevorstehende Besitz und erst recht dann der Besitz der Atombombe habe Präsident Truman zum Bruch mit der sowjetfreundlichen Politik Roosevelts und zur Einleitung einer Politik bewogen, die Moskau zur Annahme der amerikanischen Vorstellungen über die Nachkriegsordnung der Welt und nicht zuletzt zum Rückzug aus Osteuropa zwingen sollte. Diese These ist schon deshalb unhaltbar, weil der Beginn des Konflikts zwischen USA und Sowjetunion nicht erst auf den Wechsel von Roosevelt zu Truman fixiert werden kann, weil die amerikanische Europapolitik, die politischen Pluralismus in den Staaten Ost- und Südosteuropas erhalten wollte, in den Grundzügen bereits vor Jalta konzipiert war und weil sich der sowjetisch-amerikanische Konflikt in dieser Frage evidentermaßen ohne die geringste Beeinflussung durch den Besitz der Atombombe entfaltet und verschärft hat; der Konflikt beeinflußte dann – auf beiden Seiten – die Rüstung, nicht umgekehrt. Inzwischen sind auch die wenigen Indizien, die Alperovitz für eine durch den Besitz der Atombombe begründete Verhärtung der Haltung Trumans zur Zeit der Potsdamer Konferenz anführt, als Fehlinterpretation von Zitaten erwiesen. So hat L. A. Rose (After Yalta. America and the Origins of the Cold War, New York 1973, S. 72) plausibel dargetan, daß Trumans Äußerung, er werde nach der Erprobung der Atombombe »einen Knüppel für diese Jungens haben«, nicht etwa, wie Alperovitz meint (a. a. O., S. 130), auf die Sowjetunion, sondern auf Japan gemünzt war. Den gleichen Nachweis führt R. J. Maddox (The New Left and the Origins of the Cold War, Princeton 1973, S. 68) für Byrnes' Bemerkung, die Atombombe werde die Regierung der USA in die Lage versetzen, ihre Bedingungen zu diktieren (die Interpretation von Alperovitz, a. a. O., S. 57, 63).

46 Eine solche Unterhaltung bei Bohlen, Witness to History, S. 237f.

47 Hierzu Gruchmann, Der Zweite Weltkrieg, S. 363f.

48 Vgl. A. B. Ulam, Re-reading the Cold War, in: Interplay, Vol. 2, Nr. 8 (1969).

49 Über ein diesbezügliches Gespräch mit Stalin, kurz nach Trumans Mitteilung über den geglückten Versuch, berichtet G. K. Shukow (Marschall der Sowjetunion), Erinnerungen und Gedanken, 2 Bde., Berlin (O) 1970, Bd. 2, S. 371.

50 Hierzu J. H. Backer, Priming the German Economy. American Occupational

Policies 1945–1948, Durham 1971; ders., The Decision to Divide Germany, Durham 1978.

51 Clark Clifford, der dem Stab Trumans angehörte, hatte im Juli 1946 von allen einschlägigen Ämtern der Administration Stellungnahmen zu den amerikanisch-sowjetischen Beziehungen angefordert. Auf dieses Material gestützt, verfaßte er im September 1946 einen Bericht für den Präsidenten, in dem es, ganz im Sinne der dann im Frühjahr 1947 verkündeten Truman-Doktrin, hieß, die Vereinigten Staaten müßten stark genug für militärischen Widerstand gegen eine weitere sowjetische Expansion werden, vor allem aber sollte allen Nationen, »die jetzt nicht zur sowjetischen Sphäre gehören, großzügige wirtschaftliche Hilfe und politische Unterstützung in ihrem Widerstand gegen sowjetische Durchdringung gegeben werden ... Militärische Unterstützung im Falle eines Angriffs ist ein letztes Zufluchtsmittel; eine weitaus effektivere Barriere gegen Kommunismus ist kräftige wirtschaftliche Unterstützung. Handelsvereinbarungen, Anleihen und technische Missionen festigen unsere Bindungen zu befreundeten Nationen ...«. Text bei A. Krock, Memoirs. Sixty Years on the Firing Line, New York 1968, S. 225 ff., 421 ff.

52 Byrnes hatte bereits im Februar 1946 Veränderungen des Status quo gegen die Interessen der USA und des Westens ausgeschlossen (vgl. Department of State Bulletin XIV, 10.3.1946, S. 355 ff.). Wenn nun das offensive Konzept der USA ad acta gelegt werden mußte, trat, im Hinblick auf Deutschland, an seine Stelle praktisch automatisch das Weststaats-Konzept der Kennan-Schule.

53 Allerdings blieb der Vertragsentwurf noch einige Zeit pro forma im Spiele; selbst zur Moskauer Außenministerkonferenz im Frühjahr 1947 wurde er noch mitgenommen und von Außenminister Marshall am 23.4.1947 nochmals zur – sehr kurzen – Debatte gestellt; Provisional Record of Decisions of Forty-Second CFM-Meeting, 23.4.1947, FRUS, 1947, II, S. 382; SecState to Acting SecState, 23.4.1946, ebenda, S. 384.

54 Vgl. hierzu W. Vogel und Ch. Weisz (Bearb.), Akten zur Vorgeschichte der Bundesrepublik 1945–1949, Bd. 1: September 1945 – Dezember 1946, München–Wien 1976, Einleitung S. 29 ff.

55 Caffery to SecState, 24.8.1946, FRUS, 1946, V, S. 593 f.; Durbrow (Geschäftsträger in Moskau) to SecState, 6.9.1946, ebenda, S. 602 f.

56 »For example, a genuinely free German press, limited only to prevent Nazi, militarist, or anti-Allied propaganda, free interchange of newspapers with other zones, equality of opportunity for all democratic political Parties including Social Democratic Party, freedom of movement, freedom from arbitrary arrest, and right to fair and public trial.« Murphy setzte hinzu: »This may be our last opportunity to use such a potent bargaining position in Germany for this purpose.« Murphy to SecState, 6.10.1946, FRUS, 1946, V, S. 625 f. In gleichem Sinne hatte Murphy am 14.10. an Matthews geschrieben; ebenda, S. 621 ff.

57 Durbrow to SecState, 23.10.1946, FRUS, 1946, V, S. 628 f.

58 Murphy to SecState, 25.10.1946, FRUS, 1946, V, S. 631 ff.

59 Daß er seiner Einladung an Bevin den Satz hinzufügte: »This proposal is not intended to divide Germany, but, on the contrary, to expedite its treatment as an economic unit!« war verräterisch genug (Record of the Fortieth CFM-Meeting, 11.7.1946, FRUS, 1946, II, S. 897). Zu einem Journalisten sagte er schon

etwas früher, er habe »die Hoffnung auf ein geeintes Deutschland so ziemlich aufgegeben«; zit. nach Loth, Die Teilung der Welt, S. 142 Anm. 25.

60 Memorandum of Conversation, 24.9.1946, FRUS, 1946, V, S. 607 ff., bes. S. 610. Bezeichnend ist auch, daß Byrnes nicht abgeneigt war, die von Clay und Murphy vertretene Idee aufzugreifen, den sowjetischen Güterbedarf auch durch Reparationen aus der laufenden Produktion Westdeutschlands – gegen sowjetische Konzessionen – zu erfüllen, »provided total amount was not too large«; Murphy to Matthews, 14.10.1946, FRUS, 1946, V, S. 622.

61 Vgl. hierzu J. Gimbel, Byrnes' Rede und die amerikanische Nachkriegspolitik in Deutschland, in: VfZ 20 (1972), S. 39–62. Zur Kritik an Gimbeles einseitiger Betonung der Bedeutung Frankreichs für die deutschlandpolitischen Aktivitäten der USA siehe Kreikamp, Die amerikanische Deutschlandpolitik im Herbst 1946, ebenda 29 (1981), S. 269–285. Text der Byrnes-Rede in Department of State Bulletin, 15.9.1946, S. 496 ff.

62 Hierzu J. M. Jones, The Fifteen Weeks (February 21 – June 5, 1947), New York 1964 (erste Auflage 1955); W. Loth, Die Teilung der Welt, S. 150 ff., bes. S. 157 ff.

63 Vgl. R. M. Freeland, The Truman Doctrine and the Origins of McCarthyism. Foreign Policy, Domestic Politics, and Internal Security, 1946–1948, New York 1972. W. Loth (Die Teilung der Welt, S. 157 Anm. 8) hat mit Recht darauf aufmerksam gemacht, daß allerdings Freelands These, die Truman-Administration habe antikommunistische Hysterie in den USA bewußt entfacht, um für ihre außenpolitischen Akte eine innenpolitische Basis zu sichern, von seinem eigenen Quellenmaterial widerlegt wird; daß erst recht die Behauptung von J. und G. Kolko (The Limits of Power. The World and United States Foreign Policy 1945–1954, New York 1972, S. 68 f., 331, 341, 376 ff.), die Truman-Administration habe eine sowjetische Expansionsdrohung zynisch erfunden, unhaltbar ist.

64 Vgl. Ch. M. Woodhouse, The Struggle for Greece 1941–1949, London 1976. Daß Woodhouse während des Krieges Leiter der Britischen Militärmission bei den griechischen Partisanen war, hat ihm den Vorteil der persönlichen Kenntnis vieler Akteure verschafft (Woodhouse, Zur Geschichte der Résistance in Griechenland, in: VfZ 6, 1958, S. 138–150), ohne seine Fähigkeit zu ausgewogener Geschichtsschreibung zu beeinträchtigen.

65 Hierzu J. Gimbel, The Origins of the Marshall Plan, Stanford 1976; zur berechtigten Kritik an Gimbels einseitiger These, der Marshall-Plan sei vor allem im Hinblick auf Deutschland konzipiert worden, siehe M. Knapp, Das Deutschlandproblem und die Ursprünge des europäischen Wiederaufbauprogramms. Eine Auseinandersetzung mit John Gimbels Untersuchung »The Origins of the Marshall-Plan«, in: Politische Vierteljahresschrift 19 (1978), S. 48–65. Ferner Loth, Die Teilung der Welt, S. 150 ff. Vor allem aber ist heranzuziehen FRUS, 1947, III, S. 197–484.

66 Dieser Meinung waren auch Bevin und Bidault, als sie sich Mitte Juni 1947 in Paris trafen; Caffery to SecState, 18.6.1947, FRUS, 1947, III, S. 258.

67 Douglas (Botschafter in London) to SecState, 3.7.1947, FRUS, 1947, III, S. 306 f. Die ukrainische Prawda hatte bereits am 11.6.1947 Marshalls Rede in Harvard als ein die Truman-Doktrin noch überbietendes Zeichen des amerikanischen Imperialismus und als Beweis für einen amerikanischen Feldzug gegen Demokratie und Fortschritt in aller Welt bezeichnet. Botschafter Smith

hatte sich beeilt, diesen Artikel nach Washington zu schicken (ebenda, S. 294 f.); am 23. Juni hatte er Marshall gewarnt, Molotows Reise nach Paris diene »destructive rather than constructive purposes. British and French Ambassadors here have privately expressed same view to me. Reason for my opinion is that intelligent and well implemented plan for economical recovery would militate against the present Soviet political objectives.« Smith to SecState, 23. 6. 1947, ebenda, S. 266. Bevin begrüßte Molotows Abreise. Schon am 1. Juli sagte er zum amerikanischen Botschafter in Paris, daß die Konferenz morgen platzen werde, daß er froh darüber sei, wenn die Karten auf dem Tisch lägen und die Verantwortung eindeutig bei Moskau liege, daß er all dies vorhergesehen und sogar gewünscht habe – »given my certainty that Molotow had come to Paris to sabotage our efforts« (Caffery to SecState, 1. 7. 1947, ebenda, S. 302 f.).

68 Noch am 7. 7. 1947 sagte der polnische Außenminister Zygmunt Modzelewski zum amerikanischen Botschafter in Warschau, Stanton Griffis, er sei sicher, daß Polen die britisch-französische Einladung zu der nächsten, großen Marshall-Plan-Konferenz in Paris annehmen werde; Keith (Botschaftsrat in Warschau) to SecState, 7. 7. 1947, FRUS, 1947, III, S. 313. Der tschechoslowakische Außenminister, Jan Masaryk, hatte die Einladung am 4. 7. bereits angenommen; Steinhardt (Botschafter in Prag) to SecState, 7. 7. 1947, ebenda, S. 313 f.

69 Am 9. Juli erklärte die polnische Regierung, daß sie an den ferneren Beratungen über den Marshall-Plan nicht teilnehmen werde. In der Unterredung, in der Modzelewski dies Griffis mitteilte, gab er deutlich zu verstehen, daß die Warschauer Entscheidung auf »unseren Freund und Verbündeten Rußland« zurückgehe; Griffis to SecState, 10. 7. 1947, FRUS, 1947, III, S. 320 ff., bes. S. 321. In einem zweiten Telegramm stellte Griffis am gleichen Tag fest (ebenda, S. 322), es sei sein fester Eindruck, daß das polnische Kabinett seine ursprüngliche Haltung auf Grund der Intervention einer »höheren Autorität« geändert habe; Modzelewskis »attitude extremely apologetic and at least apparently regretful«. Im Falle der Tschechoslowakei waren Regierungschef Gottwald und Außenminister Masaryk am 8. Juli nach Moskau beordert worden, wo ihnen Stalin am 9. Juli eröffnete, daß er eine tschechoslowakische Beteiligung an weiteren Marshall-Plan-Konferenzen als »speziell gegen die UdSSR gerichteten Akt ansehen« würde. Gottwald telegrafierte aus Moskau ferner: »Stalin erklärte, daß es bei der jetzt zu erörternden Frage um unsere Freundschaft mit der UdSSR gehe ... Unsere Teilnahme in Paris wäre für die Völker der UdSSR ein Beweis dafür, daß wir uns als ein Instrument gegen die UdSSR hätten benutzen lassen, und das wäre etwas, das weder die sowjetische Öffentlichkeit noch die sowjetische Regierung tolerieren könnten. Stalin zufolge sollten wir daher unsere Annahme der Einladung zurückziehen.« Gottwald gab dann in seinem Telegramm die Weisung, sofort das Kabinett zusammenzurufen, das Zurückziehen der Einladung beschließen zu lassen und den Beschluß sogleich telefonisch nach Moskau zu melden – was auch geschah. Botschafter Steinhardt erhielt diese Information – mit dem Text des Gottwaldschen Telegramms – »from sources which have hertofore been entirely reliable«, wahrscheinlich von einem Kabinettsmitglied oder hohen Regierungsbeamten; Steinhardt to SecState, 10. 7. 1947, FRUS, 1947, III, S. 318 ff.

70 Zum Kalten Krieg und der Literatur darüber siehe die eingangs gemachten Bemerkungen zu Problemstellung und Forschungsstand.

71 Proposal by the US Delegation to the CFM: Questions Relating to Germany, 6.12.1946, FRUS, 1946, II, S. 1464f.; Minutes of Third CFM-Session, Eighteenth Meeting, 7.12.1946, ebenda, S. 1469ff.; Memorandum of Conversation Byrnes–Molotow, 9.12.1946, ebenda, S. 1479ff.; Minutes of Third CFM-Session, Nineteenth Meeting, 9.12.1946, ebenda, S. 1481ff.; Minutes of Twenty-Second Meeting, 11.12.1946, ebenda, S. 1521ff.; Decision of the CFM, 11.12.1946, ebenda, S. 1531f.

72 Memorandum Cohen (Counselor of the Department of State) to SecState, 12.2.1947, FRUS, 1947, II, S. 162f.; Matthews to SecState, 27.2.1947, ebenda, S. 183; Memorandum of Conversations (Cohen, Hilldring, Thorp, Matthews, Bohlen, Lightner), 24.1.1947, ebenda, S. 198; Policy Papers Prepared by the Department of State, Februar 1947, ebenda, S. 204ff.

73 Auf einen weiteren taktischen Gesichtspunkt machte Botschafter Smith aus Moskau aufmerksam: » ... while I am sure there is no way of inducing Soviet or Polish Govts to relinquish the territory in question ..., a firm stand on principle for the return of at least part of it ... to Germany would cut the ground out from under German Communists who will of necessity follow the Kremlin line.« Smith to SecState, 3.2.1947, FRUS, 1947, II, S. 152. Die Briten griffen die amerikanische Taktik sofort auf. Am 31.1.1947 hatte die britische Botschaft in Washington dem State Department noch mitgeteilt (ebenda, S. 149), daß die Londoner Regierung »have reluctantly come to the tentative conclusion that there is no practical alternative to accept as final the existing provisional Polish-German frontier«. Nachdem aber das State Department klargemacht hatte (Memorandum to British Embassy, 25.2.1947), die amerikanische Delegation werde darauf bestehen, »that in the interest of the recovery of Europe as a whole the German territory transferred to Poland shall be limited to an area which Poland can be expected to utilize fully within a reasonable period of time«, nachdem ferner Matthews in London den amerikanischen Standpunkt in Gesprächen mit Beamten des Foreign Office verdeutlicht hatte, zeigten sich die Briten »pleased« und erklärten, »that they would support us on this«; Matthews to SecState, 27.2.1947, ebenda, S. 183.

74 So stellte eine Gesprächsgruppe im State Department in einem Memorandum fest: »The important goal, not to be lost sight of, is to get a Germany which will be integrated into Europe.« Memorandum of Conversations, 24.1.1947, FRUS, 1947, II, S. 199. Vgl. ferner Memorandum Cohen, 12.2.1947, ebenda, S. 162; Memorandum Cohen, 14.2.1947, ebenda, S. 165; Policy Papers Prepared by the Department of State, Februar 1947, ebenda, S. 215, 219, 221, 222; Memorandum OMGUS, 5.3.1947, ebenda, S. 228, 229, 232, 233; SecState to Acting SecState, 31.3.1947, ebenda, S. 298f.

75 Botschafter Smith hatte am 7.1.1947 aus Moskau geschrieben: »It seems inevitable to me that we must be prepared if necessary to accept further separation of eastern and western zones of Germany rather than hollow unification which in fact but opens door to accomplishment of Soviet purpose in Germany as whole.« Smith to SecState, 7.1.1947, FRUS, 1947, II, S. 141. Jetzt entsprach das, anders als noch ein halbes Jahr zuvor, durchaus der Generallinie amerikanischer Deutschlandpolitik.

76 Vgl. z. B. SecState to President, 12.3.1947, FRUS, II, S. 245. SecState to Ac-

ting SecState, 26. 3. 1947, ebenda, S. 292; SecState to Acting SecState, 28. 3. 1947, ebenda. S. 296 f.; SecState to Acting SecState, 1. 4. 1947, ebenda, S. 303.

77 Zu den Debatten auf der Moskauer Konferenz vgl. G. Plum, Akten zur Vorgeschichte der Bundesrepublik, Bd. 3, München 1982, Einleitung S. 6ff.

78 General Clay, der selbstverständlich zur US-Delegation gehörte, war so enttäuscht, daß er schon am 31. 3. 1947 Marshall um die – sofort gewährte – Erlaubnis bat, nach Berlin zurückkehren zu dürfen (Clay-Papers, I, S. 332). Einem Freund schrieb er am 21. 4. 1947: »I was, of course, shocked when Justice Byrnes resigned and am afraid I have not had the same heart for my work since. This was particularly true of Moscow, and after being there for two weeks I asked and received permission to return to my duties here in Germany«. (Clay-Papers, S. 341). Einschränkend muß gesagt werden, daß Clay in Moskau nicht zuletzt mit John Foster Dulles Differenzen hatte, weil der als Berater nach Moskau mitgereiste einflußreiche Republikaner und spätere Außenminister damals noch für die Internationalisierung des Ruhrgebiets eintrat, was Clay strikt ablehnte (Clay-Papers, I, S. 351 Anm. 2).

79 Vgl. z. B. Memorandum of Conversation Marshall–Bidault, 8. 10. 1947, FRUS, 1947, II, S. 682 ff.; Memorandum of Conversation Murphy–Hickerson–Strang, 17. 10. 1947, FRUS, 1947, II, S. 687 f.; Caffery to SecState, 6. 11. 1947, FRUS, 1947, II, S. 702.

80 United States Daily Journal of Meetings, Deputies for Germany of the Council of Foreign Ministers, London, November 6–22, 1947, FRUS, 1947, II, S. 703 ff.

81 So vor allem die Sitzung vom 12. 11., FRUS, 1947, II, S. 709.

82 Vgl. z. B. Memorandum of Conversation Hickerson–Strang, 30. 10. 1947, FRUS, 1947, II, S. 692 ff.; British Paper on Recent British-French Conversations, o. D., FRUS, 1947, II, S. 695 f.

83 Memorandum of Conversation Hickerson–Strang, 30. 10. 1947, FRUS, 1947, II, S. 694; Memorandum of Conversation Hickerson–Strang, 4. 11. 1947, FRUS, 1947, II, S. 697 f.

84 Lovett to Douglas, 19. 11. 1947, FRUS, 1947, II, S. 723; dazu der Protest Murphys gegen die Linie des State Department: Murphy to Reber, 20. 11. 1947, FRUS, 1947, II, S. 725.

85 Memorandum of Conversation Marshall–Bonnet, 18. 11. 1947, FRUS, 1947, II, S. 720 ff.

86 Vgl. etwa Memorandum of Conversation Hickerson–Strang, 24. 10. 1947, FRUS, 1947, II, S. 689 ff.

87 Smith to Hickerson, 10. 11. 1947, FRUS, 1947, II, S. 712 f.

88 Dazu z. B. Riddleberger to SecState, 22. 11. 1947, FRUS, 1947, II, S. 900 f.

89 Murphy to SecState, 6. 9. 1947, FRUS, 1947, II, S. 887.

90 Besonders schroff in der Sitzung am 5. 12., vgl. US-Delegation to President Truman, 5. 12. 1947, FRUS, 1947, II, S. 748 ff.

91 SecState to Lovett, 6. 12. 1947, FRUS, 1947, II, S. 750 ff.

92 SecState to Lovett, 8. 12. 1947, FRUS, 1947, II, S. 754 f.

93 US-Delegation to President Truman, 15. 12. 1947, FRUS, 1947, II, S. 770 ff.

94 Memorandum of Conversation Marshall–Bidault, 17. 12. 1947, FRUS, 1947, II, S. 813 ff.; British Memorandum of Conversation Marshall–Bevin, o. D., FRUS, 1947, II, S. 815 ff.

95 British Memorandum of Conversation Bevin–Marshall–Robertson–Clay, o. D., FRUS, 1947, II, S. 822 ff.; Memorandum of Conversation Marshall–Bevin–Clay–Robertson–Murphy, 18. 12. 1947, FRUS, 1947, II, S. 827 ff.

96 British Memorandum of Conversation Bevin–Marshall–Robertson–Clay, o. D., FRUS, 1947, II, S. 822 ff., bes. S. 825.

97 Vgl. dazu SecState to President Truman, 11. 2. 1948, mit Department of State Policy Paper, o. D., FRUS, 1948, II, S. 60 ff.

98 SecState to Caffery, 19. 2. 1948, FRUS, 1948, II, S. 70 f.

99 Memorandum of Conversation Achilles–Bérard, 13. 2. 1948, FRUS, 1948, II, S. 63 ff.

100 Ebenda.

101 Dazu SecState to Douglas, 30. 4. 1948, FRUS, 1948, II, S. 211.

102 Vgl. z. B. Douglas to SecState, 26. 2. 1948, FRUS, 1948, II, S. 93; SecState to Caffery, 19. 2. 1948, FRUS, 1948, II, S. 70 f.

103 So Robertson zu General Koenig am 1. 4. 1948, vgl. Murphy to Hickerson, 1. 4. 1948, FRUS, 1948, II, S. 158.

104 Murphy to Hickerson, 8. 4. 1948, FRUS, 1948, S. 169.

105 Ebenda.

106 Douglas to SecState, 2. 3. 1948, FRUS, 1948, II, S. 110 f.

107 Vgl. Memorandum of Trans-Atlantic Telephone Conversation Lovett–Douglas, 2. 3. 1948, FRUS, 1948, II, S. 112 f.; SecState to Douglas, 2. 3. 1948, FRUS, 1948, II, S. 113.

108 SecState to Douglas, 20. 2. 1948, FRUS, 1948, II, S. 72 f.

109 Hierzu die Papers Agreed Upon by the London Conference on Germany, FRUS, 1948, II, S. 285 ff., 305 ff.

110 Vgl. dazu Memorandum of Conversation Lovett–Bonnet, 21. 5. 1948, FRUS, 1948, II, S. 270 ff.

111 Papers Agreed Upon by the London Conference on Germany, Report on Security, FRUS, 1948, II, S. 291 ff.

112 SecState to Douglas, 24. 5. 1948, FRUS, 1948, II, S. 274 f.

113 Marshall hatte am 11. 5. 1948 die von Anfang an eingenommene Haltung bekräftigt und einen Drei-Mächte-Vertrag über die Entwaffnung und Entmilitarisierung Westdeutschlands abermals abgelehnt; SecState to Douglas, 11. 5. 1948, FRUS, 1948, II, S. 233 f.

114 Dazu Murphy to SecState, 1. 4. 1948, FRUS, 1948, II, S. 158 ff.; Murphy to SecState, 9. 4. 1948, FRUS, 1948, II, S. 175.

115 Hierzu W. Benz, Von der Besatzungsherrschaft zur Bundesrepublik. Stationen einer Staatsgründung 1946–1949, Frankfurt 1984, S. 156 ff.

116 Ebenda, S. 127 ff.

117 British Memorandum of Conversation Bevin–Marshall–Robertson–Clay, o. D., FRUS, 1947, II, S. 823 f.; Memorandum of Conversation Marshall–Bevin–Douglas–Clay–Robertson–Murphy, FRUS, 1947, II, S. 827 f.

118 British Memorandum of Conversation Bevin–Marshall–Robertson–Clay, o. D., FRUS, 1947, II, S. 823.

119 Murphy to SecState, 1. 2. 1948, FRUS, 1948, II, S. 870 ff.

120 Riddleberger to SecState, 12. 2. 1948, FRUS, 1948, II, S. 873 ff.

121 Memorandum Frank G. Wisner, 10. 3. 1948, FRUS, 1948, II, S. 879 ff.

122 Ebenda, S. 882.

123 Ebenda.

124 Murphy to SecState, 3.3.1948, FRUS, 1948, II, S. 878 f.
125 Murphy to SecState, 20.3.1948, FRUS, 1948, II, S. 883 f.
126 Murphy to SecState, 2.4.1948, FRUS, 1948, II, S. 887 ff.
127 Murphy to SecState, 1.4.1948, FRUS, 1948, II, S. 885 f.
128 Murphy to SecState, 15.4.1948, FRUS, 1948, II, S. 893 f.; Douglas to Sec-State, 28.4.1948, FRUS, 1948, II, S. 899 f.
129 Murphy to SecState, 13.4.1948, FRUS, 1948, II, S. 893.
130 Lovett to Douglas, 22.4.1948, FRUS, 1948, II, S. 896 f.
131 Ebenda, Anm. 3.
132 Douglas to SecState, 28.4.1948, FRUS, 1948, II, S. 899 f.
133 The British Embassy to the Department of State, 30.4.1948, FRUS, 1948, IV, S. 842 ff.
134 Murphy schrieb am 15.4. an Marshall, die meisten Franzosen seien stets gegen Berlin als Sitz des Kontrollrats gewesen und würden den Rückzug der West-mächte aus Berlin keineswegs bedauern, FRUS, 1948, II, S. 894; de Leusse, Leiter der Mitteleuropa-Abteilung im Pariser Außenministerium, sagte noch am 24. Juni 1948 zum amerikanischen Botschafter in Frankreich, Caffery, daß er es für einen »schweren Irrtum« halte, wenn Amerikaner und Briten dem Verbleiben in Berlin übergroße Bedeutung zuschrieben, doch müsse Frank-reich in der Berlinfrage den USA und Großbritannien notgedrungen folgen: Caffery to SecState, 24.6.1948, FRUS, 1948, II, S. 916 f.
135 FRUS, 1948, II, S. 909 f. (Editorial Note).
136 Murphy to SecState, 19.6.1948, FRUS, 1948, II, S. 910 f.
137 Siehe Anm. 135.
138 Murphy to SecState, 23.6.1948, FRUS, 1948, II, S. 912 ff.
139 Hierzu W. Benz, Die Gründung der Bundesrepublik. Von der Bizone zum souveränen Staat, München 1984, S. 19 ff.
140 Murphy to SecState, 23.6.1948, FRUS, 1948, II, S. 915.
141 The Meetings of the Representatives of the United States, The United King-dom, France, and the Soviet Union in Moscow, FRUS, 1948, II, S. 995 ff.
142 The Negotiations of the Military Governors in Berlin, FRUS, 1948, II, S. 1099 ff.
143 SecState to Smith, 3.8.1948, FRUS, 1948, II, S. 1008.
144 Smith to SecState, 3.8.1948, FRUS, 1948, II, S. 999 ff.
145 Murphy to SecState, 1.7.1948, FRUS, 1948, S. 941.
146 Royall to Clay, 28.6.1948, FRUS, 1948, II, S. 929.
147 Douglas to SecState, 26.6.1948, FRUS, 1948, II, S. 921 ff.; bes. S. 925; Smith to SecState, 24.7.1948, FRUS, 1948, II, S. 984.
148 SecState to Douglas, 3.7.1948, FRUS, 1948, II, S. 947.
149 Caffery to SecState, 24.6.1948, FRUS, 1948, II, S. 916 f. Zur französischen Haltung ferner: Record of Teletype Conference Between the Department of State and the Embassy in the United Kingdom, 22.7.1948, FRUS, 1948, II, S. 977 ff.
150 Hierzu R. Steininger, Deutsche Geschichte 1945–1961. Darstellung und Do-kumente in zwei Bänden, Bd. 2, Frankfurt 1983, S. 292 f. u. 310 f. (Doku-ment). Steininger übersieht allerdings, daß auch Robertson dafür eintrat, dem sowjetischen Druck zunächst nicht nachzugeben; im übrigen verkennt er so-wohl die Realitätsferne wie den Mangel an konzeptioneller Klarheit des soge-nannten »Robertson-Plans«.

151 Minutes of the 286th Policy Planning Staff Meeting, Washington, September 28, 1948, FRUS, 1948, II, S. 1194 ff.

152 Memorandum Kennan, 12. 8. 1948, FRUS, 1948, II, S. 1287 ff.; Department of State Policy Statement (Verfasser: Kennan), 26. 8. 1948, FRUS, 1948, II, S. 1297 ff.; Paper Prepared by the Policy Planning Staff, Program for Germany (Program A), 12. 11. 1948, FRUS, 1948, II, S. 1325 ff. In seinen Erinnerungen (Memoirs, S. 445 ff., bes. 449) schrieb George Kennan freilich, er und seine Kollegen hätten fest damit gerechnet, daß »Program A« von der Sowjetunion abgelehnt worden wäre, hätten es die USA bei einer Außenministerkonferenz präsentiert; die erwartete Ablehnung hätte »die Russen mit der Verantwortung für die endgültige Spaltung Deutschlands belasten« sollen.

153 British Memorandum of Conversation Bevin–Marshall–Robertson–Clay, o. D., FRUS, 1947, II, S. 822 ff., bes. 826; vgl. ferner die in der Anm. 130, 131, 132, 133 und 134 genannten Dokumente. Hierzu auch Steininger, Deutsche Geschichte 1945–1961, Bd. 2, S. 289 ff.

154 SecState to Douglas, 28. 6. 1948, FRUS, 1948, II, S. 930 f.; SecState to Douglas, 3. 7. 1948, FRUS, 1948, II, S. 946 ff.; SecState to Douglas, 20. 7. 1948, FRUS, 1948, II, S. 971 ff.

155 Vgl. Steininger, Deutsche Geschichte 1945–1961. Bd. 2, S. 289 ff.

156 Hierzu Douglas to SecState, 26. 6. 1948, FRUS, 1948, II, S. 925.

157 Murphy to SecState, 26. 6. 1948, FRUS, 1948, II, S. 919 f.

158 Siehe Anm. 154.

159 Vgl. die informative und spannende Schilderung bei Benz, Die Gründung der Bundesrepublik, S. 22 ff.

160 Memorandum of Conversation Stalin–Marshall, 15. 4. 1947, FRUS, 1947, II, S. 337 ff., hier S. 343 f.

Quellen und Literatur

1. Ungedruckte Quellen

Archiv des Instituts für Zeitgeschichte
Monthly Report of the Control Commission for Germany (British Element), Juni
1946 ff. (DK 200.001)
Paul Wolfgang, Erinnerungen, ungedr. Manuskript
Pollok Papers (ED 122) (Tagebuch, Korrespondenz und Handakten James K. Pollok: Originale in der Michigan Historical Collection, Ann Arbor)
OMGUS-Akten (MF 260) Mikrofiche-Kopien von Akten der Record Group 260,
National Archives Washington: Office of Military Government for Germany,
U.S.)
OMGUS, Monthly Report of the Military Governor, August 1945 ff. (MA 560)
OMGUS Staff Conferences (Fg 12)

2. Gedruckte Quellen, Dokumentensammlungen

Akten zur Vorgeschichte der Bundesrepublik Deutschland 1945–1949, hrsg. von
Bundesarchiv und Institut für Zeitgeschichte, 5 Bde., München 1976–1983
    Bd. 1: September 1945–Dezember 1946, bearb. von Walter Vogel und Christoph Weisz
    Bd. 2: Januar 1947–Mitte Juni 1947, bearb. von Wolfram Werner
    Bd. 3: Mitte Juni 1947–Dezember 1947, bearb. von Günter Plum
    Bd. 4: Januar 1948–Dezember 1948, bearb. von Christoph Weisz, Hans-Dieter
Kreikamp und Bernd Steger
    Bd. 5: Januar 1949–Dezember 1949, bearb. von Hans-Dieter Kreikamp
Berlin. Behauptung von Freiheit und Selbstverwaltung 1946–1948, hrsg. im Auftrage des Senats von Berlin, Berlin 1959
Berlin. Quellen und Dokumente 1945–1951, hrsg. im Auftrage des Senats von
Berlin, bearb. von Hans J. Reichhardt, Hans U. Treutler und Albrecht Lampe,
2 Bde., Berlin 1964
Documents on the creation of the German Federal Constitution, prepared by Civil
Administration Division, OMGUS, Berlin 1949
Dokumente betreffend die Begründung einer staatlichen Ordnung in der amerikanischen, britischen und französischen Besatzungszone, hrsg. vom Büro der
Miniterpräsidenten des amerikanischen, britischen und französischen Besatzungsgebiets, Wiesbaden 1948
Dokumente des geteilten Deutschland. Quellentexte zur Rechtslage des Deutschen Reiches, der Bundesrepublik Deutschland und der Deutschen Demokratischen Republik, hrsg. von Ingo v. Münch, Stuttgart 1968
Thomas H. Etzold und John Lewis Gaddis (Hrsg.), Containment. Documents on
American Policy and Strategy 1945–1950, New York 1978

Alexander Fischer (Hrsg.), Teheran–Jalta–Potsdam. Die sowjetischen Protokolle von den Kriegskonferenzen der »Großen Drei«, Köln 1973

Foreign Relations of the United States. Diplomatic Papers. Hrsg. vom Department of State, Washington 1861–

  1941, Vol. II: Europe, 1959

  1942, Vol. II: Europe, 1962

  Vol. III: Europe, 1961

  1943, Vol. II: Europe, 1964

  Vol. III: The British Commonwealth, Eastern Europe,

The Far East, 1963

  1944, Vol. III: The British Commonwealth and Europe, 1965

  Vol. IV: Europe, 1966

  1945, Vol. III: European Advisory Commission, Austria, Germany, 1968

  Vol. III: Europe, 1967

  1946, Vol. II: Council of Foreign Ministers, 1970

  Vol. III: Paris Peace Conference: Proceedings, 1970

  Vol. IV: Paris Peace Conference: Documents, 1970

  Vol. V: The British Commonwealth, Western and Central

Europe, 1969

  1947, Vol. II: Council of Foreign Ministers, Germany and Austria, 1972

  Vol. III: The British Commonwealth, Europe, 1972

  1948, Vol. II: Germany and Austria, 1973

  Vol. IV: Eastern Europe, The Soviet Union, 1974

The Conferences at Cairo and Teheran 1943, 1961

The Conferences at Malta and Yalta 1945, 1955

The Conference of Berlin (The Potsdam Conference) 1945, 2 Bde., 1960

J. A. S. Grenville, The Major International Treaties 1914–1973. A. History with Guide and Texts, London 1974

Elmar Krautkrämer, Politik. Internationale Politik im 20. Jahrhundert. Dokumente und Materialien, 2 Bde., Frankfurt–Berlin–München 1976

Byron Price, Report to President Truman on the Relations Between the American Forces of Occupation and the German People, Washington 1947

Gotthold Rhode und Wolfgang Wagner, Quellen zur Entstehung der Oder-Neiße-Linie, Stuttgart 1959

Roosevelt and Churchill. Their Secret Wartime Correspondence, hrsg. von F. Loewenheim, F. Langley und H. D. Jonas, London 1975

Beate Ruhm v. Oppen, Documents on Germany under Occupation 1945–1954, London 1955

Jean Edward Smith, The Papers of General Lucius D. Clay. Germany 1945–1949, Bloomington 1974

Josef Stalin, Über den Großen Vaterländischen Krieg der Sowjetunion. Reden 1941–1945, Berlin 1951

Die unheilige Allianz. Stalins Briefwechsel mit Churchill 1941–1945, Reinbek 1964

Arthur Vandenberg Jr., The Private Papers of Senator Vandenberg, Boston 1972

Memoiren und Tagebücher

Vincent Auriol, Journal du septennat, 7 Bde., Paris 1970–1979

Thomas A. Bailey, The Marshall Plan Summer. An Eyewitness Report on Europe and the Russians in 1947, Stanford 1977

John M. Blum, From the Morgenthau Diaries, 2 Bde., Boston 1965 u. 1967

Charles Bohlen, Witness to History, New York 1973

James F. Byrnes, Speaking Frankly, New York 1947

James F. Byrnes, All in one Lifetime, New York 1958

Jan Ciechanowski, Defeat in Victory, New York 1947

Lucius D. Clay, Decision in Germany, Garden City 1950

Milovan Djilas, Gespräche mit Stalin, Frankfurt 1962

Anthony Eden (Earl of Avon), The Eden Memoirs. The Reckoning, London 1965

Averell W. Harriman u. Elie Abel, Special Envoy to Churchill and Stalin, New York 1975

Frank Howley, Berlin Command, New York 1950

Cordell Hull, Memoirs, 2 Bde., New York 1948

George F. Kennan, Memoirs 1925–1950, New York 1967

Wolfgang Leonhard, Die Revolution entläßt ihre Kinder, Köln 1955

I. M. Majskij, Memoiren eines sowjetischen Botschafters, Berlin (O) 1967

Stanislas Mikolajczyk, The Rape of Poland. Pattern of Soviet Aggression, New York 1948

Walter Millis (Hrsg.), The Forrestal Diaries, New York 1951

Robert Murphy, Diplomat among Warriors, New York 1965

Harold Nicolson, Diaries and Letters 1939–1945, London 1967

Georgi K. Shukow, Erinnerungen und Gedanken, 2 Bde., Berlin (O) 1970

Henry L. Stimson / McGeorge Bundy, On Active Service in Peace and War, New York 1947

Lord William Strang, Home and Abroad, London 1956

Cyrus L. Sulzberger, A Long Row of Candles. Memoirs and Diaries, New York 1969

Harry S. Truman, Memoirs, Garden City, N. Y., 1955

Literatur

Gar Alperovitz, Atomic Diplomacy. Hiroshima and Potsdam, New York 1965

Michael M. Amen, American Foreign Policy in Greece 1944/49, London 1979

John H. Backer, Priming the German Economy. American Occupational Policies 1945–1948, Durham 1971

John H. Backer, The Decision to Divide Germany, Durham 1978

John H. Backer, Die deutschen Jahre des Generals Clay. Der Weg zur Bundesrepublik 1945–1949, München 1983

Michael Balfour, Vier-Mächte-Kontrolle in Deutschland 1945–1946, Düsseldorf 1959

Wolfgang Benz, Wirtschaftspolitik zwischen Demontage und Währungsreform, in: Westdeutschlands Weg zur Bundesrepublik, München 1976

Wolfgang Benz, Von der Besatzungsherrschaft zur Bundesrepublik. Stationen einer Staatsgründung 1946–1949, Frankfurt 1984

Wolfgang Benz, Die Gründung der Bundesrepublik. Von der Bizone zum souveränen Staat, München 1984

Barton J. Bernstein, Politics and Policies of the Truman Administration, Chicago 1970

Barton J. Bernstein, The Atomic Bomb. The Critical Issues, Boston–Toronto 1976

Walrab v. Buttlar, Ziele und Zielkonflikte in der sowjetischen Deutschlandpolitik 1945–1947, Stuttgart 1980

Winston S. Churchill, Der Zweite Weltkrieg, Bd. 1–6, Hamburg–Bern–Stuttgart 1949–1954

Diane S. Clemens, Yalta, New York 1970

George Curry, James F. Byrnes, The American Secretaries of State and their Diplomacies, Bd. 14, New York 1965

Robert Dallek, Franklin D. Roosevelt and American Foreign Policy 1932–1945, New York 1979

Lynn E. Davis, The Cold War Begins. Soviet-American Conflict over Eastern Europe, Princeton 1974

Ernst Deuerlein, Die Einheit Deutschlands. Ihre Erörterung und Behandlung auf den Kriegs- und Nachkriegskonferenzen 1941–1949. Darstellung und Dokumentation, Frankfurt–Berlin 1957

Robert A. Divine, Second Chance, The Triumph of Internationalism in America during World War II, New York 1967

Robert A. Divine, Roosevelt and World War II, Baltimore 1969

Alan Dulles u. Gero v. Schulze-Gaeverniz, Das Unternehmen Sunrise. Die geheime Geschichte des Kriegsendes in Italien, Düsseldorf 1967

Herbert Feis, Churchill, Roosevelt, Stalin. The War they Waged and the Peace They Sought, Princeton 1957

Herbert Feis, From Trust to Terror. The Onset of the Cold War 1945–1950, New York 1970

Alexander Fischer, Die sowjetische Deutschlandpolitik im Zweiten Weltkrieg 1941–1945, Stuttgart 1975

Donna F. Fleming, The Cold War and its Origins 1917–1960, 2 Bde., Garden City 1961

Jan Foitzik, Kadertransfer. Der organisierte Einsatz sudetendeutscher Kommunisten in der SBZ 1945/46, in: Vierteljahrshefte für Zeitgeschichte 31 (1983), S. 108–334

Josef Foschepoth (Hrsg.), Deutschland in der Nachkriegspolitik der Alliierten, Stuttgart 1984

Josef Foschepoth, Britische Deutschlandpolitik zwischen Jalta und Potsdam, in: Vierteljahrshefte für Zeitgeschichte 30 (1982), S. 675–714

John P. Fox, Der Fall Katyn und die Propaganda des NS-Regimes, in: Vierteljahrshefte für Zeitgeschichte 30 (1982), S. 462–499

Richard M. Freeland, The Truman Doctrine and the Origins of McCarthyism. Foreign Policy, Domestic Politics, and Internal Security, 1946–1948, New York 1972

John L. Gaddis, The United States and the Origins of the Cold War 1941–1947, New York 1976

R. J. Gannon, The Cardinal Spellman Story, New York 1962

Lloyd C. Gardner, Arthur Schlesinger, Jr., Hans J. Morgenthau, The Origins of the Cold War, Waltham–Toronto 1970

H. G. Gelber, Der Morgenthau-Plan, in: Vierteljahrshefte für Zeitgeschichte 13 (1965), S. 372–405

John Gimbel, Amerikanische Besatzungspolitik in Deutschland 1945–1949, Frankfurt 1971

John Gimbel, Byrnes' Rede und die amerikanische Nachkriegspolitik in Deutschland, in: Vierteljahrshefte für Zeitgeschichte 20 (1972), S. 39–62

John Gimbel, Die Vereinigten Staaten, Frankreich und der amerikanische Vertragsentwurf zur Entmilitarisierung Deutschlands. Eine Studie über Legendenbildung im Kalten Krieg, in: Vierteljahrshefte für Zeitgeschichte 22 (1974), S. 258–286

John Gimbel, The Origins of the Marshall Plan, Stanford 1976

John Gimbel, Byrnes und die Bizone – Eine amerikanische Entscheidung zur Teilung Deutschlands, in: W. Benz u. H. Graml (Hrsg.), Aspekte deutscher Außenpolitik im 20. Jahrhundert. Aufsätze. Hans Rothfels zum Gedächtnis, Stuttgart 1976

Hermann Graml, Zwischen Jalta und Potsdam. Zur amerikanischen Deutschlandplanung im Frühjahr 1945, in: Vierteljahrshefte für Zeitgeschichte 24 (1976), S. 308–323

Lothar Gruchmann, Der Zweite Weltkrieg. Kriegführung und Politik, München 1967

Louis J. Halle, Der Kalte Krieg. Ursachen, Verlauf, Abschluß, Frankfurt 1969

Paul Y. Hammond, Directives for the Occupation of Germany. The Washington Controversy, in: American civil-military Decisions. A Book of Case Studies, Birmingham, Alabama, 1963

Reimer Hansen, Das Ende des Dritten Reiches. Die deutsche Kapitulation 1945, Stuttgart 1966

Klaus-Dietmar Henke, Politik der Widersprüche. Zur Charakteristik der französischen Militärregierung in Deutschland nach dem Zweiten Weltkrieg, in: Vierteljahrshefte für Zeitgeschichte 30 (1982), S. 500–537

George C. Herring, Aid to Russia 1941–1946, New York 1973

History of the United Nations War Crimes Commission and the Development of the Laws of War, London 1948

David Horowitz, Kalter Krieg. Hintergründe der US-Außenpolitik von Jalta bis Vietnam, 2 Bde., Berlin 1969

Friedrich Jerchow, Deutschland in der Weltwirtschaft 1944–1947. Alliierte Deutschland- und Reparationspolitik und die Anfänge der westdeutschen Außenpolitik, Düsseldorf 1978

Joseph M. Jones, The Fifteen Weeks (February 21–Juni 5, 1947) New York 1964

Warren F. Kimball, The Most Unsordid Act. Lend-Lease 1939–1941, Baltimore 1969

Warren F. Kimball (Hrsg.), Franklin D. Roosevelt and the World Crisis 1937 bis 1945, Lexington 1973

Manfred Knapp, Das Deutschlandproblem und die Ursprünge des europäischen Wiederaufbauprogramms. Eine Auseinandersetzung mit John Gimbels Untersuchung »The Origins of the Marshall Plan«, in: Politische Vierteljahrsschrift 19 (1978), S. 48–65

Gabriel Kolko, The Politics of War, London 1968

Joyce and Gabriel Kolko, The Limits of Power. The World and United States Policy 1945–1954, New York 1972

Erich Kosthorst, Klaus Gotto, Hartmut Soell, Deutschlandpolitik der Nachkriegsjahre, Paderborn 1976

Hans-Günther Kowalski, Die »European Advisory Commission« als Instrument alliierter Deutschlandplanung 1943–1945, in: Vierteljahrshefte für Zeitgeschichte 19 (1971), S. 261–293

Helmut Krausnick / Hermann Graml, Der deutsche Widerstand und die Alliierten, in: Vollmacht des Gewissens, Bd. II, Frankfurt 1965

Hans Dieter Kreikamp, Die amerikanische Deutschlandpolitik im Herbst 1946 und die Byrnes-Rede in Stuttgart, in: Vierteljahrshefte für Zeitgeschichte 29 (1981), S. 269–285

Bruce Kuklick, American Policy and the Division of Germany. The Clash with Russia over Reparations, Ithaca–London 1972

Walter LaFeber (Hrsg.), The Origins of the Cold War 1941–1947. A Historical Problem with Interpretations and Documents, New York 1971

Werner Link, Das Konzept der friedlichen Kooperation und der Beginn des Kalten Krieges, Düsseldorf 1971

Werner Link, Der Marshallplan und Deutschland, in: aus politik und zeitgeschichte 30 (1980), B. 50, S. 3–18

Walter Lipgens, Bedingungen und Etappen der Außenpolitik de Gaulles 1944 bis 1946, in: Vierteljahrshefte für Zeitgeschichte 21 (1973), S. 52–102

Walter Lipgens, Innerfranzösische Kritik an der Außenpolitik de Gaulles 1944 bis 1946, in: Vierteljahrshefte für Zeitgeschichte 24 (1976), S. 136–198

Walter Lipgens, die Anfänge der europäischen Einigungspolitik 1945–1950, Bd. 1: 1945–1947, Stuttgart 1977

Wilfried Loth, Sozialismus und Internationalismus. Die französischen Sozialisten und die Nachkriegsordnung Europas, Stuttgart 1977

Wilfried Loth, Frankreichs Kommunisten und der Beginn des Kalten Krieges, in: Vierteljahrshefte für Zeitgeschichte 26 (1978), S. 7–65

Wilfried Loth, Die Teilung der Welt. Geschichte des Kalten Krieges 1941–1955, München 1980

Peter Ludlow, Papst Pius XII., die britische Regierung und die deutsche Opposition im Winter 1939/40, in: Vierteljahrshefte für Zeitgeschichte 22 (1974), S. 299–341

Robert J. Maddox, The Left and the Origins of the Cold War, Princeton 1973

Mathias Manz, Stagnation und Aufschwung in der französischen Besatzungszone von 1945 bis 1948, Diss. Mannheim 1968

Wolfgang Marienfeld, Konferenzen über Deutschland. Die alliierte Deutschlandplanung und -politik 1941–1949, Hannover 1962

Vojtech Mastny, Russia's Road to the Cold War. Diplomacy, Warfare and the Politics of Communism 1941–1945, New York 1979

Charles L. Mee, Die Teilung der Beute. Die Potsdamer Konferenz 1945, Wien–München–Zürich–Innsbruck 1977

Henry Morgenthau jr., Germany is our Problem, New York 1945

J. P. Nettl, Die deutsche Sowjetzone bis heute. Politik, Wirtschaft, Gesellschaft, Frankfurt 1953

Lutz Niethammer, Entnazifizierung in Bayern. Säuberung und Rehabilitierung unter amerikanischer Besatzung, Frankfurt 1972

Ernst Nolte, Deutschland und der Kalte Krieg, München 1974

Otto Nübel, Die amerikanische Reparationspolitik gegenüber Deutschland 1941 bis 1945, Frankfurt 1980

Robert E. Osgood, Ideals and Self-Interest in America's Foreign Relations, Chicago 1953

Falk Pingel, »Die Russen am Rhein?« Die Wende der britischen Besatzungspolitik im Frühjahr 1946, in: Vierteljahrshefte für Zeitgeschichte 30 (1982), S. 38–116

Günter Plum, Versuche gesellschaftspolitischer Neuordnung. Ihr Scheitern im Kräftefeld deutscher und alliierter Politik, in: Westdeutschlands Weg zur Bundesrepublik, München 1976

Lisle A. Rose, After Yalta. America and the Origins of the Cold War, New York 1973

Siegmar Rothstein, Die Londoner Sechsmächtekonferenz 1948 und ihre Bedeutung für die Gründung der BRD, Diss. Freiburg 1968

Claus Scharf u. Hans-Jürgen Schröder (Hrsg.), Die Deutschlandpolitik Frankreichs und die Französische Zone 1945–1949, Wiesbaden 1983

Eberhard Schmidt, Die verhinderte Neuordnung 1945–1952. Zur Auseinandersetzung um die Demokratisierung der Wirtschaft in den westlichen Besatzungszonen und in der Bundesrepublik Deutschland, Frankfurt 1970

Klaus Schwabe, Die amerikanische Besatzungspolitik in Deutschland und der Beginn des »Kalten Krieges«, in: Rußland–Deutschland–Amerika. Festschrift für Fritz T. Epstein, Wiesbaden 1978

Hans-Peter Schwarz, Vom Reich zur Bundesrepublik. Deutschland im Widerstreit der außenpolitischen Konzeption in den Jahren der Besatzungsherrschaft 1945 bis 1949, Stuttgart 1980

Tony Sharp, The Wartime Alliance and the Zonal Division of Germany, Oxford 1975

Robert E. Sherwood, Roosevelt und Hopkins, Hamburg 1950

Jean E. Smith, Der Weg ins Dilemma. Preisgabe und Verteidigung der Stadt Berlin, Berlin 1965

Mary Soames, Clementine Churchill, Harmondsworth 1979

Dietrich Staritz, Sozialismus in einem halben Land. Zur Programmatik und Politik der KPD/SED in der Phase der antifaschistisch-demokratischen Umwälzung in der DDR, Berlin 1976

Ronald Steel, Walter Lippmann and the American Century, New York 1981

Rolf Steininger, Die Rhein-Ruhr-Frage im Kontext britischer Deutschlandpolitik 1945/46, in: Politische Weichenstellungen im Nachkriegsdeutschland 1945 bis 1953, Geschichte und Gesellschaft, Sonderheft 5, hrsg. von Heinrich August Winkler, Göttingen 1979

Rolf Steininger, Reform und Realität. Ruhrfrage und Sozialisierung in der anglo-amerikanischen Deutschlandpolitik 1947/48, in: Vierteljahrshefte für Zeitgeschichte 27 (1979), S. 167–240

Rolf Steininger, Deutsche Geschichte 1945–1961. Darstellung und Dokumente in zwei Bänden, Frankfurt 1983

Rolf Steininger, Die britische Deutschlandpolitik in den Jahren 1945/46, in: aus politik und zeitgeschichte 32 (1982), B 1–2, S. 28–47

Adam B. Ulam, The Rivals. America and Russia since World War II, New York 1971

Alfred Vagts, Unconditional Surrender – vor und nach 1943, in: Vierteljahrshefte für Zeitgeschichte 7 (1959), S. 280–309

Thilo Vogelsang, Die Bemühungen um eine deutsche Zentralverwaltung 1945/46, in: Vierteljahrshefte für Zeitgeschichte 18 (1970), S. 510–528

Thilo Vogelsang, Das geteilte Deutschland, in: Deutsche Geschichte seit dem Ersten Weltkrieg, Bd. 2, Stuttgart 1973

Hermann Weber, Von der SBZ zur DDR 1945–1968, Hannover 1968

Hermann Weber, Die Sozialistische Einheitspartei Deutschlands 1946–1971, Hannover 1971

Hermann Weber, DDR. Grundriß der Geschichte 1945–1976, Hannover 1976

Gerhard Wettig, Entmilitarisierung und Wiederbewaffnung in Deutschland 1943 bis 1955, München 1967

F. Roy Willis, France, Germany and the New Europe (1945–1967), Stanford–London 1968

Heinrich August Winkler (Hrsg.), Politische Weichenstellungen im Nachkriegsdeutschland 1945–1953, Geschichte und Gesellschaft, Sonderheft 5, Göttingen 1979

Christopher M. Woodhouse, The Struggle for Greece 1941–1949, London 1976

Llewelyn Woodward, British Foreign Policy, vol. II, London 1962

Daniel Yergin, Der zerbrochene Frieden. Der Ursprung des Kalten Krieges und die Teilung Europas, Frankfurt 1977

Janusz K. Zawodny, Zum Beispiel Katyn. Die Klärung eines Kriegsverbrechens, München 1971

Personenregister

Acheson, Dean 119, 155 ff.,
 220, 224, 229
Achilles 239
Anders, General 34
Anderson 82 f., 103, 145
Arciszewski 36
Attlee, Clement 89, 91, 114,
 137, 158, 227

Benz, Wolfgang 9
Bérard 239
Berling, General 34
Bevin, Ernest 89, 98, 103,
 114, 133–138, 140 f., 143 f.,
 146 f., 152 f., 157 ff., 166,
 171 ff., 175 ff., 181, 190,
 194 f., 197, 206, 212 f.,
 226 ff., 230 f., 234 ff., 238 f.,
 241
Bidault, Georges 108 f., 112
 bis 115, 119, 133, 135, 137,
 143 f., 152–158, 172, 176 f.,
 184 f., 194 f., 197, 223,
 227 f., 230, 235, 238
Bismarck, Otto von 109, 214
Blum, Leon 113
Bohlen, Charles 11, 30, 48,
 52, 71, 77, 152, 237
Bonnet 227, 238 f.
Bor-Komorowski, General
 35, 38
Byrnes, James F. 88 f., 97,
 103, 111 ff., 119, 133–162,
 165–169, 172–179, 181,
 183, 185 ff., 190, 201, 222,
 226–235, 237

Caffery, Jefferson 109 f., 113,
 167 f., 223 f., 229 f., 234 ff.,
 238 ff.
Churchill, Clementine 38, 218
Churchill, Winston 11 ff.,
 18 f., 21, 24, 26–29, 31,
 34 f., 38 f., 41, 44 ff., 48–51,
 61, 63–68, 72, 78, 81, 84,
 88–91, 96, 99, 114, 180 f.,
 216, 218–221
Chauvel, Jean 167 f.

Ciechanowski 220
Clay, Lucius D. 95, 105 f.,
 109–116, 118–123, 125,
 129–132, 155 ff., 159 f.,
 165 f., 174, 178, 183, 185,
 191, 199, 203–207, 210,
 223 ff., 235, 238–241
Clifford, Clark 234
Cohen, Benjamin V. 152, 237
Couve de Murville 114, 199

Djilas, Milovan 79
Douglas, Lewis 122, 198 bis
 201, 206, 210, 235, 238 bis
 241
Douglas, Sir Sholto 178
Draper, William H. 122, 125
Dratvin, General 159
Dulles, John Foster 49, 179,
 238
Dunn, James C. 148, 229
Durbrow, Eldridge 184, 234

Eden, Anthony 17 f., 28, 39,
 44 f., 52 ff., 63 f., 71, 73, 82,
 84, 89, 97 f., 103, 114, 181,
 218, 221
Eschenburg, Theodor 9
Eisenhower, Dwight D. 40,
 49, 64, 84, 95, 105 ff., 110,
 130, 178 f.

Freeland, R. M. 235

Gallman, Waldemar J. 146,
 229
Gaulle, Charles de 43 f.,
 108 ff., 112 f., 223
Gimbel, J. 228 ff., 235
Gottwald 236
Griffis, Stanton 236
Groza, Petru 68
Gusev, F. T. 53 f.

Halifax, Lord 19, 144, 228 f.
Harriman, Averell 30, 41, 47,
 62, 71, 74 f., 87 f., 130,
 220 f., 227, 229

Harriman, Kathleen 62
Harvey, Sir Oliver 146
Hermes 117
Hickerson 238 f.
Hilldring, John H. 112, 122 f.,
 155, 157, 166, 224, 237
Hitler, Adolf 12 f., 15, 18 f.,
 25, 31, 35, 42, 69 f., 77, 79,
 214
Hopkins, Harry 21, 30, 77 ff.,
 81, 86, 221
Hull, Cordell 20, 22, 24, 26 ff.,
 57
Hynd 146

Kalinin, Oberst 210
Keith 236
Kennan, George 11, 14, 79,
 130 f., 150 f., 154, 163,
 165 f., 168, 179, 183, 186,
 190, 212, 226, 230, 241
Kerr, Archibald Clark 47, 62,
 220, 228
Koeltz, Louis 105 f., 111, 160
Koenig, General 105 ff., 205,
 239

Lattre de Tassigny, General
 de 84, 105
Leahy, Admiral 24, 30
Lenin, Wladimir Iljitsch 37,
 79
Leonhard, W. 225
Leusse, Pierre de 109, 240
Lightner 237
Lippmann, Walter 77, 221
Litwinow 161
Lovett 238 ff.

MacLeish, Archibald 222
Majskij, Ivan 28, 222
Mao Tse-tung 140
Marshall, George C. 73, 187,
 190–197, 200 f., 203, 206,
 211–215, 234 ff., 238–241
Masaryk, Jan 71, 236
Massigli, René 198
Matthews, H. Freeman 148,
 229, 234 f., 237

McCloy, John 121 f.
McNarney, Joseph T. 178
Michael, König von Rumänien 68
Mikolajczyk 35, 78, 139
Millis, Walter 121
Modzelewski, Zygmunt 236
Molotow, Wjatscheslaw 18, 20, 28, 47, 49, 52 f., 62, 67 f., 70–75, 78, 80, 89, 91, 97, 103, 115, 133–144, 147, 149–153, 155–162, 164, 166, 168–177, 186 f., 190 f., 193 ff., 209, 220 ff., 228 f., 231 f., 236 f.
Montgomery, Feldmarschall 84, 105 f., 145, 178
Morgenthau, Henry 26 f., 29, 45, 50, 55–59, 75, 123, 198, 217, 221, 231
Murphy, Robert 109, 111, 113, 116 ff., 130 f., 165, 178, 183 f., 199, 204 ff., 208, 210, 213, 223–226, 230, 233 ff., 238–241

Nicolson, Harold 37 f., 64, 71

Offie, Carmel 165, 230
Onthank, Colonel 58 f.
Orleans, Johanna von 18

Patterson, Robert P. 111, 119
Paul, Rudolf 194
Paul, W. 224
Pauley, Edwin 86 ff., 222

Pehle, Dr. Walter 10
Price, Byron 112

Radescu 68
Reber 238
Riddleberger 238 f.
Robertson, Sir Brian 105 f., 111, 113, 160, 199, 205 ff., 211, 240 f.
Roosevelt, Franklin D. 11 ff., 21–31, 34, 39 ff., 45–52, 55, 57 f., 62, 64, 66 ff., 70, 72 f., 75 ff., 79, 81, 84, 86, 88, 99, 160, 179, 216–221, 233, 239
Royall, Kenneth C. 210, 240

Schreiber (CDU-Vors.) 117
Schukow 84, 105 f., 178, 233
Smith, Walter Bedell 130, 150 f., 210 f., 226, 229, 235 bis 238, 240
Sobolew, Arkadi 118
Sokolowski, Wassilij 105 f., 111, 113, 178, 207 f.
Spaak, Paul Henri 71
Spellman, Kardinal 23 ff., 41, 217
Stalin, Josef 11, 13, 17–20, 27 ff., 31–52, 54, 61–64, 66–73, 75–81, 86, 88–92, 96, 98–101, 103, 105, 115, 137–140, 142 ff., 150 f., 160 f., 163, 179 ff., 189, 199, 202, 209 ff., 213 f., 218–221, 227 f., 233, 236, 241
Staude, Reinhilde 10

Steinhardt 236
Stekker, Irene 10
Stettinius, Edward R. 52 f., 55, 57, 71, 73, 88, 221
Stimson, Harry Lewis 26, 73
Strang, Sir William 145, 198 f., 206, 211, 238
Swing, Raymond Gram 77

Thorp 237
Tito, Josip 31, 65, 79
Trotzki, Lew Dawidowitsch 37
Troutbeck 104
Truman, Harry S. 58, 64, 66 f., 72 ff., 76 f., 86, 88–91, 103, 112, 120 f., 137, 142 f., 178–181, 187, 190, 212, 221, 225, 227, 229, 233 ff., 238 f.
Tschiang Kai-schek 140
Tschitscherin 161

Ulbricht 226

Vyrjanow, Oberst 208
Waley, Sir David 104
Wang (chin. Außenminister) 133, 137
Welles, Sumner 19 f.
Wiesner, L. 226
Wilson, Präsident 21, 72
Winant, John G. 53 ff., 224, 227
Wisner, Frank G. 239
Woodhouse, Ch. M. 235
Wychinski, Andrej 68, 228

Die Bundesrepublik Deutschland

Politik · Gesellschaft · Kultur

Geschichte in drei Bänden
Herausgegeben von Wolfgang Benz

Ein Handbuch und Nachschlagewerk auf dem neuesten
Forschungsstand. Eine Sammlung von historisch-poli-
tischen Längsschnitt-Darstellungen mit Zeittafeln,
Tabellen, Verzeichnissen, Register und bibliographischen
Handreichungen. Mitarbeiter sind Historiker und histo-
risch arbeitende Fachgelehrte der Nachbardisziplinen.

Band I: Politik
Band 4312

Aus dem Inhalt: Verfassung, Verwaltung und öffentlicher
Dienst; Recht und Justiz; Parteien, Gewerkschaften und
Wirtschaftsystem; Sicherheits- und Außenpolitik;
Politische Daten 1945–1983.

Band II: Gesellschaft
Band 4313

Dieser Band behandelt die gesellschaftspolitischen und
sozialen Zusammenhänge: von der Bevölkerungsentwick-
lung über die Sozialpolitik, die Kirchen, die Arbeitswelt,
Freizeit, Wohnkultur, Bildungspolitik bis hin zu Themen
wie Familie, Frauen, Jugend und Gastarbeiter. Die
Darstellung reduziert sich nicht auf die Haupt- und Staats-
aktionen, sondern analysiert auch die alltäglichen Verhältnisse in der Bundesrepublik.

Band III: Kultur
Band 4314

Dieser Band befaßt sich mit der kulturellen
Entwicklung der Bundesrepublik. Enthalten sind u. a.
Beiträge über Medien, Literatur, Theater, Film, Musik,
Architektur, Bildende Kunst, Sprache, Kulturpolitik
sowie Graphik und Design.

Fischer Taschenbuch Verlag

Frühgeschichte der Bundesrepublik Deutschland

Band 4311

Band 4310

Ein Standardwerk auf der Grundlage neuesten Quellenmaterials, das mit vielen liebgewonnenen Legenden aufräumt. Beschrieben wird die Rolle der Bizone mit Sitz in Frankfurt und die des trizonalen Verfassungsparlaments in Bonn bis hin zur Verkündung des Grundgesetzes.

Bisher gesperrtes Archivmaterial ist nunmehr wieder zugänglich geworden. Der Historiker Graml setzt sich mit einseitigen Legendenbildungen auseinander, die den Blick für die Entstehungsgeschichte der Bundesrepublik verstellen. Er weist nach, daß die Teilung Deutschlands schon während des Zweiten Weltkrieges seitens der Alliierten beschlossene Sache war.

Fischer Taschenbuch Verlag

Rolf Steininger

Deutsche Geschichte 1945–1961

Darstellung und Dokumente in zwei Bänden

Band 4315/Band 4316

Deutsche Geschichte
1945-1961
Darstellung und Dokumente
in zwei Bänden

Rolf Steininger

Band 1 ✕ Fischer

Wie sah die Deutschlandplanung der Alliierten im Krieg aus; wann und von wem wurde die Entscheidung getroffen, Deutschland zu teilen; wie wurde die Teilung durchgeführt? Welche Rolle spielten die Deutschen bei der Teilung ihres Landes; welche Bedeutung hatte dabei das Ruhrgebiet; warum gründeten die Briten Nordrhein-Westfalen? Wurden Chancen vertan, die Teilung zu

verhindern: etwa 1947 auf der gesamtdeutschen Ministerpräsidentenkonferenz in München oder 1948, als der britische Militärgouverneur Robertson einen Geheimplan vorlegte, über den in diesem Band zum ersten Mal berichtet wird? Wurden Chancen vertan, die Wiedervereinigung zu erlangen? Warum lehnte der Westen Stalins Angebot 1952 ab? Was war die »Stunde Null«; wie sah der politische Neubeginn in Ost- und Westdeutschland aus? Warum scheiterte die Entnazifizierung; wie ist die These von der »verhinderten Neuordnung« zu beurteilen; warum fand die Sozialisierung nicht statt, was wollten die Sowjets in Deutschland? Welchen Stellenwert haben Koreakrieg und Wiederbewaffnung, Adenauers Westpolitik, der 17. Juni 1953 und der Bau der Mauer in Berlin 1961 in der deutschen Geschichte nach 1945? Wie stellte sich Adenauer gesamtdeutsche Wahlen vor? Das sind nur einige jener Fragen, die in diesen beiden Bänden untersucht werden – auf der Grundlage bisher nicht zugänglicher und hier erstmals veröffentlichter Schlüsseldokumente, die zum größten Teil aus dem Public Record Office in London bzw. dem Departement of State in Washington stammen. Die ausführlichen Einleitungen zu den einzelnen Kapiteln erläutern die abgedruckten Dokumente: eine an überraschenden Erkenntnissen reiche Gesamtdarstellung der jüngsten deutschen Geschichte.

Fischer Taschenbuch Verlag

Das Zwanzigste Jahrhundert

in 3 Bänden

Europa 1918–1945
Fischer Weltgeschichte Band 34
Herausgegeben und verfaßt von R. A. C. Parker

Der Autor behandelt vor allem zwei Probleme, unter deren Nachwirkungen wir auch heute noch zu leiden haben: Aufstieg und Erscheinungsformen des Faschismus in Europa und Ursprung und Verlauf des Zweiten Weltkriegs. Unter diesem Blickwinkel werden Weltwirtschaftskrise und soziale Spannungen, nationale Rivalitäten und politische Radikalisierung geschildert; zugleich tritt ihre gegenseitige Verflechtung hervor, denn – so Parker – »wenigstens in der modernen Welt sind politische Veränderungen zugleich Ursachen und Folgen wirtschaftlicher und sozialer Veränderungen«.

Europa nach dem Zweiten Weltkrieg
Fischer Weltgeschichte Band 35
Herausgegeben von Wolfgang Benz und Hermann Graml

In diesem Band wird die europäische Geschichte von 1945 bis heute aufgearbeitet. Er beginnt mit einem Kapitel über die politischen Blockbildungen im Anschluß an den Zweiten Weltkrieg, an das sich je zwei Kapitel über die Entwicklungen in West- und Osteuropa anschließen und eines über den schwierigen Gang der europäischen Entspannung bis hin zur Krise dieser Politik.

Weltprobleme zwischen den Machtblöcken
Fischer Weltgeschichte Band 36
Herausgegeben von Wolfgang Benz und Hermann Graml

In diesem Band werden die wichtigsten zeitgenössischen Konfliktherde beschrieben und auf ihren strukturellen Zusammenhang hin untersucht. Die Spannweite reicht von Nordirland bis Kambodscha, vom Aufbruch der arabisch-islamischen Welt über die Befreiungsbewegungen in Afrika und Asien bis hin zur Entstehung der Volksrepublik China als neuem Machtfaktor in der Weltpolitik. Den Abschluß bilden Überlegungen zu Problemen der Entwicklungsländer, zur Entwicklungspolitik und zum Nord-Süd-Konflikt.

Fischer Taschenbuch Verlag